NOUVELLES HIS

ŒUVRES D'EDGAR ALLAN POE

LES POÈMES
HISTOIRES (*Bibliothèque de la Pléiade*)
LE SPHINX ET AUTRES
CONTES BIZARRES

Dans Le Livre de Poche :

AVENTURES D'ARTHUR GORDON PYM
HISTOIRES EXTRAORDINAIRES
HISTOIRES GROTESQUES ET SÉRIEUSES

EDGAR ALLAN POE

Nouvelles histoires extraordinaires

TRADUCTION DE CHARLES BAUDELAIRE

LE LIVRE DE POCHE

LE DÉMON
DE LA PERVERSITÉ

Dans l'examen des facultés et des penchants, — des mobiles primordiaux de l'âme humaine, — les phrénologistes ont oublié de faire une part à une tendance qui, bien qu'existant visiblement comme sentiment primitif, radical, irréductible, a été également omise par tous les moralistes qui les ont précédés. Dans la parfaite infatuation de notre raison, nous l'avons tous omise. Nous avons permis que son existence échappât à notre vue, uniquement par manque de croyance. — de foi, — que ce soit la foi dans la Révélation ou la foi dans la Cabale. L'idée ne nous en est jamais venue, simplement à cause de sa qualité surérogatoire. Nous n'avons pas senti le besoin de constater cette impulsion, — cette tendance. Nous ne pouvions pas en concevoir la nécessité. Nous ne pouvions pas saisir la notion de ce *primum mobile*, et, quand même elle se serait introduite de force en nous, nous n'aurions jamais pu comprendre quel rôle il jouait dans l'économie des choses humaines, temporelles ou éternelles. Il est impossible de nier que la phrénologie et une bonne partie des sciences métaphysiques ont été brassées *a priori*. L'homme de la métaphysique ou de la logique, bien plutôt que l'homme de l'intelligence et de l'observation, prétend concevoir les desseins de Dieu, — lui dicter des plans. Ayant ainsi approfondi à sa pleine satisfaction les intentions de Jéhovah, d'après cesdites intentions, il a bâti ses

innombrables et capricieux systèmes. En matière de phrénologie, par exemple, nous avons d'abord établi, assez
naturellement d'ailleurs, qu'il était dans les desseins de
la Divinité que l'homme mangeât. Puis nous avons assigné
à l'homme un organe d'alimentivité, et cet organe est le
fouet avec lequel Dieu contraint l'homme à manger, bon
gré, mal gré. En second lieu, ayant décidé que c'était la
volonté de Dieu que l'homme continuât son espèce, nous
avons découvert tout de suite un organe d'amativité. Et
ainsi ceux de la combativité, de l'idéalité, de la causalité,
de la constructivité, — bref, tout organe représentant un
penchant, un sentiment moral ou une faculté de la pure
intelligence. Et dans cet emménagement des principes de
l'action humaine, des Spurzheimistes, à tort ou à raison,
en partie ou en totalité, n'ont fait que suivre, en principe,
les traces de leurs devanciers; déduisant et établissant
chaque chose d'après la destinée préconçue de l'homme
et prenant pour base les intentions de son Créateur.

Il eût été plus sage, il eût été plus sûr de baser notre
classification (puisqu'il nous faut absolument classifier)
sur les actes que l'homme accomplit habituellement et
ceux qu'il accomplit occasionnellement, toujours occasionnellement, plutôt que sur l'hypothèse que c'est la
Divinité elle-même qui les lui fait accomplir. Si nous ne
pouvons pas comprendre Dieu dans ses œuvres visibles,
comment donc le comprendrions-nous dans ses inconcevables pensées, qui appellent ces œuvres à la Vie? Si
nous ne pouvons le concevoir dans ses créatures objec-
tives, comment le concevrons-nous dans ses modes in-
conditionnels et dans ses phrases de création?

L'induction *a posteriori* aurait conduit la phrénologie
à admettre comme principe primitif et inné de l'action
humaine un je ne sais quoi paradoxal, que nous nom-
merons *perversité*, faute d'un terme plus caractéristique.
Dans le sens que j'y attache, c'est, en réalité, un mobile
sans motif, un motif non motivé. Sous son influence, nous
agissons sans but intelligible; ou, si cela apparaît comme
une contradiction dans les termes, nous pouvons modifier

la proposition jusqu'à dire que, sous son influence, nous agissons par la raison que *nous ne le devrions pas*. En théorie, il ne peut pas y avoir de raison plus déraisonnable; mais, en fait, il n'y en a pas de plus forte. Pour certains esprits, dans de certaines conditions, elle devient absolument irrésistible. Ma vie n'est pas une chose plus certaine pour moi que cette proposition : la certitude du péché ou de l'erreur inclus dans un acte quelconque est souvent l'unique *force* invincible qui nous pousse, et seule nous pousse à son accomplissement. Et cette tendance accablante à faire le mal pour l'amour du mal n'admettra aucune analyse, aucune résolution en éléments ultérieurs. C'est un mouvement radical, primitif, — élémentaire. On dira, je m'y attends, que, si nous persistons dans certains actes parce que nous sentons que nous *ne devrions pas* y persister, notre conduite n'est qu'une modification de celle qui dérive ordinairement de la *combativité* phrénologique. Mais un simple coup d'œil suffira pour découvrir la fausseté de cette idée. La combativité phrénologique a pour cause d'existence la nécessité de la défense personnelle. Elle est notre sauvegarde contre l'injustice. Son principe regarde notre bien-être; et ainsi, en même temps qu'elle se développe, nous sentons s'exalter en nous le désir du bien-être. Il suivrait de là que le désir du bien-être devrait être simultanément excité avec tout principe qui ne serait qu'une modification de la combativité; mais, dans le cas de ce je ne sais quoi que je définis perversité, non-seulement le désir du bien-être n'est pas éveillé, mais encore apparaît un sentiment singulièrement contradictoire.

Tout homme, en faisant appel à son propre cœur, trouvera, après tout, la meilleure réponse au sophisme dont il s'agit. Quiconque consultera loyalement et interrogera soigneusement son âme, n'osera pas nier l'absolue radicalité du penchant en question. Il n'est pas moins caractérisé qu'incompréhensible. Il n'existe pas d'homme, par exemple, qui à un certain moment n'ait été dévoré d'un ardent désir de torturer son auditeur par des circon-

locutions. Celui qui parle sait bien qu'il déplaît; il a la
meilleure intention de plaire; il est habituellement bref,
précis et clair; le langage le plus laconique et le plus
lumineux s'agite et se débat sur sa langue; ce n'est
qu'avec peine qu'il se contraint lui-même à lui refuser le
passage, il redoute et conjure la mauvaise humeur de celui
auquel il s'adresse. Cependant, cette pensée le frappe, que
par certaines incises et parenthèses il pourrait engendrer
cette colère. Cette simple pensée suffit. Le mouvement
devient une velléité, la velléité se grossit en désir, le désir
se change en un besoin irrésistible, et le besoin se satisfait,
— au profond regret et à la mortification du parleur,
et au mépris de toutes les conséquences.

Nous avons devant nous une tâche qu'il nous faut
accomplir rapidement. Nous savons que tarder, c'est notre
ruine. La plus importante crise de notre vie réclame avec
la voix impérative d'une trompette l'action et l'énergie
immédiates. Nous brûlons, nous sommes consumés de
l'impatience de nous mettre à l'ouvrage; l'avant-goût d'un
glorieux résultat met toute notre âme en feu. Il faut, il
faut que cette besogne soit attaquée aujourd'hui, — et cependant nous la renvoyons à demain; — et pourquoi? Il
n'y a pas d'explication, si ce n'est que nous sentons que
cela est *pervers;* — servons-nous du mot sans comprendre
le principe. Demain arrive, et en même temps une plus impatiente anxiété de faire notre devoir; mais avec ce surcroît d'anxiété arrive aussi un désir ardent, anonyme, de
différer encore, — désir positivement terrible, parce que
sa nature est impénétrable. Plus le temps fuit, plus ce
désir gagne de force. Il n'y a plus qu'une heure pour
l'action, cette heure est à nous. Nous tremblons par la
violence du conflit qui s'agite en nous, — de la bataille
entre le positif et l'indéfini, entre la substance et l'ombre.
Mais, si la lutte en est venue à ce point, c'est l'ombre
qui l'emporte, — nous nous débattons en vain. L'horloge
sonne, et c'est le glas de notre bonheur. C'est en même
temps pour l'ombre qui nous a si longtemps terrorisés le
chant réveille-matin, la diane du coq victorieuse des fan-

tômes. Elle s'envole, — elle disparaît, — nous sommes libres. La vieille énergie revient. Nous travaillerons *maintenant*. Hélas! il est *trop tard*.

Nous sommes sur le bord d'un précipice. Nous regardons dans l'abîme, — nous éprouvons du malaise et du vertige. Notre premier mouvement est de reculer devant le danger. Inexplicablement nous restons. Peu à peu notre malaise, notre vertige, notre horreur se confondent dans un sentiment nuageux et indéfinissable. Graduellement, insensiblement, ce nuage prend une forme, comme la vapeur de la bouteille d'où s'élevait le génie des *Mille et une Nuits*. Mais de *notre* nuage, sur le bord du précipice, s'élève, de plus en plus palpable, une forme mille fois plus terrible qu'aucun génie, qu'aucun démon des fables; et cependant ce n'est qu'une pensée, mais une pensée effroyable, une pensée qui glace la moelle même de nos os, et les pénètre des féroces délices de son horreur. C'est simplement cette idée : Quelles seraient nos sensations durant le parcours d'une chute faite d'une telle hauteur? Et cette chute, — cet anéantissement foudroyant, — par la simple raison qu'ils impliquent la plus affreuse, la plus odieuse de toutes les plus affreuses et de toutes les plus odieuses images de mort et de souffrance qui se soient jamais présentées à notre imagination, — par cette simple raison, nous les désirons alors plus ardemment. Et parce que notre jugement nous éloigne violemment du bord, *à cause de cela même*, nous nous en rapprochons plus impétueusement. Il n'est pas dans la nature de passion plus diaboliquement impatiente que celle d'un homme qui, frissonnant sur l'arête d'un précipice, rêve de s'y jeter. Se permettre, essayer de *penser* un instant seulement, c'est être inévitablement perdu; car la réflexion nous commande de nous en abstenir, et c'est *à cause de cela même*, dis-je, que nous *ne le pouvons pas*. S'il n'y a pas là un bras ami pour nous arrêter, ou si nous sommes incapables d'un soudain effort pour nous rejeter loin de l'abîme, nous nous élançons, nous sommes anéantis.

Examinons ces actions et d'autres analogues, nous trou-

verons qu'elles résultent uniquement de l'esprit de *per-*
versité. Nous les perpétrons simplement à cause que nous
sentons que *nous ne le devrions pas.* En deçà ou au-delà,
il n'y a pas de principe intelligible; et nous pourrions,
en vérité, considérer cette perversité comme une instiga-
tion directe de l'Archidémon, s'il n'était pas reconnu
que parfois elle sert à l'accomplissement du bien.

Si je vous en ai dit aussi long, c'était pour répondre
en quelque sorte à votre question, — pour vous expliquer
pourquoi je suis ici, — pour avoir à vous montrer un
semblant de cause quelconque qui motive ces fers que
je porte et cette cellule de condamné que j'habite. Si je
n'avais pas été si prolixe, ou vous ne m'auriez pas du
tout compris, ou, comme la foule, vous m'auriez cru
fou. Maintenant vous percevrez facilement que je suis
une des victimes innombrables du Démon de la Perversité.

Il est impossible qu'une action ait jamais été mani-
gancée avec une plus parfaite délibération. Pendant des
semaines, pendant des mois, je méditai sur les moyens
d'assassinat. Je rejetai mille plans, parce que l'accomplissement de chacun impliquait une *chance* de révélation. A la longue, lisant un jour quelques mémoires français, je trouvai l'histoire d'une maladie presque mortelle
qui arriva à madame Pilau, par le fait d'une chandelle
accidentellement empoisonnée. L'idée frappa soudainement mon imagination. Je savais que ma victime avait
l'habitude de lire dans son lit. Je savais aussi que sa
chambre était petite et mal aérée. Mais je n'ai pas besoin
de vous fatiguer de détails oiseux. Je ne vous raconterai
pas les ruses faciles à l'aide desquelles je substituai, dans
le bougeoir de sa chambre à coucher, une bougie de
ma composition à celle que j'y trouvai. Le matin, on
trouva l'homme mort dans son lit, et le verdict du coroner
fut : *Mort par la visitation de Dieu*[1].

J'héritai de sa fortune, et tout alla pour le mieux pendant plusieurs années. L'idée d'une révélation n'entra pas

---

1. Formule anglaise : mort subite (C.B.)

une seule fois dans ma cervelle. Quant aux restes de la fatale bougie, je les avais moi-même anéantis. Je n'avais pas laissé l'ombre d'un fil qui pût servir à me convaincre ou même me faire soupçonner du crime. On ne saurait concevoir quel magnifique sentiment de satisfaction s'élevait dans mon sein quand je réfléchissais sur mon absolue sécurité. Pendant une très-longue période de temps, je m'accoutumai à me délecter dans ce sentiment. Il me donnait un plus réel plaisir que tous les bénéfices purement matériels résultant de mon crime. Mais à la longue arriva une époque à partir de laquelle le sentiment de plaisir se transforma, par une gradation presque imperceptible, en une pensée qui me hantait et me harassait. Elle me harassait parce qu'elle me hantait. A peine pouvais-je m'en délivrer pour un instant. C'est une chose tout à fait ordinaire que d'avoir les oreilles fatiguées, ou plutôt la mémoire obsédée par une espèce de tintouin, par le refrain d'une chanson vulgaire ou par quelques lambeaux insignifiants d'opéra. Et la torture ne sera pas moindre, si la chanson est bonne en elle-même ou si l'air d'opéra est estimable. C'est ainsi qu'à la fin je me surprenais sans cesse rêvant à ma sécurité, et répétant cette phrase à voix basse : *Je suis sauvé!*

Un jour, tout en flânant dans les rues, je me surpris moi-même à murmurer, presque à haute voix, ces syllabes accoutumées. Dans un accès de pétulance, je les exprimais sous cette forme nouvelle : *Je suis sauvé, — je suis sauvé; — oui, — pourvu que je ne sois pas assez sot pour confesser moi-même mon cas!*

A peine avais-je prononcé ces paroles, que je sentis un froid de glace filtrer jusqu'à mon cœur. J'avais acquis quelque expérience de ces accès de perversité (dont je n'ai pas sans peine expliqué la singulière nature), et je me rappelais fort bien que dans aucun cas je n'avais su résister à ces victorieuses attaques. Et maintenant cette suggestion fortuite, venant de moi-même, — que je pourrais bien être assez sot pour confesser le meurtre dont je m'étais rendu coupable, — me confrontait comme l'ombre même de celui que j'avais assassiné, — et m'appelait vers la mort.

D'abord, je fis un effort pour secouer ce cauchemar de mon âme. Je marchai vigoureusement, — plus vite, — toujours plus vite; — à la longue je courus. J'éprouvais un désir enivrant de crier de toute ma force. Chaque flot successif de ma pensée m'accablait d'une nouvelle terreur; car, hélas! je comprenais bien, trop bien, que *penser*, dans ma situation, c'était me perdre. J'accélérai encore ma course. Je bondissais comme un fou à travers les rues encombrées de monde. A la longue, la populace prit l'alarme et courut après moi. Je sentis *alors* la consommation de ma destinée. Si j'avais pu m'arracher la langue, je l'eusse fait; — mais une voix rude résonna dans mes oreilles, — une main plus rude encore m'empoigna par l'épaule. Je me retournai, j'ouvris la bouche pour aspirer. Pendant un moment, j'éprouvai toutes les angoisses de la suffocation; je devins aveugle, sourd, ivre : et alors quelque démon invisible, pensai-je, me frappa dans le dos avec sa large main. Le secret si longtemps emprisonné s'élança de mon âme.

On dit que je parlai, que je m'énonçai très-distinctement, mais avec une énergie marquée et une ardente précipitation, comme si je craignais d'être interrompu avant d'avoir achevé les phrases brèves, mais grosses d'importance, qui me livraient au bourreau et à l'enfer.

Ayant relaté tout ce qui était nécessaire pour la pleine conviction de la justice, je tombai terrassé, évanoui.

Mais pourquoi en dirais-je plus? Aujourd'hui je porte ces chaînes, et suis *ici!* Demain, je serai libre! — *mais où?*

LE CHAT NOIR

Relativement à la très-étrange et pourtant très-familière histoire que je vais coucher par écrit, je n'attends ni ne sollicite la créance. Vraiment, je serais fou de m'y attendre dans un cas où mes sens eux-mêmes rejettent leur propre témoignage. Cependant, je ne suis pas fou, — et très-certainement je ne rêve pas. Mais demain je meurs, et aujourd'hui je voudrais décharger mon âme. Mon dessein immédiat est de placer devant le monde, clairement, succinctement et sans commentaires, une série de simples événements domestiques. Dans leurs conséquences, ces événements m'ont terrifié, — m'ont torturé, — m'ont anéanti. — Cependant, je n'essayerai pas de les élucider. Pour moi, ils ne m'ont guère présenté que de l'horreur : — à beaucoup de personnes ils paraîtront moins terribles que *baroques*. Plus tard peut-être, il se trouvera une intelligence qui réduira mon fantôme à l'état de lieu commun, — quelque intelligence plus calme, plus logique et beaucoup moins excitable que la mienne, qui ne trouvera dans les circonstances que je raconte avec terreur qu'une succession ordinaire de causes et d'effets très-naturels.

Dès mon enfance, j'étais noté pour la docilité et l'humanité de mon caractère. Ma tendresse de cœur était même si remarquable qu'elle avait fait de moi le jouet de mes camarades. J'étais particulièrement fou des animaux, et mes parents m'avaient permis de posséder une grande variété de favoris. Je passais presque tout mon temps avec eux, et je n'étais jamais si heureux que quand je les nourrissais et les caressais. Cette particularité de mon caractère s'accrut avec ma croissance, et, quand je devins homme, j'en fis une de mes principales sources de plaisir. Pour ceux qui ont voué une affection à un chien fidèle et sagace, je n'ai pas besoin d'expliquer la nature ou l'intensité des jouissances qu'on peut en tirer. Il y a dans l'amour désintéressé d'une bête, dans ce sacrifice d'elle-même, quelque chose qui va directement au cœur de celui qui a eu fréquemment l'occasion de vérifier la chétive amitié et la fidélité de gaze de l'homme *naturel*.

Je me mariai de bonne heure, et je fus heureux de trouver dans ma femme une disposition sympathique à la mienne. Observant mon goût pour ces favoris domestiques, elle ne perdit aucune occasion de me procurer ceux de l'espèce la plus agréable. Nous eûmes des oiseaux, un poisson doré, un beau chien, des lapins, un petit singe et *un chat*.

Ce dernier était un animal remarquablement fort et beau, entièrement noir, et d'une sagacité merveilleuse. En parlant de son intelligence, ma femme, qui au fond n'était pas peu pénétrée de superstition, faisait de fréquentes allusions à l'ancienne croyance populaire qui regardait tous les chats noirs comme des sorcières déguisées. Ce n'est pas qu'elle fût toujours *sérieuse* sur ce point, — et, si je mentionne la chose, c'est simplement parce que cela me revient, en ce moment même, à la mémoire.

Pluton — c'était le nom du chat — était mon préféré, mon camarade. Moi seul, je le nourrissais, et il me suivait dans la maison partout où j'allais. Ce n'était même pas sans peine que je parvenais à l'empêcher de me suivre dans les rues.

Notre amitié subsista ainsi plusieurs années, durant lesquelles l'ensemble de mon caractère et de mon tempérament, — par l'opération du démon Intempérance, je rougis de le confesser, — subit une altération, radicalement mauvaise. Je devins de jour en jour plus morne, plus irritable, plus insoucieux des sentiments des autres. Je me permis d'employer un langage brutal à l'égard de ma femme. A la longue, je lui infligeai même des violences personnelles. Mes pauvres favoris, naturellement, durent ressentir le changement de mon caractère. Non-seulement je les négligeais, mais je les maltraitais. Quant à Pluton, toutefois, j'avais encore une considération suffisante qui m'empêchait de le malmener, tandis que je n'éprouvais aucun scrupule à maltraiter les lapins, le singe et même le chien, quand, par hasard ou par amitié, ils se jetaient dans mon chemin. Mais mon mal m'envahissait de plus en plus, — car quel mal est comparable à l'alcool? — et à la longue Pluton lui-même, qui maintenant se faisait vieux et qui naturellement devenait quelque peu maussade, — Pluton lui-même commença à connaître les effets de mon méchant caractère.

Une nuit, comme je rentrais au logis très-ivre, au sortir d'un de mes repaires habituels des faubourgs, je m'imaginai que le chat évitait ma présence. Je le saisis; — mais lui, effrayé de ma violence, il me fit à la main une légère blessure avec les dents. Une fureur de démon s'empara soudainement de moi. Je ne me connus plus, mon âme originelle sembla tout d'un coup s'envoler de mon corps, et une méchanceté hyperdiabolique, saturée de gin, pénétra chaque fibre de mon être. Je tirai de la poche de mon gilet un canif, je l'ouvris; je saisis la pauvre bête par la gorge, et, délibérément, je fis sauter un de ses yeux de son orbite! Je rougis, je brûle, je frissonne en écrivant cette damnable atrocité!

Quand la raison me revint avec le matin, — quand j'eus cuvé les vapeurs de ma débauche nocturne, — j'éprouvai un sentiment moitié d'horreur, moitié de remords, pour le crime dont je m'étais rendu coupable; mais c'était tout au plus un faible et équivoque sentiment, et l'âme n'en subit pas les atteintes. Je me replongeai dans les excès, et bientôt je noyai dans le vin tout le souvenir de mon action.

Cependant, le chat guérit lentement. L'orbite de l'œil
perdu présentait, il est vrai, un aspect effrayant, mais il
n'en parut plus souffrir désormais. Il allait et venait dans
la maison selon son habitude; mais, comme je devais
m'y attendre, il fuyait avec une extrême terreur à mon
approche. Il me restait assez de mon ancien cœur pour me
sentir d'abord affligé de cette évidente antipathie de la
part d'une créature qui jadis m'avait tant aimé. Mais ce
sentiment fit bientôt place à l'irritation. Et alors apparut,
comme pour ma chute finale et irrévocable, l'esprit de
PERVERSITÉ. De cet esprit la philosophie ne tient aucun
compte. Cependant, aussi sûr que mon âme existe, je
crois que la perversité est une des primitives impulsions
du cœur humain, — une des indivisibles premières facultés, ou sentiments, qui donnent la direction au caractère
de l'homme. Qui ne s'est pas surpris cent fois commet-
tant une action sotte ou vile, par la seule raison qu'il
savait devoir *ne pas* la commettre? N'avons-nous pas
une perpétuelle inclination, malgré l'excellence de notre
jugement, à violer ce qui est *la Loi*, simplement parce
que nous comprenons que c'est *la Loi?* Cet esprit de
perversité, dis-je, vint causer ma déroute finale. C'est ce
désir ardent, insondable de l'âme *de se torturer elle-
même,* — de violenter sa propre nature, — de faire le
mal pour l'amour du mal seul, — qui me poussait à
continuer, et finalement à consommer le supplice que
j'avais infligé à la bête inoffensive. Un matin, de sang-
froid, je glissai un nœud coulant autour de son cou,
et je le pendis à la branche d'un arbre; — je le pendis
avec des larmes plein mes yeux, — avec le plus amer
remords dans le cœur; — je le pendis, *parce que* je savais
qu'il m'avait aimé, et *parce que* je sentais qu'il ne m'avait
donné aucun sujet de colère : — je le pendis, *parce que*
je savais qu'en faisant ainsi je commettais un péché,
— un péché mortel qui compromettait mon âme immortelle, au point de la placer, — si une telle chose était
possible, — même au-delà de la miséricorde infinie du
Dieu Très-Miséricordieux et Très-Terrible.

Dans la nuit qui suivit le jour où fut commise cette action cruelle, je fus tiré de mon sommeil par le cri « Au feu! » Les rideaux de mon lit étaient en flammes. Toute la maison flambait. Ce ne fut pas sans une grande difficulté que nous échappâmes à l'incendie, — ma femme, un domestique, et moi. La destruction fut complète. Toute ma fortune fut engloutie, et je m'abandonnai dès lors au désespoir.

Je ne cherche pas à établir une liaison de cause à effet entre l'atrocité et le désastre, je suis au-dessus de cette faiblesse. Mais je rends compte d'une chaîne de faits, — et je ne veux pas négliger un seul anneau. Le jour qui suivit l'incendie, je visitai les ruines. Les murailles étaient tombées, une seule exceptée; et cette exception se trouva être une cloison intérieure, peu épaisse, située à peu près au milieu de la maison, et contre laquelle s'appuyait le chevet de mon lit. La maçonnerie avait ici, en grande partie, résisté à l'action du feu, — fait que j'attribuai à ce qu'elle avait été récemment remise à neuf. Autour de ce mur, une foule épaisse était rassemblée, et plusieurs personnes paraissaient en examiner une portion particulière avec une minutieuse et vive attention. Les mots : Etrange! singulier! et autres expressions analogues, excitèrent ma curiosité. Je m'approchai, et je vis, semblable à un bas-relief sculpté sur la surface blanche, la figure d'un gigantesque *chat*. L'image était rendue avec une exactitude vraiment merveilleuse. Il y avait une corde autour du cou de l'animal.

Tout d'abord, en voyant cette apparition, — car je ne pouvais guère considérer cela que comme une apparition, — mon étonnement et ma terreur furent extrêmes. Mais, enfin, la réflexion vint à mon aide. Le chat, je m'en souvenais, avait été pendu dans un jardin adjacent à la maison. Aux cris d'alarme, ce jardin avait été immédiatement envahi par la foule, et l'animal avait dû être détaché de l'arbre par quelqu'un, et jeté dans ma chambre à travers une fenêtre ouverte. Cela avait été fait, sans doute, dans le but de m'arracher au sommeil. La chute des autres murailles avait comprimé la victime de ma cruauté dans la substance du plâtre fraîchement étendu; la chaux de ce mur, combinée avec les flammes et l'ammoniaque du cadavre, avait ainsi opéré l'image telle que je la voyais.

Quoique je satisfisse ainsi lestement ma raison, sinon tout à fait ma conscience, relativement au fait surprenant que je viens de raconter, il n'en fit pas moins sur mon imagination une impression profonde. Pendant plusieurs mois je ne pus me débarrasser du fantôme du chat; et durant cette période un demi-sentiment revint dans mon âme, qui paraissait être, mais qui n'était pas le remords. J'allai jusqu'à déplorer la perte de l'animal, et à chercher autour de moi, dans les bouges méprisables que maintenant je fréquentais habituellement, un autre favori de la même espèce et d'une figure à peu près semblable pour le suppléer.

Une nuit, comme j'étais assis à moitié stupéfié, dans un repaire plus qu'infâme, mon attention fut soudainement attirée vers un objet noir, reposant sur le haut d'un des immenses tonneaux de gin ou de rhum qui composaient le principal ameublement de la salle. Depuis quelques minutes, je regardais fixement le haut de ce tonneau, et ce qui me surprenait maintenant, c'était de n'avoir pas encore aperçu l'objet situé dessus. Je m'en approchai, et je le touchai avec ma main. C'était un chat noir, — un très-gros chat, — au moins aussi gros que Pluton, lui ressemblant absolument, excepté en un point. Pluton n'avait pas un poil blanc sur tout le corps; celui-ci portait une éclaboussure large et blanche, mais d'une forme indécise, qui couvrait presque toute la région de la poitrine.

A peine l'eus-je touché, qu'il se leva subitement, ronronna fortement, se frotta contre ma main, et parut enchanté de mon attention. C'était donc là la vraie créature dont j'étais en quête. J'offris tout de suite au propriétaire de le lui acheter; mais cet homme ne le revendiqua pas, — ne le connaissait pas, — ne l'avait jamais vu auparavant.

Je continuai mes caresses, et, quand je me préparai à

retourner chez moi, l'animal se montra disposé à m'accompagner. Je lui permis de le faire; me baissant de temps à autre, et le caressant en marchant. Quand il fut arrivé à la maison, il s'y trouva comme chez lui, et devint tout de suite le grand ami de ma femme.

Pour ma part, je sentis bientôt s'élever en moi une antipathie contre lui. C'était justement le contraire de ce que j'avais espéré; mais — je ne sais ni comment ni pourquoi cela eut lieu — son évidente tendresse pour moi me dégoûtait presque et me fatiguait. Par de lents degrés, ces sentiments de dégoût et d'ennui s'élevèrent jusqu'à l'amertume de la haine. J'évitais la créature; une certaine sensation de honte et le souvenir de mon premier acte de cruauté m'empêchèrent de la maltraiter. Pendant quelques semaines, je m'abstins de battre le chat ou de le malmener violemment; mais graduellement, — insensiblement, — j'en vins à le considérer avec une indicible horreur, et à fuir silencieusement son odieuse présence, comme le souffle d'une peste.

Ce qui ajouta sans doute à ma haine contre l'animal, fut la découverte que je fis le matin, après l'avoir amené à la maison, que, comme Pluton, lui aussi avait été privé d'un de ses yeux. Cette circonstance, toutefois, ne fit que le rendre plus cher à ma femme, qui, comme je l'ai déjà dit, possédait à un haut degré cette tendresse de sentiment qui jadis avait été mon trait caractéristique et la source fréquente de mes plaisirs les plus simples et les plus purs.

Néanmoins, l'affection du chat pour moi paraissait s'accroître en raison de mon aversion contre lui. Il suivait mes pas avec une opiniâtreté qu'il serait difficile de faire comprendre au lecteur. Chaque fois que je m'asseyais, il se blottissait sous ma chaise, ou il sautait sur mes genoux, me couvrant de ses affreuses caresses. Si je me levais pour marcher, il se fourrait dans mes jambes, et me jetait presque par terre, ou bien, enfonçant ses griffes longues et aiguës dans mes habits, grimpait de cette manière jusqu'à ma poitrine. Dans ces moments-là, quoique je dési-

rasse le tuer d'un bon coup, j'en étais empêché, en partie
par le souvenir de mon premier crime, mais principalement — je dois le confesser tout de suite — par une véritable *terreur* de la bête.

Cette terreur n'était pas positivement la terreur d'un
mal physique, — et cependant je serais fort en peine de
la définir autrement. Je suis presque honteux d'avouer,
— oui, même dans cette cellule de malfaiteur, je suis
presque honteux d'avouer que la terreur et l'horreur que
m'inspirait l'animal avaient été accrues par une des plus
parfaites chimères qu'il fût possible de concevoir. Ma
femme avait appelé mon attention plus d'une fois sur le
caractère de la tache blanche dont j'ai parlé, et qui consti-
tuait l'unique différence visible entre l'étrange bête et
celle que j'avais tuée. Le lecteur se rappellera sans doute
que cette marque, quoique grande, était primitivement
indéfinie dans sa forme; mais, lentement, par degrés, —
par des degrés imperceptibles, et que ma raison s'efforça
longtemps de considérer comme imaginaires, — elle avait
à la longue pris une rigoureuse netteté de contours. Elle
était maintenant l'image d'un objet que je frémis de nommer, — et c'était là surtout ce qui me faisait prendre le
monstre en horreur et en dégoût, et m'aurait poussé à
m'en délivrer, *si je l'avais osé; — c'était* maintenant, dis-je,
l'image d'une hideuse, — d'une sinistre chose, — l'image
du GIBET! — oh! lugubre et terrible machine! machine
d'Horreur et de Crime, — d'Agonie et de Mort!

Et, maintenant, j'étais en vérité misérable au-delà de la
misère possible de l'Humanité. Une bête brute, — dont
j'avais avec mépris détruit le frère, — *une bête brute* engendrer pour moi, — pour moi, homme façonné à l'image
du Dieu Très-Haut, — une si grande et si intolérable in-
fortune! Hélas! je ne connaissais plus la béatitude du
repos, ni le jour ni la nuit! Durant le jour, la créature ne
me laissait pas un seul moment; et, pendant la nuit, à
chaque instant, quand je sortais de mes rêves pleins d'une
intraduisible angoisse, c'était pour sentir la tiède haleine
de la *chose* sur mon visage, et son immense poids, —

incarnation d'un cauchemar que j'étais impuissant à secouer, — éternellement posé sur mon *cœur!*

Sous la pression de pareils tourments, le peu de bon qui restait en moi succomba. De mauvaises pensées devinrent mes seules intimes, — les plus sombres et les plus mauvaises de toutes les pensées. La tristesse de mon humeur habituelle s'accrut jusqu'à la haine de toutes choses et de toute humanité; cependant, ma femme, qui ne se plaignait jamais, hélas! était mon souffre-douleur ordinaire, la plus patiente victime des soudaines, fréquentes et indomptables éruptions d'une furie à laquelle je m'abandonnai dès lors aveuglément.

Un jour, elle m'accompagna pour quelque besogne domestique dans la cave du vieux bâtiment où notre pauvreté nous contraignait d'habiter. Le chat me suivit sur les marches roides de l'escalier, et, m'ayant presque culbuté la tête la première, m'exaspéra jusqu'à la folie. Levant une hache, et oubliant dans ma rage la peur puérile qui jusque-là avait retenu ma main, j'adressai à l'animal un coup qui eût été mortel, s'il avait porté comme je voulais; mais ce coup fut arrêté par la main de ma femme. Cette intervention m'aiguillonna jusqu'à une rage plus que démoniaque; je débarrassai mon bras de son étreinte et lui enfonçai ma hache dans le crâne. Elle tomba morte sur la place, sans pousser un gémissement.

Cet horrible meurtre accompli, je me mis immédiatement et très-délibérément en mesure de cacher le corps. Je compris que je ne pouvais pas le faire disparaître de la maison, soit de jour, soit de nuit, sans courir le danger d'être observé par les voisins. Plusieurs projets traversèrent mon esprit. Un moment j'eus l'idée de couper le cadavre par petits morceaux, et de les détruire par le feu. Puis je résolus de creuser une fosse dans le sol de la cave. Puis je pensai à le jeter dans le puits de la cour, — puis à l'emballer dans une caisse comme marchandise, avec les formes usitées, et à charger un commissionnaire de le porter hors de la maison. Finalement, je m'arrêtai à un expédient que je considérai comme le meilleur de tous.

Je me déterminai à le murer dans la cave, — comme les moines du moyen âge muraient, dit-on, leurs victimes.

La cave était fort bien disposée pour un pareil dessein. Les murs étaient construits négligemment, et avaient été récemment enduits dans toute leur étendue d'un gros plâtre que l'humidité de l'atmosphère avait empêché de durcir. De plus, dans l'un des murs, il y avait une saillie causée par une fausse cheminée, ou espèce d'âtre, qui avait été comblée et maçonnée dans le même genre que le reste de la cave. Je ne doutais pas qu'il ne me fût facile de déplacer les briques à cet endroit, d'y introduire le corps, et de murer le tout de la même manière, de sorte qu'aucun œil n'y pût rien découvrir de suspect.

Et je ne fus pas déçu dans mon calcul. A l'aide d'une pince, je délogeai très-aisément les briques, et, ayant soigneusement appliqué le corps contre le mur intérieur, je le soutins dans cette position jusqu'à ce que j'eusse rétabli, sans trop de peine, toute la maçonnerie dans son état primitif. M'étant procuré du mortier, du sable et du poil avec toutes les précautions imaginables, je préparai un crépi qui ne pouvait pas être distingué de l'ancien, et j'en recouvris très-soigneusement le nouveau briquetage. Quand j'eus fini, je vis avec satisfaction que tout était pour le mieux. Le mur ne présentait pas la plus légère trace de dérangement. J'enlevai tous les gravats avec le plus grand soin, j'épluchai pour ainsi dire le sol. Je regardai triomphalement autour de moi, et me dis à moi-même : Ici, au moins, ma peine n'aura pas été perdue!

Mon premier mouvement fut de chercher la bête qui avait été la cause d'un si grand malheur; car à la fin, j'avais résolu fermement de la mettre à mort. Si j'avais pu la rencontrer dans ce moment, sa destinée était claire; mais il paraît que l'artificieux animal avait été alarmé par la violence de ma récente colère, et qu'il prenait soin de ne pas se montrer dans l'état actuel de mon humeur. Il est impossible de décrire ou d'imaginer la profonde, la béate sensation de soulagement que l'absence de la détestable créature détermina dans mon cœur. Elle ne se pré-

senta pas de toute la nuit, — et ainsi ce fut la première
bonne nuit, — depuis son introduction dans la maison,
— que je dormis solidement et tranquillement; oui, je
dormis avec le poids de ce meurtre sur l'âme!

Le second et le troisième jour s'écoulèrent, et cependant
mon bourreau ne vint pas. Une fois encore je respirai
comme un homme libre. Le monstre, dans sa terreur, avait
vidé les lieux pour toujours! Je ne le verrais donc plus
jamais! Mon bonheur était suprême! La criminalité de ma
ténébreuse action ne m'inquiétait que fort peu. On avait
bien fait une espèce d'enquête, mais elle s'était satisfaite
à bon marché. Une perquisition avait même été ordonnée,
— mais naturellement on ne pouvait rien découvrir. Je
regardais ma félicité à venir comme assurée.

Le quatrième jour depuis l'assassinat, une troupe
d'agents de police vint très-inopinément à la maison, et
procéda de nouveau à une rigoureuse investigation des
lieux. Confiant, néanmoins, dans l'impénétrabilité de la
cachette, je n'éprouvai aucun embarras. Les officiers me
firent les accompagner dans leur recherche. Ils ne lais-
sèrent pas un coin, pas un angle inexploré. A la fin, pour
la troisième ou quatrième fois, ils descendirent dans la
cave. Pas un muscle en moi ne tressaillit. Mon cœur battait paisiblement, comme celui d'un homme qui dort dans
l'innocence. J'arpentais la cave d'un bout à l'autre; je
croisais mes bras sur ma poitrine, et me promenais çà et
là avec aisance. La police était pleinement satisfaite et se
préparait à décamper. La jubilation de mon cœur était
trop forte pour être réprimée. Je brûlais de dire au moins
un mot, rien qu'un mot, en manière de triomphe, et de
rendre deux fois plus convaincue leur conviction de mon
innocence.

— Gentlemen, — dis-je à la fin, — comme leur troupe
remontait l'escalier, — je suis enchanté d'avoir apaisé vos
soupçons. Je vous souhaite à tous une bonne santé et un
peu plus de courtoisie. Soit dit en passant, gentlemen,
voilà — voilà une maison singulièrement bien bâtie (dans
mon désir enragé de dire quelque chose d'un air délibéré,

je savais à peine ce que je débitais) , — je puis dire que
c'est une maison *admirablement* bien construite. Ces murs,
— est-ce que vous partez, gentlemen? — ces murs sont
solidement maçonnés!

Et ici, par une bravade frénétique, je frappai fortement
avec une canne que j'avais à la main juste sur la partie
du briquetage derrière laquelle se tenait le cadavre de
l'épouse de mon cœur.

Ah! qu'au moins Dieu me protége et me délivre des
griffes de l'Archidémon! — A peine l'écho de mes coups
était-il tombé dans le silence, qu'une voix me répondit
du fond de la tombe! — une plainte, d'abord voilée et
entrecoupée, comme le sanglotement d'un enfant, puis,
bientôt, s'enflant en un cri prolongé, sonore et continu,
tout à fait anormal et antihumain, — un hurlement, —
un glapissement, moitié horreur et moitié triomphe, —
comme il en peut monter seulement de l'Enfer, — affreuse
harmonie jaillissant à la fois de la gorge des damnés dans
leurs tortures, et des démons exultant dans la damnation.

Vous dire mes pensées, ce serait folie. Je me sentis
défaillir, et je chancelai contre le mur opposé. Pendant
un moment, les officiers placés sur les marches restèrent
immobiles, stupéfiés par la terreur. Un instant après, une
douzaine de bras robustes s'acharnaient sur le mur. Il
tomba tout d'une pièce. Le corps, déjà grandement délabré
et souillé de sang grumelé, se tenait droit devant les yeux
des spectateurs. Sur sa tête, avec la gueule rouge dilatée
et l'œil unique flamboyant, était perchée la hideuse bête
dont l'astuce m'avait induit à l'assassinat, et dont la voix
révélatrice m'avait livré au bourreau. J'avais muré le
monstre dans la tombe!

WILLIAM WILSON

Qu'en dira-t-elle? Que dira cette CONSCIENCE affreuse,
Ce spectre qui marche dans mon chemin?

CHAMBERLAYNE. — *Pharronida*.

QU'IL me soit permis, pour le moment, de m'appeler
William Wilson. La page vierge étalée devant moi ne
doit pas être souillée par mon véritable nom. Ce nom
n'a été que trop souvent un objet de mépris et d'horreur, — une abomination pour ma famille. Est-ce que les
vents indignés n'ont pas ébruité jusque dans les plus lointaines régions du globe son incomparable infamie? Oh! de
tous les proscrits, le proscrit le plus abandonné! — n'es-tu
pas mort à ce monde à jamais? à ses honneurs, à ses fleurs,
à ses aspirations dorées? — et un nuage épais, lugubre,
illimité, n'est-il pas éternellement suspendu entre tes espérances et le ciel?

Je ne voudrais pas, quand même je le pourrais, enfermer aujourd'hui dans ces pages le souvenir de mes dernières années d'ineffable misère et d'irrémissible crime.
Cette période récente de ma vie a soudainement comporté
une hauteur de turpitude dont je veux simplement déterminer l'origine. C'est là pour le moment mon seul but.
Les hommes, en général, deviennent vils par degrés. Mais
moi, toute vertu s'est détachée de moi en une minute d'un

seul coup, comme un manteau. D'une perversité relativement ordinaire, j'ai passé, par une enjambée de géant, à
des énormités plus qu'héliogabaliques. Permettez-moi de
raconter tout au long quel hasard, quel unique accident a
amené cette malédiction. La Mort approche, et l'ombre
qui la devance a jeté une influence adoucissante sur mon
cœur. Je soupire, en passant à travers la sombre vallée,
après la sympathie — j'allais dire la pitié — de mes semblables. Je voudrais leur persuader que j'ai été en quelque sorte l'esclave des circonstances qui défiaient tout
contrôle humain. Je désirerais qu'ils découvrissent pour
moi, dans les détails que je vais leur donner, quelque
petite oasis de *fatalité* dans un Saharah d'erreur. Je voudrais qu'ils accordassent — ce qu'ils ne peuvent pas se
refuser à accorder — que, bien que ce monde ait connu
de grandes tentations, jamais l'homme n'a été jusqu'ici
tenté de cette façon, — et certainement n'a jamais suc-
combé de cette façon Est-ce donc pour cela qu'il n'a
jamais connu les mêmes souffrances? En vérité, n'ai-je pas
vécu dans un rêve? Est-ce que je ne meurs pas victime de
l'horreur et du mystère des plus étranges de toutes les
visions sublunaires?

Je suis le descendant d'une race qui s'est distinguée en
tout temps par un tempérament imaginatif et facilement
excitable; et ma première enfance prouva que j'avais
pleinement hérité du caractère de famille. Quand j'avançai en âge, ce caractère se dessina plus fortement; il devint,
pour mille raisons, une cause d'inquiétude sérieuse pour
mes amis et de préjudice positif pour moi-même. Je devins
volontaire, adonné aux plus sauvages caprices; je fus la
proie des plus indomptables passions. Mes parents, qui
étaient d'un esprit faible et que tourmentaient des dé-
fauts constitutionnels de même nature, ne pouvaient pas
faire grand-chose pour arrêter les tendances mauvaises qui
me distinguaient. Il y eut de leur côté quelques tentatives,
faibles, mal dirigées, qui échouèrent complétement, et qui
tournèrent pour moi en triomphe complet. A partir de ce
moment, ma voix fut une loi domestique; et, à un âge

où peu d'enfants ont quitté leurs lisières, je fus abandonné à mon libre arbitre, et devins le maître de toutes mes actions, — excepté de nom.

Mes premières impressions de la vie d'écolier sont liées à une vaste et extravagante maison du style d'Elisabeth, dans un sombre village d'Angleterre, décoré de nombreux arbres gigantesques et noueux, et dont toutes les maisons étaient excessivement anciennes. En vérité, c'était un lieu semblable à un rêve et bien fait pour charmer l'esprit que cette vénérable vieille ville. En ce moment même, je sens en imagination le frisson rafraîchissant de ses avenues profondément ombreuses, je respire l'émanation de ses mille taillis, et je tressaille encore, avec une indéfinissable volupté, à la note profonde et sourde de la cloche, déchirant à chaque heure, de son rugissement soudain et morose, la quiétude de l'atmosphère brune dans laquelle s'enfonçait et s'endormait le clocher gothique tout dentelé.

Je trouve peut-être autant de plaisir qu'il m'est donné d'en éprouver maintenant à m'appesantir sur ces minutieux souvenirs de l'école et de ses rêveries. Plongé dans le malheur comme je le suis, — malheur, hélas! qui n'est que trop réel, — on me pardonnera de chercher un soulagement, bien léger et bien court, dans ces puérils et divagants détails. D'ailleurs, quoique absolument vulgaires et risibles en eux-mêmes, ils prennent dans mon imagination une importance circonstancielle, à cause de leur intime connexion avec les lieux et l'époque où je distingue maintenant les premiers avertissements ambigus de la destinée, qui depuis lors m'a si profondément enveloppé de son ombre. Laissez-moi donc me souvenir.

La maison, je l'ai dit, était vieille et irrégulière. Les terrains étaient vastes, et un haut et solide mur de briques, couronné d'une couche de mortier et de verre cassé, en faisait le circuit. Ce rempart digne d'une prison formait la limite de notre domaine; nos regards n'allaient au-delà que trois fois par semaine, — une fois chaque samedi, dans l'après-midi, quand, accompagnés de deux maîtres d'étude, on nous permettait de faire de courtes prome-

nades en commun à travers la campagne voisine, et deux
fois le dimanche, quand nous allions, avec la régularité
des troupes à la parade, assister aux offices du matin et
du soir dans l'unique église du village. Le principal de
notre école était pasteur de cette église. Avec quel profond sentiment d'admiration et de perplexité avais-je
coutume de le contempler, de notre banc relégué dans la
tribune, quand il montait en chaire d'un pas solennel et
lent! Ce personnage vénérable, avec ce visage si modeste
et si bénin, avec une robe si bien lustrée et si cléricale-
ment ondoyante, avec une perruque si minutieusement
poudrée, si roide et si vaste, pouvait-il être le même
homme qui, tout à l'heure, avec un visage aigre et dans
des vêtements souillés de tabac, faisait exécuter, férule
en main, les lois draconniennes de l'école? Oh! gigantesque paradoxe, dont la monstruosité exclut toute solution!

Dans un angle du mur massif rechignait une porte plus
massive encore, solidement fermée, garnie de verrous et
surmontée d'un buisson de ferrailles denticulées. Quels
sentiments profonds de crainte elle inspirait! Elle ne s'ouvrait jamais que pour les trois sorties et rentrées pério-
diques dont j'ai déjà parlé; alors, dans chaque craquement de ses gonds puissants, nous trouvions une plénitude
de mystère, — tout un monde d'observations solennelles,
ou de méditations plus solennelles encore.

Le vaste enclos était d'une forme irrégulière et divisé
en plusieurs parties, dont trois ou quatre des plus grandes
constituaient la cour de récréation. Elle était aplanie et
recouverte d'un sable menu et rude. Je me rappelle bien
qu'elle ne contenait ni arbres ni bancs, ni quoi que ce soit
d'analogue. Naturellement elle était située derrière la
maison. Devant la façade s'étendait un petit parterre,
planté de buis et d'autres arbustes; mais nous ne traver-
sions cette oasis sacrée que dans de bien rares occasions,
telles que la première arrivée à l'école ou le départ définitif, ou peut-être quand, un ami, un parent nous ayant
fait appeler, nous prenions joyeusement notre course vers

le logis paternel, aux vacances de Noël ou de la Saint-Jean.

Mais la maison! — quelle curieuse vieille bâtisse cela faisait! — Pour moi, quel véritable palais d'enchantements! Il n'y avait réellement pas de fin à ses détours, — à ses incompréhensibles subdivisions. Il était difficile, à n'importe quel moment donné, de dire avec certitude si l'on se trouvait au premier ou au second étage. D'une pièce à l'autre, on était toujours sûr de trouver trois ou quatre marches à monter ou à descendre. Puis les subdivisions latérales étaient innombrables, inconcevables, tournaient et retournaient si bien sur elles-mêmes, que nos idées les plus exactes relativement à l'ensemble du bâtiment n'étaient pas très-différentes de celles à travers lesquelles nous envisagions l'infini. Durant les cinq ans de ma résidence, je n'ai jamais été capable de déterminer avec précision dans quelle localité lointaine était situé le petit dortoir qui m'était assigné en commun avec dix-huit ou vingt autres écoliers.

La salle d'études était la plus vaste de toute la maison — et même du monde entier; du moins, je ne pouvais m'empêcher de la voir ainsi. Elle était très-longue, très-étroite et lugubrement basse, avec des fenêtres en ogive et un plafond en chêne. Dans un angle éloigné, d'où émanait la terreur, était une enceinte carrée de huit à dix pieds, représentant le *sanctum* de notre principal, le révérend docteur Bransby, durant les heures d'étude. C'était une solide construction, avec une porte massive; plutôt que de l'ouvrir en l'absence du *Dominie*, nous aurions tous préféré mourir de *la peine forte et dure*. A deux autres angles étaient deux autres loges analogues, objets d'une vénération beaucoup moins grande, il est vrai, mais toutefois d'une terreur assez considérable; l'une, la chaire du maître d'humanités, — l'autre, du maître d'anglais et de mathématiques. Eparpillés à travers la salle, d'innombrables bancs et des pupitres, effroyablement chargés de livres maculés par des doigts, se croisaient dans une irrégularité sans fin, — noirs, anciens

ravagés par le temps, et si bien cicatrisés de lettres ini-
tiales, de noms entiers, de figures grotesques et d'autres
nombreux chefs-d'œuvre du couteau, qu'ils avaient entièrement perdu le peu de forme originelle qui leur avait
été réparti dans les jours très-anciens. A une extrémité
de la salle, se trouvait un énorme seau plein d'eau, et, à
l'autre, une horloge d'une dimension prodigieuse.

Enfermé dans les murs massifs de cette vénérable
école, je passai toutefois sans ennui et sans dégoût les
années du troisième lustre de ma vie. Le cerveau fécond
de l'enfance n'exige pas un monde extérieur d'incidents
pour s'occuper ou s'amuser, et la monotonie en apparence
lugubre de l'école abondait en excitations plus intenses
que toutes celles que ma jeunesse plus mûre a demandées
à la volupté, ou ma virilité au crime. Toutefois, je dois
croire que mon premier développement intellectuel fut, en
grande partie, peu ordinaire et même déréglé. En général,
les événements de l'existence enfantine ne laissent pas sur
l'humanité, arrivée à l'âge mûr, une impression bien définie. Tout est ombre grise, débile et irrégulier souvenir,
fouillis confus de faibles plaisirs et de peines fantasmagoriques. Pour moi, il n'en est pas ainsi. Il faut que j'aie
senti dans mon enfance, avec l'énergie d'un homme fait,
tout ce que je trouve encore aujourd'hui frappé sur ma
mémoire en lignes aussi vivantes, aussi profondes et aussi
durables que les exergues des médailles carthaginoises.

Et cependant, dans le fait, — au point de vue ordinaire du monde, — qu'il y avait là peu de choses pour
le souvenir! Le réveil du matin, l'ordre du coucher, les
leçons à apprendre, les récitations, les demi-congés pério-
diques et les promenades, la cour de récréation avec ses
querelles, ses passe-temps, ses intrigues, — tout cela, par
une magie psychique disparue, contenait en soi un débor-
dement de sensations, un monde riche d'incidents, un
univers d'émotions variées et d'excitations des plus passionnées et des plus enivrantes. *Oh! le bon temps, que ce
siècle de fer!*

En réalité, ma nature ardente, enthousiaste, impérieuse,

fit bientôt de moi un caractère marqué parmi mes camarades, et, peu à peu, tout naturellement, me donna un
ascendant sur tous ceux qui n'étaient guère plus âgés que
moi, — sur tous, un seul excepté. C'était un élève qui,
sans aucune parenté avec moi, portait le même nom de
baptême et le même nom de famille; — circonstance peu
remarquable en soi, — car le mien, malgré la noblesse de
mon origine, était une de ces appellations vulgaires qui
semblent avoir été de temps immémorial, par droit de
prescription, la propriété commune de la foule. Dans ce
récit, je me suis donc donné le nom de William Wilson,
— nom fictif qui n'est pas très-éloigné du vrai. Mon homonyme seul, parmi ceux qui, selon la langue de l'école,
composaient notre *classe,* osait rivaliser avec moi dans les
études de l'école, — dans les jeux et les disputes de la
récréation, — refuser une créance aveugle à mes assertions
et une soumission complète à ma volonté, — en somme,
contrarier ma dictature dans tous les cas possibles. Si
jamais il y eut sur la terre un despotisme suprême et sans
réserve, c'est le despotisme d'un enfant de génie sur les
âmes moins énergiques de ses camarades.

La rébellion de Wilson était pour moi la source du
plus grand embarras; d'autant plus qu'en dépit de la
bravade avec laquelle je me faisais un devoir de le traiter
publiquement, lui et ses prétentions, je sentais au fond
que je le craignais, et je ne pouvais m'empêcher de considérer l'égalité qu'il maintenait si facilement vis-à-vis de
moi comme la preuve d'une vraie supériorité, — puisque
c'était de ma part un effort perpétuel pour n'être pas
dominé. Cependant, cette supériorité, ou plutôt cette
égalité, n'était vraiment reconnue que par moi seul; nos
camarades, par un inexplicable aveuglement, ne paraissaient même pas la soupçonner. Et vraiment, sa rivalité,
sa résistance, et particulièrement son impertinente et hargneuse intervention dans tous mes desseins, ne visaient pas
au-delà d'une intention privée. Il paraissait également dé-
pourvu de l'ambition qui me poussait à dominer et de
l'énergie passionnée qui m'en donnait les moyens. On

aurait pu le croire, dans cette rivalité, dirigé uniquement
par un désir fantasque de me contrecarrer, de m'étonner,
de me mortifier; bien qu'il y eût des cas où je ne pouvais
m'empêcher de remarquer avec un sentiment confus
d'ébahissement, d'humiliation et de colère, qu'il mêlait à
ses outrages, à ses impertinences et à ses contradictions, de
certains airs d'affectuosité les plus intempestifs, et, assurément, les plus déplaisants du monde. Je ne pouvais me
rendre compte d'une si étrange conduite qu'en la supposant le résultat d'une parfaite suffisance se permettant le
ton vulgaire du patronage et de la protection.

Peut-être était-ce ce dernier trait, dans la conduite de
Wilson, qui, joint à notre homonymie et au fait purement accidentel de notre entrée simultanée à l'école,
répandit parmi nos condisciples des classes supérieures
l'opinion que nous étions frères. Habituellement ils ne
s'enquièrent pas avec beaucoup d'exactitude des affaires
des plus jeunes. J'ai déjà dit, ou j'aurais dû dire, que
Wilson n'était pas, même au degré le plus éloigné, apparenté avec ma famille. Mais assurément, si nous avions
été frères, nous aurions été jumeaux; car, après avoir
quitté la maison du docteur Bransby, j'ai appris par hasard
que mon homonyme était né le 19 janvier 1813, — et
c'est là une coïncidence assez remarquable, car ce jour
est précisément celui de ma naissance.

Il peut paraître étrange qu'en dépit de la continuelle
anxiété que me causait la rivalité de Wilson et son insupportable esprit de contradiction, je ne fusse pas porté
à le haïr absolument. Nous avions, à coup sûr, presque
tous les jours une querelle, dans laquelle, m'accordant
publiquement la palme de la victoire, il s'efforçait en
quelque sorte de me faire sentir que c'était lui qui l'avait
méritée; cependant, un sentiment d'orgueil de ma part,
et de la sienne une véritable dignité, nous maintenaient
toujours dans des termes de stricte convenance, pendant
qu'il y avait des points assez nombreux de conformité
dans nos caractères pour éveiller en moi un sentiment
que notre situation respective empêchait seule peut-être

de mûrir en amitié. Il m'est difficile, en vérité, de définir ou même de décrire mes vrais sentiments à son égard; ils formaient un amalgame bigarré et hétérogène, — une animosité pétulante qui n'était pas encore de la haine, de l'estime, encore plus de respect, beaucoup de crainte et une immense et inquiète curiosité. Il est superflu d'ajouter, pour le moraliste, que Wilson et moi nous étions les plus inséparables des camarades.

Ce fut sans doute l'anomalie et l'ambiguïté de nos relations qui coulèrent toutes mes attaques contre lui — et, franches ou dissimulées, elles étaient nombreuses — dans le moule de l'ironie et de la charge (la bouffonnerie ne fait-elle pas d'excellentes blessures?), plutôt qu'en une hostilité plus sérieuse et plus déterminée. Mais mes efforts sur ce point n'obtenaient pas régulièrement un parfait triomphe, même quand mes plans étaient le plus ingénieusement machinés; car mon homonyme avait dans son caractère beaucoup de cette austérité pleine de réserve et de calme, qui, tout en jouissant de la morsure de ses propres railleries, ne montre jamais le talon d'Achille et se dérobe absolument au ridicule. Je ne pouvais trouver en lui qu'un seul point vulnérable, et c'était dans un détail physique, qui, venant peut-être d'une infirmité constitutionnelle, aurait été épargné par tout antagoniste moins acharné à ses fins que je ne l'étais; — mon rival avait une faiblesse dans l'appareil vocal qui l'empêchait de jamais élever la voix *au-dessus d'un chuchotement très-bas.* Je ne manquais pas de tirer de cette imperfection tout le pauvre avantage qui était en mon pouvoir.

Les représailles de Wilson étaient de plus d'une sorte, et il avait particulièrement un genre de malice qui me troublait outre mesure. Comment eut-il dans le principe la sagacité de découvrir qu'une chose aussi minime pouvait me vexer, c'est une question que je n'ai jamais pu résoudre; mais, une fois qu'il l'eut découvert, il pratiqua opiniâtrement cette torture. Je m'étais toujours senti de l'aversion pour mon malheureux nom de famille, si inélégant, et pour mon prénom, si trivial, sinon tout à fait

plébéien. Ces syllabes étaient un poison pour mes oreilles;
et, quand le jour même de mon arrivée, un second William Wilson se présenta dans l'école, je lui en voulus de
porter ce nom, et je me dégoûtai doublement du nom
parce qu'un étranger le portait, — un étranger qui serait
cause que je l'entendrais prononcer deux fois plus souvent, — qui serait constamment en ma présence, et dont
les affaires, dans le train-train ordinaire des choses de collège, seraient souvent et inévitablement, en raison de cette
détestable coïncidence, confondues avec les miennes.

Le sentiment d'irritation créé par cet accident devint
plus vif à chaque circonstance qui tendait à mettre en
lumière toute ressemblance morale ou physique entre mon
rival et moi. Je n'avais pas encore découvert ce très-remarquable fait de parité dans notre âge; mais je voyais
que nous étions de la même taille, et je m'apercevais
que nous avions même une singulière ressemblance dans
notre physionomie générale et dans nos traits. J'étais
également exaspéré par le bruit qui courait sur notre
parenté, et qui avait généralement crédit dans les classes
supérieures. — En un mot, rien ne pouvait plus sérieusement me troubler (quoique je cachasse avec le plus grand
soin tout symptôme de ce trouble) qu'une allusion quelconque à une similitude entre nous, relative à l'esprit, à la
personne, ou à la naissance; mais vraiment je n'avais aucune raison de croire que cette similitude (à l'exception
du fait de la parenté, et de tout ce que savait voir Wilson
lui-même) eût jamais été un sujet de commentaires ou
même remarquée par nos camarades de classe. Que *lui*,
il l'observât sous toutes ses faces, et avec autant d'attention que moi-même, cela était clair; mais qu'il eût pu découvrir dans de pareilles circonstances une mine si riche de
contrariétés, je ne peux l'attribuer, comme je l'ai déjà dit,
qu'à sa pénétration plus qu'ordinaire.

Il me donnait la réplique avec une parfaite imitation
de moi-même, — gestes et paroles, — et il jouait admirablement son rôle. Mon costume était chose facile à
copier; ma démarche et mon allure générale, il se les

était appropriées sans difficulté; en dépit de son défaut
constitutionnel, ma voix elle-même ne lui avait pas
échappée. Naturellement, il n'essayait pas les tons élevés,
mais la clef était identique, *et sa voix, pourvu qu'il par-
lât bas, devenait le parfait écho de la mienne.*

A quel point ce curieux portrait (car je ne puis pas
l'appeler proprement une caricature) me tourmentait, je
n'entreprendrai pas de le dire. Je n'avais qu'une consolation, — c'était que l'imitation, à ce qu'il me semblait,
n'était remarquée que par moi seul, et que j'avais simplement à endurer les sourires mystérieux et étrangement
sarcastiques de mon homonyme. Satisfait d'avoir produit
sur mon cœur l'effet voulu, il semblait s'épanouir en
secret sur la piqûre qu'il m'avait infligée et se montrer
singulièrement dédaigneux des applaudissements publics
que le succès de son ingéniosité lui aurait si facilement
conquis. Comment nos camarades ne devinaient-ils pas son
dessein, n'en voyaient-ils pas la mise en œuvre, et ne par-
tageaient-ils pas sa joie moqueuse? ce fut pendant plusieurs mois d'inquiétude une énigme insoluble pour moi.
Peut-être la lenteur graduée de son imitation la rendit-
elle moins voyante, ou plutôt devais-je ma sécurité à l'air
de *maîtrise* que prenait si bien le copiste, qui dédaignait
la *lettre,* — tout ce que les esprits obtus peuvent saisir
dans une peinture,— et ne donnait que le parfait esprit de
l'original pour ma plus grande admiration et mon plus
grand chagrin personnel.

J'ai déjà parlé plusieurs fois de l'air navrant de protection qu'il avait pris vis-à-vis de moi, et de sa fréquente
et officieuse intervention dans mes volontés. Cette intervention prenait souvent le caractère déplaisant d'un avis;
avis qui n'était pas donné ouvertement, mais suggéré, —
insinué. Je le recevais avec une répugnance qui prenait
de la force à mesure que je prenais de l'âge. Cependant,
à cette époque déjà lointaine, je veux lui rendre cette
stricte justice de reconnaître que je ne me rappelle pas un
seul cas où les suggestions de mon rival aient participé à
ce caractère d'erreur et de folie, si naturel dans son âge,

généralement dénué de maturité et d'expérience; — que
son sens moral, sinon ses talents et sa prudence mondaine,
était beaucoup plus fin que le mien; et que je serais aujourd'hui un homme meilleur et conséquemment plus
heureux, si j'avais rejeté moins souvent les conseils inclus
dans ces chuchotements significatifs qui ne m'inspiraient
alors qu'une haine si cordiale et un mépris si amer.

Aussi je devins, à la longue, excessivement rebelle à
son odieuse surveillance, et je détestai chaque jour plus
ouvertement ce que je considérais comme une intolérable
arrogance. J'ai dit que, dans les premières années de
notre camaraderie, mes sentiments vis-à-vis de lui auraient
facilement tourné en amitié; mais, pendant les derniers
mois de mon séjour à l'école, quoique l'importunité de
ses façons habituelles fût sans doute bien diminuée, mes
sentiments, dans une proportion presque semblable,
avaient incliné vers la haine positive. Dans une certaine
circonstance, il le vit bien, je présume, et dès lors il
m'évita, ou affecta de m'éviter.

Ce fut à peu près vers la même époque, si j'ai bonne
mémoire, que, dans une altercation violente que j'eus
avec lui, où il avait perdu de sa réserve habituelle, et
parlait et agissait avec un laisser aller presque étranger
à sa nature, je découvris ou m'imaginai découvrir dans
son accent, dans son air, dans sa physionomie générale,
quelque chose qui d'abord me fit tressaillir, puis m'inté-
ressa profondément, en apportant à mon esprit des visions
obscures de ma première enfance, — des souvenirs
étranges, confus, pressés, d'un temps où ma mémoire
n'était pas encore née. Je ne saurais mieux définir la sensation qui m'oppressait qu'en disant qu'il m'était difficile
de me débarrasser de l'idée que j'avais déjà connu l'être
placé devant moi, à une époque très-ancienne, — dans
un passé même extrêmement reculé. Cette illusion toutefois s'évanouit aussi rapidement qu'elle était venue; et je
n'en tiens note que pour marquer le jour du dernier
entretien que j'eus avec mon singulier homonyme.

La vieille et vaste maison, dans ses innombrables subdivisions, comprenait plusieurs grandes chambres qui communiquaient entre elles et servaient de dortoirs au plus grand nombre des élèves. Il y avait néanmoins (comme cela devait arriver nécessairement dans un bâtiment aussi malencontreusement dessiné) une foule de coins et de recoins, — les rognures et les bouts de la construction, et l'ingéniosité économique du docteur Bransby les avait également transformés en dortoirs; mais, comme ce n'étaient que de simples cabinets, ils ne pouvaient servir qu'à un seul individu. Une de ces petites chambres était occupée par Wilson.

Une nuit, vers la fin de ma cinquième année à l'école, et immédiatement après l'altercation dont j'ai parlé, profitant de ce que tout le monde était plongé dans le sommeil, je me levai de mon lit, et, une lampe à la main, je me glissai, à travers un labyrinthe d'étroits passages, de ma chambre à coucher vers celle de mon rival. J'avais longuement machiné à ses dépens une de ces méchantes charges, une de ces malices dans lesquelles j'avais si complètement échoué jusqu'alors. J'avais l'idée de mettre dès lors mon plan à exécution et je résolus de lui faire sentir toute la force de la méchanceté dont j'étais rempli. J'arrivai jusqu'à son cabinet, j'entrai sans faire de bruit, laissant ma lampe à la porte avec un abat-jour dessus. J'avançai d'un pas, et j'écoutai le bruit de sa respiration paisible. Certain qu'il était bien endormi, je retournai à la porte, je pris ma lampe, et je m'approchai de nouveau du lit. Les rideaux étaient fermés; je les ouvris doucement et lentement pour l'exécution de mon projet; mais une lumière vive tomba en plein sur le dormeur, et en même temps mes yeux s'arrêtèrent sur sa physionomie. Je regardai; — et un engourdissement, une sensation de glace pénétrèrent instantanément tout mon être. Mon cœur palpita, mes genoux vacillèrent, toute mon âme fut prise d'une horreur intolérable et inexplicable. Je respirai convulsivement, — j'abaissai la lampe encore plus près de la face. Etaient-ce, — étaient-ce bien là les traits de William Wilson? Je voyais bien que c'étaient les siens,

mais je tremblais, comme pris d'un accès de fièvre, en
m'imaginant que ce n'étaient pas les siens. Qu'y avait-il
donc mieux qui pût me confondre à ce point? Je le
contemplais, — et ma cervelle tournait sous l'action de
mille pensées incohérentes. Il ne m'apparaissait pas *ainsi,*
— non, certes, il ne m'apparaissait pas *tel,* aux heures
actives où il était éveillé. Le même nom! les mêmes traits!
entrés le même jour à l'école! Et puis cette hargneuse et
inexplicable imitation de ma démarche, de ma voix, de
mon costume et de mes manières! Etait-ce, en vérité, dans
les limites du possible humain, que *ce que je voyais main-*
tenant fût le simple résultat de cette habitude d'imit tion
sarcastique? Frappé d'effroi, pris de frisson, j'éteignis ma
lampe, je sortis silencieusement de la chambre, et quittai
une bonne fois l'enceinte de cette vieille école pour n'y
jamais revenir.

Après un laps de quelques mois, que je passai chez
mes parents dans la pure fainéantise, je fus placé au collège d'Eton. Ce court intervalle avait été suffisant pour
affaiblir en moi le souvenir des événements de l'école
Bransby, ou au moins pour opérer un changement notable
dans la nature des sentiments que ces souvenirs m'inspiraient. La réalité, le côté tragique du drame, n'existait
plus. Je trouvais maintenant quelques motifs pour douter
du témoignage de mes sens, et je me rappelais rarement
l'aventure sans admirer jusqu'où peut aller la crédulité
humaine, et sans sourire de la force prodigieuse d'imagination que je tenais de ma famille. Or, la vie que je
menais à Eton n'était guère de nature à diminuer cette
espèce de scepticisme. Le tourbillon de folie où je me
plongeai immédiatement et sans réflexion balaya tout,
excepté l'écume de mes heures passées, absorba d'un seul
coup toute impression solide et sérieuse, et ne laissa absolument dans mon souvenir que les étourderies de mon
existence précédente.

Je n'ai pas l'intention, toutefois, de tracer ici le cours
de mes misérables déréglements, — déréglements qui défiaient toute loi et éludaient toute surveillance. Trois

années de folies, dépensées sans profit, n'avaient pu me donner que des habitudes de vice enracinées, et avaient accru d'une manière presque anormale mon développement physique. Un jour, après une semaine entière de dissipation abrutissante, j'invitai une société d'étudiants des plus dissolus à une orgie secrète dans ma chambre. Nous nous réunîmes à une heure avancée de la nuit, car notre débauche devait se prolonger religieusement jusqu'au matin. Le vin coulait librement, et d'autres séductions plus dangereuses peut-être n'avaient pas été négligées; si bien que, comme l'aube pâlissait le ciel à l'orient, notre délire et nos extravagances étaient à leur apogée. Furieusement enflammé par les cartes et par l'ivresse, je m'obstinais à porter un toast étrangement indécent, quand mon attention fut soudainement distraite par une porte qu'on entrebâilla vivement et par la voix précipitée d'un domestique. Il me dit qu'une personne qui avait l'air fort pressée demandait à me parler dans le vestibule.

Singulièrement excité par le vin, cette interruption inattendue me causa plus de plaisir que de surprise. Je me précipitai en chancelant, et en quelques pas je fus dans le vestibule de la maison. Dans cette salle basse et étroite, il n'y avait aucune lampe, et elle ne recevait d'autre lumière que celle de l'aube, excessivement faible, qui se glissait à travers la fenêtre cintrée. En mettant le pied sur le seuil, je distinguai la personne d'un jeune homme, de ma taille à peu près, et vêtu d'une robe de chambre de casimir blanc, coupée à la nouvelle mode, comme celle que je portais en ce moment. Cette faible lueur me permit de voir tout cela; mais les traits de la face, je ne pus les distinguer. A peine fus-je entré qu'il se précipita vers moi, et, me saisissant par le bras avec un geste impératif d'impatience, me chuchota à l'oreille ces mots :

— William Wilson!

En une seconde, je fus dégrisé.

Il y avait dans la manière de l'étranger, dans le tremblement nerveux de son doigt qu'il tenait levé entre mes yeux et la lumière, quelque chose qui me remplit d'un complet étonnement; mais ce n'était pas là ce qui m'avait si violemment ému. C'était l'importance, la solennité d'admonition contenue dans cette parole singulière, basse, sifflante; et, par-dessus tout, le caractère, le ton, *la clef* de ces quelques syllabes, simples, familières, et toutefois mystérieusement *chuchotées,* qui vinrent, avec mille souvenirs accumulés des jours passés, s'abattre sur mon âme, comme une décharge de pile voltaïque. Avant que j'eusse pu recouvrer mes sens, il avait disparu.

Quoique cet événement eût à coup sûr produit un effet très vif sur mon imagination déréglée, cependant cet effet, si vif, alla bientôt s'évanouissant. Pendant plusieurs semaines, à la vérité, tantôt je me livrai à l'investigation la plus sérieuse, tantôt je restai enveloppé d'un nuage de méditation morbide. Je n'essayai pas de me dissimuler l'identité du singulier individu qui s'immisçait si opiniâtrément dans mes affaires et me fatiguait de ses conseils officieux. Mais qui était, mais qu'était ce Wilson? — Et d'où venait-il? — Et quel était son but? Sur aucun de ces points je ne pus me satisfaire; — je constatai seulement, relativement à lui, qu'un accident soudain dans sa famille lui avait fait quitter l'école du docteur Bransby dans l'après-midi du jour où je m'étais enfui. Mais, après un certain temps, je cessai d'y rêver, et mon attention fut tout absorbée par un départ projeté pour Oxford. Là j'en vins bientôt — la vanité prodigue de mes parents me permettant de mener un train coûteux et de me livrer à mon gré au luxe déjà si cher à mon cœur — à rivaliser en prodigalités avec les plus superbes héritiers des plus riches comtés de la Grande-Bretagne.

Encouragé au vice par de pareils moyens, ma nature éclata avec une ardeur double, et, dans le fol enivrement de mes débauches, je foulai aux pieds les vulgaires entraves de la décence. Mais il serait absurde de m'appesantir sur le détail de mes extravagances. Il suffira de dire que je dépassai Hérode en dissipations, et que, donnant un nom à une multitude de folies nouvelles, j'ajoutai un copieux appendice au long catalogue des vices qui régnaient alors dans l'université la plus dissolue de l'Europe.

Il paraîtra difficile à croire que je fusse tellement déchu du rang de gentilhomme, que je cherchasse à me familiariser avec les artifices les plus vils du joueur de profession et, devenu un adepte de cette science méprisable, que je la pratiquasse habituellement comme moyen d'accroître mon revenu, déjà énorme, aux dépens de ceux de mes camarades dont l'esprit était le plus faible. Et cependant, tel était le fait. Et l'énormité même de cet attentat contre les sentiments de dignité et d'honneur, était évidemment la principale, sinon la seule raison de mon impunité. Qui donc, parmi mes camarades les plus dépravés, n'aurait pas contredit le plus clair témoignage de ses sens, plutôt que de soupçonner d'une pareille conduite le joyeux, le franc, le généreux William Wilson, — le plus noble et le plus libéral compagnon d'Oxford, — celui dont les folies, disaient ses parasites, n'étaient que les folies d'une jeunesse et d'une imagination sans frein, — dont les erreurs n'étaient que d'inimitables caprices, — les vices les plus noirs, une insoucieuse et superbe extravagance?

J'avais déjà rempli deux années de cette joyeuse façon, quand arriva à l'université un jeune homme de fraîche noblesse, — un nommé Glendinning, — riche, disait la voix publique, comme Hérodès Atticus, et à qui sa richesse n'avait pas coûté plus de peine. Je découvris bien vite qu'il était d'une intelligence faible, et naturellement je le marquai comme une excellente victime de mes talents. Je l'engageai fréquemment à jouer, et m'appliquai, avec la ruse habituelle du joueur, à lui laisser gagner des sommes considérables, pour l'enlacer plus efficacement dans mes filets. Enfin, mon plan étant bien mûri, je me rencontrai avec lui, — dans l'intention bien arrêtée d'en finir, — chez un de nos camarades, M. Preston, également lié avec nous deux, mais qui — je dois lui rendre cette justice — n'avait pas le moindre soupçon de mon dessein. Pour donner à tout cela une meilleure couleur, j'avais eu soin d'inviter une société de huit ou dix personnes, et je m'étais particulièrement appliqué à ce que l'introduction des cartes parût tout à fait accidentelle et n'eût lieu que sur la proposition de la dupe que j'avais en vue. Pour abréger en un sujet aussi vil, je ne négligeai aucune des basses finesses, si banalement pratiquées en pareille occasion, que c'est merveille qu'il y ait toujours des gens assez sots pour en être les victimes.

Nous avions prolongé notre veillée assez avant dans la nuit, quand j'opérai enfin de manière à prendre Glendinning pour mon unique adversaire. Le jeu était mon jeu favori, l'écarté. Les autres personnes de la société, intéressées par les proportions grandioses de notre jeu, avaient laissé leurs cartes et faisaient galerie autour de nous. Notre parvenu, que j'avais adroitement poussé dans la première partie de la soirée à boire richement, mêlait, donnait et jouait d'une manière étrangement nerveuse, dans laquelle son ivresse, pensais-je, était pour quelque chose, mais qu'elle n'expliquait pas entièrement. En très-peu de temps, il était devenu mon débiteur pour une forte somme, quand, ayant avalé une longue rasade d'oporto, il fit juste ce que j'avais froidement prévu, — il proposa de doubler notre enjeu, déjà fort extravagant. Avec une heureuse affectation de résistance, et seulement après que mon refus réitéré l'eut entraîné à des paroles aigres qui donnèrent à mon consentement l'apparence d'une pique, finalement je m'exécutai. Le résultat fut ce qu'il devait être : la proie s'était complétement empêtrée dans mes filets; en moins d'une heure, il avait quadruplé sa dette. Depuis quelque temps sa physionomie avait perdu le teint fleuri que lui prêtait le vin; mais, alors, je m'aperçus avec étonnement qu'elle était arrivée à une pâleur vraiment terrible. Je dis avec étonnement, car j'avais pris sur Glendinning de soigneuses informations; on me l'avait représenté comme immensément riche, et les sommes qu'il avait perdues jusqu'ici, quoique réellement fortes, ne pouvaient pas — je le supposais du moins — le tracasser très-sérieusement, encore moins l'affecter d'une manière aussi violente. L'idée qui se présenta le plus naturellement à mon esprit fut qu'il était bouleversé par le vin qu'il venait de boire; et, dans le but de sauve-garder mon caractère aux yeux de mes camarades, plutôt que par un motif de désintéressement, j'allais insister péremptoirement pour interrompre le jeu, quand quel-ques mots prononcés à côté de moi parmi les personnes présentes, et une exclamation de Glendinning qui témoi-gnait du plus complet désespoir, me firent comprendre que j'avais opéré sa ruine totale, dans des conditions qui avaient fait de lui un objet de pitié pour tous, et l'au-raient protégé même contre les mauvais offices d'un dé-mon.

Quelle conduite eussé-je adoptée dans cette circonstance, il me serait difficile de le dire. La déplorable situation de ma dupe avait jeté sur tout le monde un air de gêne et de tristesse; et il régna un silence profond de quelques minutes, pendant lequel je sentais en dépit de moi mes joues fourmiller sous les regards brûlants de mépris et de reproche que m'adressaient les moins endurcis de la so-ciété. J'avouerai même que mon cœur se trouva momen-tanément déchargé d'un intolérable poids d'angoisse par la soudaine et extraordinaire interruption qui suivit. Les lourds battants de la porte de la chambre s'ouvrirent tout grands, d'un seul coup, avec une impétuosité si vigoureuse et si violente, que toutes les bougies s'éteignirent comme par enchantement. Mais la lumière mourante me permit d'apercevoir qu'un étranger s'était introduit, — un homme de ma taille à peu près, et étroitement enveloppé d'un manteau. Cependant, les ténèbres étaient maintenant complètes, et nous pouvions seulement *sentir* qu'il se te-nait au milieu de nous. Avant qu'aucun de nous fût re-venu de l'excessif étonnement où nous avait tous jetés cette violence, nous entendîmes la voix de l'intrus :

— Gentlemen, — dit-il, *d'une voix très-basse,* mais dis-tincte, d'une voix inoubliable qui pénétra la moelle de mes os, — gentlemen, je ne cherche pas à excuser ma conduite, parce qu'en me conduisant ainsi je ne fais qu'accomplir un devoir. Vous n'êtes sans doute pas au fait du vrai caractère de la personne qui a gagné cette nuit une somme énorme à l'écarté à lord Glendinning. Je vais donc vous proposer un moyen expéditif et décisif pour vous procurer ces très-importants renseignements. Examinez, je vous prie, tout à votre aise, la doublure du parement de sa manche gauche et les quelques petits paquets que l'on trouvera dans les poches passablement vastes de sa robe de chambre brodée.

Pendant qu'il parlait, le silence était si profond qu'on aurait entendu tomber une épingle sur le tapis. Quand il eut fini, il partit tout d'un coup, aussi brusquement qu'il était entré. Puis-je décrire, décrirai-je mes sensations? Faut-il dire que je sentis toutes les horreurs du damné? J'avais certainement peu de temps pour la réflexion. Plusieurs bras m'empoignèrent rudement, et on se procura immédiatement de la lumière. Une perquisition suivit. Dans la doublure de ma manche, on trouva toutes les figures essentielles de l'écarté, et, dans les poches de ma robe de chambre, un certain nombre de jeux de cartes exactement semblables à ceux dont nous nous servions dans nos réunions, à l'exception que les miennes étaient de celles qu'on appelle, proprement, *arrondies*, les honneurs étant très-légèrement convexes sur les petits côtés et les basses cartes imperceptiblement convexes sur les grands. Grâce à cette disposition, la dupe qui coupe, comme d'habitude, dans la longueur du paquet, coupe invariablement de manière à donner un honneur à son adversaire; tandis que le grec, en coupant dans la largeur, ne donnera jamais à sa victime rien qu'elle puisse marquer à son avantage.

Une tempête d'indignation m'aurait moins affecté que le silence méprisant et le calme sarcastique qui accueillirent cette découverte.

— Monsieur Wilson, — dit notre hôte en se baissant pour ramasser sous ses pieds un magnifique manteau doublé d'une fourrure précieuse, — monsieur Wilson, ceci est à vous. (Le temps était froid, et, en quittant ma chambre, j'avais jeté par-dessus mon vêtement du matin un manteau que j'ôtai en arrivant sur le théâtre du jeu.) Je présume, — ajouta-t-il en regardant les plis du vêtement avec un sourire amer, — qu'il est bien superflu de chercher ici de nouvelles preuves de votre savoir-faire. Vraiment, nous en avons assez. J'espère que vous comprendrez la nécessité de quitter Oxford, — en tout cas de sortir à l'instant de chez moi.

Avili, humilié ainsi jusqu'à la boue, il est probable que j'eusse châtié ce langage insultant par une violence personnelle immédiate, si toute mon attention n'avait pas été en ce moment arrêtée par un fait de la nature la plus surprenante. Le manteau que j'avais apporté était d'une fourrure supérieure, — d'une rareté et d'un prix extravagants, il est inutile de le dire. La coupe était une coupe de fantaisie, de mon invention; car dans ces matières frivoles j'étais difficile, et je poussais les rages du dandysme jusqu'à l'absurde. Donc, quand M. Preston me tendit celui qu'il avait ramassé par terre, auprès de la porte de la chambre, ce fut avec un étonnement voisin de la terreur que je m'aperçus que j'avais déjà le mien sur mon bras, où je l'avais sans doute placé sans y penser, et que celui qu'il me présentait en était l'exacte contrefaçon dans tous ses plus minutieux détails. L'être singulier qui m'avait si désastreusement dévoilé était, je me le rappelais bien, enveloppé d'un manteau; et aucun des individus présents, excepté moi, n'en avait apporté avec lui. Je conservai quelque présence d'esprit, je pris celui que m'offrait Preston; je le plaçai sans qu'on y prît garde, sur le mien; je sortis de la chambre avec un défi et une menace dans le regard; et, le matin même, avant le point du jour, je m'enfuis précipitamment d'Oxford vers le continent, dans une vraie agonie d'horreur et de honte.

Je fuyais en vain. Ma destinée maudite m'a poursuivi, triomphante, et me prouvant que son mystérieux pouvoir n'avait fait jusqu'alors que de commencer. A peine eus-je mis le pied dans Paris, que j'eus une preuve nouvelle du détestable intérêt que le Wilson prenait à mes

affaires. Les années s'écoulèrent, et je n'eus point de répit.
Misérable! — A Rome, avec quelle importune obséquio-
sité, avec quelle tendresse de spectre il s'interposa entre
moi et mon ambition! — Et à Vienne! — et à Berlin! —
et à Moscou! Où donc ne trouvai-je pas quelque amère
raison de le maudire du fond de mon cœur? Frappé d'une
panique, je pris enfin la fuite devant son impénétrable
tyrannie, comme devant une peste, et jusqu'au bout du
monde j'ai fui, *j'ai fui en vain.*

Et toujours, et toujours interrogeant secrètement mon
âme, je répétais mes questions : Qui est-il? — D'où vient-
il? — Et quel est son dessein? — Mais je ne trouvais pas
de réponse. Et j'analysais alors avec un soin minutieux
les formes, la méthode et les traits caractéristiques de son
insolente surveillance. Mais, là encore, je ne trouvais pas
grand-chose qui pût servir de base à une conjecture.
C'était vraiment une chose remarquable que, dans les
cas nombreux où il avait récemment traversé mon chemin,
il ne l'eût jamais fait que pour dérouter des plans ou déranger des opérations qui, s'ils avaient réussi, n'auraient
abouti qu'à une amère déconvenue. Pauvre justification, en
vérité, que celle-là, pour une autorité si impérieusement
usurpée! Pauvre indemnité pour ces droits naturels de
libre arbitre si opiniâtrément, si insolemment déniés!

J'avais aussi été forcé de remarquer que mon bourreau,
depuis un fort long espace de temps, tout en exerçant
scrupuleusement et avec une dextérité miraculeuse cette
manie de toilette identique à la mienne, s'était toujours
arrangé, à chaque fois qu'il posait son intervention dans
ma volonté, de manière que je ne pusse voir les traits de
sa face. Quoi que pût être ce damné Wilson, certes un
pareil mystère était le comble de l'affectation et de la
sottise. Pouvait-il avoir supposé un instant que dans mon
donneur d'avis à Eton, — dans le destructeur de mon
honneur à Oxford, — dans celui qui avait contrecarré
mon ambition à Rome, ma vengeance à Paris, mon amour
passionné à Naples, en Egypte ce qu'il appelait à tort
ma cupidité, — que dans cet être, mon grand ennemi et

mon mauvais génie, je ne reconnaîtrais pas le William Wilson de mes années de collège, — l'homonyme, le camarade, le rival, — le rival exécré et redouté de la maison Bransby? — Impossible! — Mais laissez-moi courir à la terrible scène finale du drame.

Jusqu'alors je m'étais soumis lâchement à son impérieuse domination. Le sentiment de profond respect avec lequel je m'étais accoutumé à considérer le caractère élevé, la sagesse majestueuse, l'omniprésence et l'omnipotence apparentes de Wilson, joint à je ne sais quelle sensation de terreur que m'inspiraient certains autres traits de sa nature et certains priviléges, avaient créé en moi l'idée de mon entière faiblesse et de mon impuissance, et m'avaient conseillé une soumission sans réserve, quoique pleine d'amertume et de répugnance, à son arbitraire dictature. Mais, depuis ces derniers temps, je m'étais entièrement abandonné au vin, et son influence exaspérante sur mon tempérament héréditaire me rendait de plus en plus impatient de tout contrôle. Je commençai à murmurer, — à hésiter, — à résister. Et fut-ce simplement mon imagination qui m'induisait à croire que l'opiniâtreté de mon bourreau diminuerait en raison de ma propre fermeté? Il est possible; mais, en tout cas, je commençais à sentir l'inspiration d'une espérance ardente, et je finis par nourrir dans le secret de mes pensées la sombre et désespérée résolution de m'affranchir de cet esclavage.

C'était à Rome, pendant le carnaval de 18..; j'étais à un bal masqué dans le palais du duc Di Broglio, de Naples. J'avais fait abus du vin encore plus que de coutume, et l'atmosphère étouffante des salons encombrés m'irritait insupportablement. La difficulté de me frayer un passage à travers la cohue ne contribua pas peu à exaspérer mon humeur; car je cherchais avec anxiété (je ne dirai pas pour quel indigne motif) la jeune, la joyeuse, la belle épouse du vieux et extravagant Di Broglio. Avec une confiance passablement imprudente, elle m'avait confié le secret du costume qu'elle devait porter;

et, comme je venais de l'apercevoir au loin, j'avais hâte d'arriver jusqu'à elle. En ce moment, je sentis une main qui se posa doucement sur mon épaule, — et puis cet inoubliable, ce profond, ce maudit *chuchotement* dans mon oreille!

Pris d'une rage frénétique, je me tournai brusquement vers celui qui m'avait ainsi troublé et je le saisis violemment au collet. Il portait, comme je m'y attendais, un costume absolument semblable au mien : un manteau espagnol de velours bleu, et autour de la taille une ceinture cramoisie où se rattachait une rapière. Un masque de soie noire recouvrait entièrement sa face.

— Misérable! — m'écriai-je d'une voix enrouée par la rage, et chaque syllabe qui m'échappait était comme un aliment pour le feu de ma colère, — misérable! imposteur! scélérat maudit! tu ne me suivras plus à la piste, — tu ne me harcèleras pas jusqu'à la mort! Suis-moi, ou je t'embroche sur place!

Et je m'ouvris un chemin de la salle de bal vers une petite antichambre attenante, le traînant irrésistiblement avec moi.

En entrant, je le jetai furieusement loin de moi. Il alla chanceler contre le mur; je fermai la porte en jurant, et lui ordonnai de dégainer. Il hésita une seconde; puis, avec un léger soupir, il tira silencieusement son épée et se mit en garde.

Le combat ne fut certes pas long. J'étais exaspéré par les plus ardentes excitations de tout genre, et je me sentais dans un seul bras l'énergie et la puissance d'une multitude. En quelques secondes, je l'acculai par la force du poignet contre la boiserie, et, là, le tenant à ma discrétion, je lui plongeai, à plusieurs reprises et coup sur coup, mon épée dans la poitrine avec une férocité de brute.

En ce moment, quelqu'un toucha à la serrure de la porte. Je me hâtai de prévenir une invasion importune, et je retournai immédiatement vers mon adversaire mourant. Mais quelle langue humaine peut rendre suffisamment cet étonnement, cette horreur qui s'emparèrent de moi au spectacle que virent alors mes yeux. Le court instant pendant lequel je m'étais détourné avait suffi pour produire, en apparence, un changement matériel dans les dispositions locales à l'autre bout de la chambre. Une vaste glace — dans mon trouble, cela m'apparut d'abord ainsi — se dressait là où je n'en avais pas vu trace auparavant; et, comme je marchais frappé de terreur vers ce miroir, ma propre image, mais avec une face pâle et barbouillée de sang, s'avança à ma rencontre d'un pas faible et vacillant.

C'est ainsi que la chose m'apparut, dis-je, mais telle elle n'était pas. C'était mon adversaire, — c'était Wilson qui se tenait devant moi dans son agonie. Son masque et son manteau gisaient sur le parquet, là où il les avait jetés. Pas un fil dans son vêtement, — pas une ligne dans toute sa figure si caractérisée et si singulière, — qui ne fût *mien,* — qui ne fût *mienne;* — c'était l'absolu dans l'identité!

C'était Wilson, mais Wilson ne chuchotant plus ses paroles maintenant! si bien que j'aurais pu croire que c'était moi-même qui parlais quand il me dit :

— *Tu as vaincu, et je succombe. Mais dorénavant tu es mort aussi, —mort au Monde, au Ciel et à l'Espérance! En moi tu existais, — et vois dans ma mort, vois par cette image qui est la tienne, comme tu t'es radicalement assassiné toi-même!*

L'HOMME DES FOULES

Ce grand malheur de ne pouvoir être seul!
LA BRUYÈRE.

On a dit judicieusement d'un certain livre allemand :
Es læsst sich nicht lesen, — il ne se laisse pas lire. Il y
a des secrets qui ne veulent pas être dits. Des hommes
meurent la nuit dans leurs lits, tordant les mains des
spectres qui les confessent et les regardant pitoyablement
dans les yeux; — des hommes meurent avec le désespoir
dans le cœur et des convulsions dans le gosier à cause de
l'horreur des mystères qui *ne veulent pas* être révélés.
Quelquefois, hélas! la conscience humaine supporte un
fardeau d'une si lourde horreur, qu'elle ne peut s'en
décharger que dans le tombeau. Ainsi l'essence du crime
reste inexpliquée.

Il n'y a pas longtemps, sur la fin d'un soir d'automne,
j'étais assis devant la grande fenêtre cintrée du café D...,
à Londres. Pendant quelques mois, j'avais été malade;
mais j'étais alors convalescent, et, la force me revenant,
je me trouvais dans une de ces heureuses dispositions qui
sont précisément le contraire de l'ennui, — dispositions
où l'appétence morale est merveilleusement aiguisée,
quand la taie qui recouvrait la vision spirituelle est ar-

rachée, l'ἀχλὺς ἣ πρὶν ἐπῆεν, — où l'esprit électrisé dépasse aussi prodigieusement sa puissance journalière que
la raison ardente et naïve de Leibnitz l'emporte sur la
folle et molle rhétorique de Gorgias. Respirer seulement,
c'était une jouissance, et je tirais un plaisir positif même
de plusieurs sources très-plausibles de peine. Chaque
chose m'inspirait un intérêt calme, mais plein de curiosité. Un cigare à la bouche, un journal sur mes genoux,
je m'étais amusé, pendant la plus grande partie de l'après-
midi, tantôt à regarder attentivement les annonces, tantôt
à observer la société mêlée du salon, tantôt à regarder
dans la rue à travers les vitres voilées par la fumée.

Cette rue est une des principales artères de la ville et
elle avait été pleine de monde toute la journée. Mais, à la
tombée de la nuit, la foule s'accrut de minute en minute;
et, quand tous les réverbères furent allumés, deux cou-
rants de population s'écoulaient, épais et continus, devant la porte. Je ne m'étais jamais senti dans une situation semblable à celle où je me trouvais en ce moment
particulier de la soirée, et ce tumultueux océan de têtes
humaines me remplissait d'une délicieuse émotion toute
nouvelle. A la longue, je ne fis plus aucune attention aux
choses qui se passaient dans l'hôtel, et je m'absorbai dans
la contemplation de la scène du dehors.

Mes observations prirent d'abord un tour abstrait et
généralisateur. Je regardais les passants par masses, et ma
pensée ne les considérait que dans leurs rapports collec-
tifs. Bientôt, cependant, je descendis au détail, et j'examinai avec un intérêt minutieux les innombrables variétés
de figure, de toilette, d'air, de démarche, de visage et
d'expression physionomique.

Le plus grand nombre de ceux qui passaient avaient
un maintien convaincu et propre aux affaires, et ne semblaient occupés qu'à se frayer un chemin à travers la
foule. Ils fronçaient les sourcils et roulaient les yeux vivement; quand ils étaient bousculés par quelques passants
voisins, ils ne montraient aucun symptôme d'impatience,
mais rajustaient leurs vêtements et se dépêchaient. D'au-

tres, une classe fort nombreuse encore, étaient inquiets
dans leurs mouvements, avaient le sang à la figure, se
parlaient à eux-mêmes et gesticulaient, comme s'ils se
sentaient seuls par le fait même de la multitude innom-
brable qui les entourait. Quand ils étaient arrêtés dans
leur marche, ces gens-là cessaient tout à coup de mar-
motter, mais redoublaient leurs gesticulations, et attendaient, avec un sourire distrait et exagéré, le passage des
personnes qui leur faisaient obstacle. S'ils étaient poussés,
ils saluaient abondamment les pousseurs, et paraissaient
accablés de confusion. — Dans ces deux vastes classes
d'hommes, au delà de ce que je viens de noter, il n'y avait
rien de bien caractéristique. Leurs vêtements apparte-
naient à cet ordre qui est exactement défini par le terme :
décent. C'étaient indubitablement des gentilshommes, des
marchands, des attorneys, des fournisseurs, des agioteurs,
— les eupatrides et l'ordinaire banal de la société, —
hommes de loisir et hommes activement engagés dans des
affaires personnelles, et les conduisant sous leur propre
responsabilité. Ils n'excitèrent pas chez moi une très-
grande attention.

La race des commis sautait aux yeux, et, là, je distinguai deux divisions remarquables. Il y avait les petits
commis des maisons à *esbrouffe,* — jeunes messieurs
serrés dans leurs habits, les bottes brillantes, les cheveux
pommadés et la lèvre insolente. En mettant de côté un
certain je ne sais quoi de fringant dans les manières qu'on
pourrait définir *genre calicot,* faute d'un meilleur mot, le
genre de ces individus me parut un exact *fac-simile* de ce
qui avait été la perfection du bon ton douze ou dix-huit
mois auparavant. Ils portaient les grâces de rebut de la
gentry; — et cela, je crois, implique la meilleure définition
de cette classe.

Quant à la classe des premiers commis de maisons solides, ou des *steady old fellows,* il était impossible de s'y
méprendre. On les reconnaissait à leurs habits et pantalons
noirs ou bruns, d'une tournure confortable, à leurs cra-
vates et à leurs gilets blancs, à leurs larges souliers d'appa-

rence solide, avec des bas épais ou des guêtres. Ils avaient tous la tête légèrement chauve, et l'oreille droite, accoutumée dès longtemps à tenir la plume, avait contracté un singulier tic d'écartement. J'observai qu'ils ôtaient ou remettaient toujours leurs chapeaux avec les deux mains, et qu'ils portaient des montres avec de courtes chaînes d'or d'un modèle solide et ancien. Leur affectation, c'était la respectabilité, — si toutefois il peut y avoir une affectation aussi honorable.

Il y avait bon nombre de ces individus d'une apparence brillante que je reconnus facilement pour appartenir à la race des filous de la *haute pègre* dont toutes les grandes villes sont infestées. J'étudiai très-curieusement cette espèce de *gentry*, et je trouvai difficile de comprendre comment ils pouvaient être pris pour des gentlemen par les gentlemen eux-mêmes. L'exagération de leurs manchettes, avec un air de franchise excessive, devait les trahir du premier coup.

Les joueurs de profession — et j'en découvris un grand nombre — étaient encore plus aisément reconnaissables. Ils portaient toutes les espèces de toilettes, depuis celle du parfait *maquereau*, joueur de gobelets, au gilet de velours, à la cravate de fantaisie, aux chaînes de cuivre doré, aux boutons de filigrane, jusqu'à la toilette cléricale, si scrupuleusement simple, que rien n'était moins propre à éveiller le soupçon. Tous cependant se distinguaient par un teint cuit et basané, par je ne sais quel obscurcissement vaporeux de l'œil, par la compression et la pâleur de la lèvre. Il y avait, en outre, deux autres traits qui me les faisaient toujours deviner : un ton bas et réservé dans la conversation, et une disposition plus qu'ordinaire du pouce à s'étendre jusqu'à faire angle droit avec les doigts. — Très-souvent, en compagnie de ces fripons, j'ai observé quelques hommes qui différaient un peu par leurs habitudes; cependant, c'étaient toujours des oiseaux de même plumage. On peut les définir : des gentlemen qui vivent de leur esprit. Ils se divisent, pour dévorer le public, en deux bataillons, — le genre dandy et le genre militaire. Dans la première classe, les caractères principaux sont longs cheveux et sourires; et dans la seconde, longues redingotes et froncements de sourcils.

En descendant l'échelle de ce qu'on appelle *gentility*, je trouvai des sujets de méditation plus noirs et plus profonds. Je vis des colporteurs juifs avec des yeux de faucon étincelants dans des physionomies dont le reste n'était qu'abjecte humilité; de hardis mendiants de profession bousculant des pauvres d'un meilleur titre, que le désespoir seul avait jetés dans les ombres de la nuit pour implorer la charité; des invalides tout faibles et pareils à des spectres sur qui la mort avait placé une main sûre, et qui clopinaient et vacillaient à travers la foule, regardant chacun au visage avec des yeux pleins de prières, comme en quête de quelque consolation fortuite, de quelque espérance perdue; de modestes jeunes filles qui revenaient d'un labeur prolongé vers un sombre logis, et reculaient plus éplorées qu'indignées devant les œillades des drôles dont elles ne pouvaient même pas éviter le contact direct; des prostituées de toute sorte et de tout âge, — l'incontestable beauté dans la primeur de sa féminité, faisant rêver de la statue de Lucien dont la surface était de marbre de Paros et l'intérieur rempli d'ordures, — la lépreuse en haillons, dégoûtante et absolument déchue, — la vieille sorcière, ridée, peinte, plâtrée, chargée de bijouterie, faisant un dernier effort vers la jeunesse, — la pure enfant à la forme non mûre, mais déjà façonnée par une longue camaraderie aux épouvantables coquetteries de son commerce, et brûlant de l'ambition dévorante d'être rangée au niveau de ses aînées dans le vice; des ivrognes innombrables et indescriptibles, ceux-ci déguenillés, chancelants, désarticulés, avec le visage meurtri et les yeux ternes, — ceux-là avec leurs vêtements entiers, mais sales, une crânerie légèrement vacillante, de grosses lèvres sensuelles, des faces rubicondes et sincères, — d'autres vêtus d'étoffes qui jadis avaient été bonnes, et qui maintenant encore étaient scrupuleusement brossées, — des hommes qui marchaient d'un pas plus ferme et

plus élastique que nature, mais dont les physionomies
étaient terriblement pâles, les yeux atrocement effarés et
rouges, et qui, tout en allant à grands pas à travers la
foule, agrippaient avec des doigts tremblants tous les
objets qui se trouvaient à leur portée; et puis des pâtis-
siers, des commissionnaires, des porteurs de charbon, des
ramoneurs; des joueurs d'orgue, des montreurs de singes,
des marchands de chansons, ceux qui vendaient avec ceux
qui chantaient; des artisans déguenillés et des travailleurs
de toute sorte épuisés à la peine, — et tous pleins d'une
activité bruyante et désordonnée qui affligeait par ses
discordances et apportait à l'œil une sensation douloureuse.

A mesure que la nuit devenait plus profonde, l'intérêt
de la scène s'approfondissait aussi pour moi; car non-
seulement le caractère général de la foule était altéré
(ses traits les plus nobles s'effaçant avec la retraite graduelle de la partie la plus sage de la population, et les
plus grossiers venant plus vigoureusement en relief, à
mesure que l'heure plus avancée tirait chaque espèce
d'infamie de sa tanière), mais les rayons des becs de gaz,
faibles d'abord quand ils luttaient avec le jour mourant,
avaient maintenant pris le dessus et jetaient sur toutes
choses une lumière étincelante et agitée. Tout était noir,
mais éclatant — comme cette ébène à laquelle on a com-
paré le style de Tertullien.

Les étranges effets de la lumière me forcèrent à examiner les figures des individus; et, bien que la rapidité
avec laquelle ce monde de lumière fuyait devant la fenêtre m'empêchât de jeter plus d'un coup d'œil sur chaque
visage, il me semblait toutefois que, grâce à ma singulière disposition morale, je pouvais souvent lire dans
ce bref intervalle d'un coup d'œil l'histoire de longues
années.

Le front collé à la vitre, j'étais ainsi occupé à examiner
la foule, quand soudainement apparut une physionomie
(celle d'un vieux homme décrépit de soixante-cinq à
soixante-dix ans), — une physionomie qui tout d'abord

arrêta et absorba toute mon attention, en raison de l'absolue
idiosyncrasie de son expression. Jusqu'alors je n'avais
jamais rien vu qui ressemblât à cette expression, même
à un degré très-éloigné. Je me rappelle bien que ma première pensée, en le voyant, fut que Retzch, s'il l'avait
contemplé, l'aurait grandement préféré aux figures dans
lesquelles il a essayé d'incarner le démon. Comme je
tâchais, durant le court instant de mon premier coup
d'œil, de former une analyse quelconque du sentiment
général qui m'était communiqué, je sentis s'élever confusément et paradoxalement dans mon esprit les idées de
vaste intelligence, de circonspection, de lésinerie, de cupidité, de sang-froid, de méchanceté, de soif sanguinaire,
de triomphe, d'allégresse, d'excessive terreur, d'intense et
suprême désespoir. Je me sentis singulièrement éveillé,
saisi, fasciné. — Quelle étrange histoire, me dis-je à moi-
même, est écrite dans cette poitrine! — Il me vint alors
un désir ardent de ne pas perdre l'homme de vue, —
d'en savoir plus long sur lui. Je mis précipitamment mon
paletot, je saisis mon chapeau et ma canne, je me jetai
dans la rue, et me poussai à travers la foule dans la direction que je lui avais vu prendre; car il avait déjà disparu.
Avec un peu de difficulté, je parvins enfin à le découvrir,
je m'approchai de lui et le suivis de très-près, mais avec
de grandes précautions, de manière à ne pas attirer son
attention.

Je pouvais maintenant étudier commodément sa personne. Il était de petite taille, très-maigre et très-faible
en apparence. Ses habits étaient sales et déchirés; mais,
comme il passait de temps à autre dans le feu éclatant
d'un candélabre, je m'aperçus que son linge, quoique
sale, était d'une belle qualité; et, si mes yeux ne m'ont
pas abusé, à travers une déchirure du manteau, évidemment acheté d'occasion, dont il était soigneusement enveloppé, j'entrevis la lueur d'un diamant et d'un poignard.
Ces observations surexcitèrent ma curiosité, et je résolus
de suivre l'inconnu partout où il lui plairait d'aller.

Il faisait maintenant tout à fait nuit, et un brouillard

humide et épais s'abattait sur la ville, qui bientôt se résolut en une pluie lourde et continue. Ce changement de
temps eut un effet bizarre sur la foule, qui fut agitée tout
entière d'un nouveau mouvement, et se déroba sous un
monde de parapluies. L'ondulation, le coudoiement, le
brouhaha, devinrent dix fois plus forts. Pour ma part, je
ne m'inquiétai pas beaucoup de la pluie, — j'avais encore
dans le sang une vieille fièvre aux aguets, pour qui l'humidité était une dangereuse volupté. Je nouai un mouchoir
autour de ma bouche, et je tins bon. Pendant une demi-
heure, le vieux homme se fraya son chemin avec difficulté
à travers la grande artère, et je marchais presque sur
ses talons dans la crainte de le perdre de vue. Comme il
ne tournait jamais la tête pour regarder derrière lui,
il ne fit pas attention à moi. Bientôt il se jeta dans une
rue traversière, qui bien que remplie de monde, n'était pas
aussi encombrée que la principale qu'il venait de quitter.
Ici, il se fit un changement évident dans son allure. Il
marcha plus lentement, avec moins de décision que tout
à l'heure, avec plus d'hésitation. Il traversa et retraversa
la rue fréquemment, sans but apparent; et la foule était
si épaisse, qu'à chaque nouveau mouvement j'étais obligé
de le suivre de très-près. C'était une rue étroite et longue,
et la promenade qu'il y fit dura près d'une heure, pendant
laquelle la multitude des passants se réduisit graduellement à la quantité de gens qu'on voit ordinairement à
Broadway, près du parc, vers midi, — tant est grande
la différence entre une foule de Londres et celle de la
cité américaine la plus populeuse. Un second crochet
nous jeta sur une place brillamment éclairée et débordante de vie. La première *manière* de l'inconnu reparut.
Son menton tomba sur sa poitrine, et ses yeux roulèrent
étrangement sous ses sourcils froncés, dans tous les sens,
vers tous ceux qui l'enveloppaient. Il pressa le pas, régulièrement, sans interruption. Je m'aperçus toutefois avec
surprise, quand il eut fait le tour de la place, qu'il
retournait sur ses pas. Je fus encore bien plus étonné
de lui voir recommencer la même promenade plusieurs

fois; — une fois, comme il tournait avec un mouvement
brusque, je faillis être découvert.

À cet exercice il dépensa encore une heure, à la fin
de laquelle nous fûmes beaucoup moins empêchés par
les passants qu'au commencement. La pluie tombait dru,
l'air devenait froid, et chacun rentrait chez soi. Avec
un geste d'impatience, l'homme errant passa dans une
rue obscure, comparativement déserte. Tout le long de
celle-ci, un quart de mille à peu près, il courut avec
une agilité que je n'aurais jamais soupçonnée dans un
être aussi vieux, — une agilité telle que j'eus beaucoup
de peine à le suivre. En quelques minutes, nous débou-
châmes sur un vaste et tumultueux bazar. L'inconnu avait
l'air parfaitement au courant des localités, et il reprit
une fois encore son allure primitive, se frayant un chemin çà et là, sans but, parmi la foule des acheteurs et
des vendeurs.

Pendant une heure et demie, à peu près, que nous
passâmes dans cet endroit, il me fallut beaucoup de prudence pour ne pas le perdre de vue sans attirer son
attention. Par bonheur, je portais des claques en caout-
chouc, et je pouvais aller et venir sans faire le moindre
bruit. Il ne s'aperçut pas un seul instant qu'il était épié.
Il entrait successivement dans toutes les boutiques, ne
marchandait rien, ne disait pas un mot, et jetait sur tous
les objets un regard fixe, effaré, vide. J'étais maintenant
prodigieusement étonné de sa conduite et je pris la
ferme résolution de ne pas le quitter avant d'avoir satisfait en quelque façon ma curiosité à son égard.

Une horloge au timbre éclatant sonna onze heures, et
tout le monde désertait le bazar en grande hâte. Un
boutiquier, en fermant un volet, coudoya le vieux homme,
et à l'instant même je vis un violent frisson parcourir
tout son corps. Il se précipita dans la rue, regarda un
instant avec anxiété autour de lui, puis fila avec une
incroyable vélocité à travers plusieurs ruelles tortueuses
et désertes, jusqu'à ce que nous aboutîmes de nouveau
à la grande rue d'où nous étions partis, — la rue de

l'hôtel D... Cependant, elle n'avait plus le même aspect.
Elle était toujours brillante de gaz; mais la pluie tombait
furieusement, et l'on n'apercevait que de rares passants.
L'inconnu pâlit. Il fit quelques pas d'un air morne dans
l'avenue naguère populeuse; puis, avec un profond soupir,
il tourna dans la direction de la rivière, et, se plongeant
à travers un labyrinthe de chemins détournés, arriva
enfin devant un des principaux théâtres. On était au moment de le fermer, et le public s'écoulait par les portes.
Je vis le vieux homme ouvrir la bouche, comme pour
respirer, et se jeter parmi la foule; mais il me sembla
que l'angoisse profonde de sa physionomie était en quelque
sorte calmée. Sa tête tomba de nouveau sur sa poitrine;
il apparut tel que je l'avais vu la première fois. Je
remarquai qu'il se dirigeait maintenant du même côté
que la plus grande partie du public, — mais, en somme,
il m'était impossible de rien comprendre à sa bizarre
obstination.

Pendant qu'il marchait, le public se disséminait; son
malaise et ses premières hésitations le reprirent. Pendant
quelque temps, il suivait de très-près un groupe de dix
ou douze tapageurs; peu à peu, un à un, le nombre
s'éclaircit et se réduisit à trois individus qui restèrent
ensemble, dans une ruelle étroite, obscure et peu fré-
quentée. L'inconnu fit une pause, et pendant un moment
parut se perdre dans ses réflexions; puis, avec une agitation très-marquée, il enfila rapidement une route qui
nous conduisit à l'extrémité de la ville, dans des régions
bien différentes de celles que nous avions traversées jusqu'à présent. C'était le quartier le plus malsain de
Londres, où chaque chose porte l'affreuse empreinte de
la plus déplorable pauvreté et du vice incurable. A la
lueur accidentelle d'un sombre réverbère, on apercevait
des maisons de bois, hautes, antiques, vermoulues, mena-
çant ruine, et dans de si nombreuses et si capricieuses
directions qu'à peine pouvait-on deviner au milieu d'elles
l'apparence d'un passage. Les pavés étaient éparpillés
à l'aventure, repoussés de leurs alvéoles par le gazon

victorieux. Une horrible saleté croupissait dans les ruisseaux obstrués. Toute l'atmosphère regorgeait de désolation. Cependant, comme nous avancions, les bruits de
la vie humaine se ravivèrent clairement et par degrés;
et enfin de vastes bandes d'hommes, les plus infâmes
parmi la populace de Londres, se montrèrent, oscillantes
çà et là. Le vieux homme sentit de nouveau palpiter
ses esprits, comme une lampe qui est près de son agonie.
Une fois encore il s'élança en avant d'un pas élastique.
Tout à coup, nous tournâmes au coin; une lumière
flamboyante éclata à notre vue, et nous nous trouvâmes
devant un des énormes temples suburbains de l'Intempérance. — un des palais du démon Gin.

C'était presque le point du jour; mais une foule de
misérables ivrognes se pressaient encore en dedans et
en dehors de la fastueuse porte. Presque avec un cri de
joie, le vieux homme se fraya un passage au milieu,
reprit sa physionomie primitive, et se mit à arpenter
la cohue dans tous les sens, sans but apparent. Toutefois,
il n'y avait pas longtemps qu'il se livrait à cet exercice,
quand un grand mouvement dans les portes témoigna
que l'hôte allait les fermer en raison de l'heure. Ce que
j'observai sur la physionomie du singulier être que j'épiais
si opiniâtrement fut quelque chose de plus intense que
le désespoir. Cependant, il n'hésita pas dans sa carrière,
mais, avec une énergie folle, il revint tout à coup sur
ses pas, au cœur du puissant Londres. Il courut vite et
longtemps, et toujours je le suivais avec un effroyable
étonnement, résolu à ne pas lâcher une recechrce dans
laquelle j'éprouvais un intérêt qui m'absorbait tout entier.
Le soleil se leva pendant que nous poursuivions notre
course, et, quand nous eûmes une fois encore atteint le
rendez-vous commercial de la populeuse cité, la rue de
l'Hôtel D..., celle-ci présentait un aspect d'activité et de
mouvement humains presque égal à ce que j'avais vu
dans la soirée précédente. Et, là encore, au milieu de la
confusion toujours croissante, longtemps je persistai dans
ma poursuite de l'inconnu. Mais, comme d'ordinaire,

il allait et venait, et de la journée entière il ne sortit
pas du tourbillon de cette rue. Et, comme les ombres
du second soir approchaient, je me sentais brisé jusqu'à
la mort, et, m'arrêtant tout droit devant l'homme errant,
je le regardai intrépidement en face. Il ne fit pas atten-
ioon à moi, mais reprit sa solennelle promenade, pendant
que, renonçant à le poursuivre, je restais absorbé dans
cette contemplation.

— Ce vieux homme, — me dis-je à la longue, — est
le type et le génie du crime profond. Il refuse d'être
seul. *Il est l'homme des foules.* Il serait vain de le suivre;
car je n'apprendrai rien de plus de lui ni de ses actions.
Le pire cœur du monde est un livre plus rebutant que le
Hortulus animæ[1], et peut-être est-ce une des grandes
miséricordes de Dieu que *es læsst sich nicht lesen,* —
qu'il ne se laisse pas lire.

1. *Hortulus animæ, cum oratiunculis aliquibus superadditis,* de
Grunninger.

LE CŒUR RÉVÉLATEUR

Vrai! — je suis très-nerveux, épouvantablement nerveux, — je l'ai toujours été; mais pourquoi prétendez-vous que je suis fou? La maladie a aiguisé mes sens, — elle ne les a pas détruits, — elle ne les a pas émoussés. Plus que tous les autres, j'avais le sens de l'ouïe très-fin. J'ai entendu toutes choses du ciel et de la terre. J'ai entendu bien des choses de l'enfer. Comment donc suis-je fou? Attention! Et observez avec quelle santé, — avec quel calme je puis vous raconter toute l'histoire.

Il est impossible de dire comment l'idée entra primitivement dans ma cervelle; mais, une fois conçue, elle me hanta nuit et jour. D'objet, il n'y en avait pas. La passion n'y était pour rien. J'aimais le vieux bonhomme. Il ne m'avait jamais fait de mal. Il ne m'avait jamais insulté. De son or je n'avais aucune envie. Je crois que c'était son œil! Oui, c'était cela! Un de ses yeux ressemblait à celui d'un vautour, — un œil bleu pâle, avec une taie dessus. Chaque fois que cet œil tombait sur moi, mon sang se glaçait; et ainsi, lentement, — par degrés, — je me mis en tête d'arracher la vie du vieillard, et par ce moyen de me délivrer de l'œil à tout jamais.

Maintenant, voici le hic! Vous me croyez fou. Les fous ne savent rien de rien. Mais si vous m'aviez vu! Si vous aviez vu avec quelle sagesse je procédai! — avec quelle précaution, — avec quelle prévoyance, — avec quelle dissimu-

lation je me mis à l'œuvre! Je ne fus jamais plus aimable
pour le vieux que pendant la semaine entière qui pré-
céda le meurtre. Et, chaque nuit, vers minuit, je tournais
le loquet de sa porte, et je l'ouvrais, — oh! si doucement! Et alors, quand je l'avais suffisamment entre-
bâillée pour ma tête, j'introduisais une lanterne sourde,
bien fermée, bien fermée, ne laissant filtrer aucune lumière; puis je passais la tête. Oh! vous auriez ri de
voir avec quelle adresse je passais ma tête! Je la mou-
vais lentement, — très, très-lentement, — de manière à
ne pas troubler le sommeil du vieillard. Il me fallait
bien une heure pour introduire toute ma tête à travers
l'ouverture, assez avant pour le voir couché sur son lit.
Ah! un fou aurait-il été aussi prudent? — Et alors, quand
ma tête était bien dans la chambre, j'ouvrais la lanterne
avec précaution, — oh! avec quelle précaution, avec quelle
précaution! — car la charnière criait. — Je l'ouvrais
juste pour qu'un filet imperceptible de lumière tombât
sur l'œil de vautour. Et cela, je l'ai fait pendant sept
longues nuits, — chaque nuit juste à minuit; — mais je
trouvai toujours l'œil fermé; — et ainsi il me fut impossible d'accomplir l'œuvre; car ce n'était pas le vieux
homme qui me vexait, mais son mauvais œil. Et, chaque
matin, quand le jour paraissait, j'entrais hardiment dans
sa chambre, je lui parlais courageusement, l'appelant par
son nom d'un ton cordial et m'informant comment il
avait passé la nuit. Ainsi, vous voyez qu'il eût été un
vieillard bien profond, en vérité, s'il avait soupçonné
que, chaque nuit, juste à minuit, je l'examinais pendant
son sommeil.

La huitième nuit, je mis encore plus de précaution
à ouvrir la porte. La petite aiguille d'une montre se meut
plus vite que ne faisait ma main. Jamais, avant cette
nuit, je n'avais senti toute l'étendue de mes facultés, —
de ma sagacité. Je pouvais à peine contenir mes sensations
de triomphe. Penser que j'étais là, ouvrant la porte,
petit à petit, et qu'il ne rêvait même pas de mes actions
ou de mes pensées secrètes! A cette idée, je lâchai un

petit rire; et peut-être m'entendit-il; car il remua soudai-
ncment sur son lit, comme s'il se réveillait. Maintenant,
vous croyez peut-être que je me retirai, — mais non.
Sa chambre était aussi noire que de la poix, tant les
ténèbres étaient épaisses, — car les volets étaient soigneusement fermés, de crainte des voleurs, — et, sachant qu'il
ne pouvait pas voir l'entre-bâillement de la porte, je
continuai à la pousser davantage, toujours davantage.

J'avais passé ma tête, et j'étais au moment d'ouvrir la
lanterne, quand mon pouce glissa sur la fermeture de
fer-blanc, et le vieux homme se dressa sur son lit, criant :
— Qui est là ?

Je restai complètement immobile et ne dis rien. Pendant une heure entière, je ne remuai pas un muscle, et
pendant tout ce temps je ne l'entendis pas se recoucher.

Il était toujours sur son séant, aux écoutes; — juste
comme j'avais fait pendant des nuits entières, écoutant
les horloges-de-mort dans le mur.

Mais voilà que j'entendis un faible gémissement, et je
reconnus que c'était le gémissement d'une terreur mortelle.
Ce n'était pas un gémissement de douleur ou de chagrin;
— oh! non, — c'était le bruit sourd et étouffé qui s'élève
du fond d'une âme surchargée d'effroi. Je connaissais
bien ce bruit. Bien des nuits, à minuit juste, pendant
que le monde entier dormait, il avait jailli de mon propre
sein, creusant avec son terrible écho les terreurs qui me
travaillaient. Je dis que je le connaissais bien. Je savais
ce qu'éprouvait le vieux homme, et j'avais pitié de lui,
quoique j'eusse le rire dans le cœur. Je savais qu'il était
resté éveillé, depuis le premier petit bruit, quand il s'était
retourné dans son lit. Ses craintes avaient toujours été
grossissant. Il avait tâché de se persuader qu'elles étaient
sans cause, mais il n'avait pas pu. Il s'était dit à lui-
même : — Ce n'est rien, que le vent dans la cheminée;
— ce n'est qu'une souris qui traverse le parquet; — ou :
c'est simplement un grillon qui a poussé son cri. Oui,
il s'est efforcé de se fortifier avec ces hypothèses; mais
tout cela a été vain. *Tout a été vain,* parce que la Mort

qui s'approchait avait passé devant lui avec sa grande
ombre noire, et qu'elle avait ainsi enveloppé sa victime.
Et c'était l'influence funèbre de l'ombre inaperçue qui
lui faisait sentir, — quoiqu'il ne vît et n'entendît rien,
— qui lui faisait *sentir* la présence de ma tête dans la
chambre.

Quand j'eus attendu un long temps très-patiemment,
sans l'entendre se recoucher, je me résolus à entrouvrir
un peu la lanterne, mais si peu, si peu que rien. Je
l'ouvris donc, — si furtivement, si furtivement que vous
ne sauriez l'imaginer, — jusqu'à ce qu'enfin un seul rayon
pâle, comme un fil d'araignée, s'élançât de la fente et
s'abattît sur l'œil de vautour.

Il était ouvert, — tout grand ouvert, et j'entrai en
fureur aussitôt que je l'eus regardé. Je le vis avec une
parfaite netteté, — tout entier d'un bleu terne et recouvert d'un voile hideux qui glaçait la moelle dans mes
os; mais je ne pouvais voir que cela de la face ou de
la personne du vieillard; car j'avais dirigé le rayon, comme
par instinct, précisément sur la place maudite.

Et maintenant, ne vous ai-je pas dit que ce que vous
preniez pour de la folie n'est qu'une hyperacuïté des
sens? — Maintenant, je vous le dis, un bruit sourd,
étouffé, fréquent vint à mes oreilles, semblable à celui
que fait une montre enveloppée dans du coton. *Ce son-là*,
je le reconnus bien aussi. C'était le battement du cœur
du vieux. Il accrut ma fureur, comme le battement du
tambour exaspère le courage du soldat.

Mais je me contins encore, et je restai sans bouger.
Je respirais à peine. Je tenais la lanterne immobile. Je
m'appliquais à maintenir le rayon droit sur l'œil. En
même temps, la charge infernale du cœur battait plus
fort; elle devenait de plus en plus précipitée, et à chaque
instant de plus en plus haute. La terreur du vieillard
devait être extrême! Ce battement, dis-je, devenait de
plus en plus fort à chaque minute! — Me suivez-vous
bien? Je vous ai dit que j'étais nerveux; je le suis en effet.
Et maintenant, au plein cœur de la nuit, parmi le silence

redoutable de cette vieille maison, un si étrange bruit jeta
en moi une terreur irrésistible. Pendant quelques minutes
encore je me contins et restai calme. Mais le battement
devenait toujours plus fort, toujours plus fort! Je croyais
que le cœur allait crever. Et voilà qu'une nouvelle angoisse s'empara de moi : — le bruit pouvait être entendu
par un voisin! L'heure du vieillard était venue! Avec un
grand hurlement, j'ouvris brusquement la lanterne et
m'élançai dans la chambre. Il ne poussa qu'un cri, —
un seul. En un instant, je le précipitai sur le parquet, et
je renversai sur lui tout le poids écrasant du lit. Alors
je souris avec bonheur, voyant ma besogne fort avancée.
Mais pendant quelques minutes, le cœur battit avec un
son voilé. Cela toutefois ne me tourmenta pas; on ne
pouvait l'entendre à travers le mur. A la longue, il cessa.
Le vieux était mort. Je relevai le lit, et j'examinai le
corps. Oui, il était roide, roide mort. Je plaçai ma main
sur le cœur, et l'y maintins plusieurs minutes. Aucune
pulsation. Il était roide mort. Son œil désormais ne me
tourmenterait plus.

Si vous persistez à me croire fou, cette croyance s'éva-
nouira quand je vous décrirai les sages précautions que
j'employai pour dissimuler le cadavre. La nuit avançait,
et je travaillai vivement, mais en silence. Je coupai la tête,
puis les bras, puis les jambes.

Puis j'arrachai trois planches du parquet de la chambre,
et je déposai le tout entre les voltiges. Puis je replaçai
les feuilles si habilement, si adroitement, qu'aucun œil
humain — pas même *le sien!* — n'aurait pu y découvrir
quelque chose de louche. Il n'y avait rien à laver, — pas
une souillure, — pas une tache de sang. J'avais été trop
bien avisé pour cela. Un baquet avait tout absorbé, —
ha! ha!

Quand j'eus fini tous ces travaux, il était quatre heures,
— il faisait toujours aussi noir qu'à minuit. Pendant que
le timbre sonnait l'heure, on frappa à la porte de la rue.
Je descendis pour ouvrir, avec un cœur léger, — car
qu'avais-je à craindre *maintenant?* Trois hommes entrè-

rent qui se présentèrent, avec une parfaite suavité, comme officiers de police. Un cri avait été entendu par un voisin pendant la nuit; cela avait éveillé le soupçon de quelque mauvais coup : une dénonciation avait été transmise au bureau de police, et ces messieurs (les officiers) avaient été envoyés pour visiter les lieux.

Je souris, — car qu'avais-je à craindre? Je souhaitai la bienvenue à ces gentlemen. — Le cri, dis-je, c'était moi qui l'avais poussé dans un rêve. Le vieux bonhomme, ajoutai-je, était en voyage dans le pays. Je promenai mes visiteurs par toute la maison. Je les invitai à chercher, à *bien* chercher. A la fin, je les conduisis dans *sa* chambre. Je leur montrai ses trésors, en parfaite sûreté, parfaitement en ordre. Dans l'enthousiasme de ma confiance, j'apportai des sièges dans la chambre, et les priai de s'y reposer de leur fatigue, tandis que moi-même, avec la folle audace d'un triomphe parfait, j'installai ma propre chaise sur l'endroit même qui recouvrait le corps de la victime.

Les officiers étaient satisfaits. Mes manières les avaient convaincus. Je me sentais singulièrement à l'aise. Ils s'assirent, et ils causèrent de choses familières auxquelles je répondis gaiement. Mais, au bout de peu de temps, je sentis que je devenais pâle, et je souhaitai leur départ. Ma tête me faisait mal, et il me semblait que les oreilles me tintaient; mais ils restaient toujours assis, et toujours ils causaient. Le tintement devint plus distinct; — il persista et devint encore plus distinct; je bavardai plus abondamment pour me débarrasser de cette sensation; mais elle tint bon et prit un caractère tout à fait décidé, — tant qu'à la fin je découvris que le bruit n'était pas dans mes oreilles.

Sans doute je devins alors très-pâle; — mais je bavardais encore plus couramment et en haussant la voix. Le son augmentait toujours, — et que pouvais-je faire? C'était *un bruit sourd, étouffé, fréquent, ressemblant beaucoup à celui que ferait une montre enveloppée dans du coton.* Je respirai laborieusement. — Les officiers n'enten-

daient pas encore. Je causai plus vite, — avec plus de vé-
hémence; mais le bruit croissait incessamment. — Je me
levai, et je disputai sur des niaiseries, dans un diapason
très-élevé et avec une violente gesticulation; mais le bruit
montait, montait toujours. — Pourquoi ne *voulaient-ils
pas* s'en aller? — J'arpentai çà et là le plancher lourdement et à grands pas, comme exaspéré par les observations de mes contradicteurs; — mais le bruit croissait régulièrement. O Dieu! que pouvais-je faire? J'écumais, —
je battais la campagne, — je jurais! j'agitais la chaise sur
laquelle j'étais assis, et je la faisais crier sur le parquet;
mais le bruit dominait toujours, et croissait indéfiniment.
Il devenait plus fort, — plus fort! — toujours plus fort!
Et toujours les hommes causaient, plaisantaient et souriaient. Etait-il possible qu'ils n'entendissent pas? Dieu
tout-puissant! — Non, non! Ils entendaient! — ils soup-
çonnaient! — ils *savaient*, — ils se faisaient un amuse-
ment de mon effroi! — je le crus, et je le crois encore.
Mais n'importe quoi était plus tolérable que cette dérision!
Je ne pouvais pas supporter plus longtemps ces hypo-
crites sourires! Je sentis qu'il fallait crier ou mourir! —
et maintenant encore, l'entendez-vous? — écoutez! plus
haut! — plus haut! — toujours plus haut! — *toujours
plus haut!*

— Misérables! — m'écriai-je, — ne dissimulez pas plus
longtemps! J'avoue la chose! — arrachez ces planches!
c'est là, c'est là! — c'est le battement de son affreux
cœur!

BÉRÉNICE

Dicebant mihi sodales, si sepulchrum amicæ visitarem, curas meas
aliquantulum fore levatas.

EBN ZAIAT.

LE malheur est divers. La misère sur terre est multiforme.
Dominant le vaste horizon comme l'arc-en-ciel, ses couleurs sont aussi variées, — aussi distinctes, et toutefois
aussi intimement fondues. Dominant le vaste horizon
comme l'arc-en-ciel! Comment d'un exemple de beauté
ai-je pu tirer un type de laideur? du signe d'alliance et de
paix une similitude de la douleur? Mais, comme, en
éthique, le mal est la conséquence du bien, de même,
dans la réalité, c'est de la joie qu'est né le chagrin; soit
que le souvenir du bonheur passé fasse l'angoisse d'aujourd'hui, soit que les agonies qui *sont* tirent leur origine
des extases qui *peuvent avoir été*.

J'ai à raconter une histoire dont l'essence est pleine
d'horreur. Je la supprimerais volontiers, si elle n'était pas
une chronique de sensations plutôt que de faits.

Mon nom de baptême est Egæus; mon nom de famille,
je le tairai. Il n'y a pas de château dans le pays plus
chargé de gloire et d'années que mon mélancolique et
vieux manoir héréditaire. Dès longtemps, on appelait
notre famille une race de visionnaires; et le fait est que,

dans plusieurs détails frappants, — dans le caractère de
notre maison seigneuriale, — dans les fresques du grand
salon, — dans les tapisseries des chambres à coucher, —
dans les ciselures des piliers de la salle d'armes, — mais
plus spécialement dans la galerie des vieux tableaux, —
dans la physionomie de la bibliothèque, — et enfin dans
la nature toute particulière du contenu de cette bibliothèque, — il y a surabondamment de quoi justifier cette
croyance.

Le souvenir de mes premières années est lié intimement
à cette salle et à ses volumes, — dont je ne dirai plus rien.
C'est là que mourut ma mère. C'est là que je suis né.
Mais il serait bien oiseux de dire que je n'ai pas vécu
auparavant, — que l'âme n'a pas une existence antérieure.
Vous le niez? — ne disputons pas sur cette matière. Je suis
convaincu et ne cherche point à convaincre. Il y a, d'ailleurs, une ressouvenance de formes aériennes, — d'yeux
intellectuels et parlants, — de sons mélodieux mais mélancoliques; — une ressouvenance qui ne veut pas s'en
aller; — une sorte de mémoire semblable à une ombre,
— vague, variable, indéfinie, vacillante; et de cette ombre
essentielle il me sera impossible de me défaire, tant que
luira le soleil de ma raison.

C'est dans cette chambre que je suis né. Emergeant ainsi
au milieu de la longue nuit qui semblait être, mais qui
n'était pas la non-existence, pour tomber tout d'un coup
dans un pays féerique, — dans un palais de fantaisie, —
dans les étranges domaines de la pensée et de l'érudition
monastiques, — il n'est pas singulier que j'aie contemplé
autour de moi avec un œil effrayé et ardent, — que j'aie
dépensé mon enfance dans les livres et prodigué ma jeunesse en rêveries; mais ce qui est singulier, — les années
ayant marché, et le midi de ma virilité m'ayant trouvé
vivant encore dans le manoir de mes ancêtres, — ce qui est
étrange, c'est cette stagnation qui tomba sur les sources
de ma vie, — c'est cette complète interversion qui s'opéra
dans le caractère de mes pensées les plus ordinaires. Les
réalités du monde m'affectaient comme des visions, et

seulement comme des visions, pendant que les idées folles du pays des songes devenaient en revanche, non la pâture de mon existence de tous les jours, mais positivement mon unique et entière existence elle-même.

....

Bérénice et moi, nous étions cousins, et nous grandîmes ensemble dans le manoir paternel. Mais nous grandîmes différemment, — moi, maladif et enseveli dans ma mélancolie; — elle, agile, gracieuse et débordante d'énergie; à elle, le vagabondage sur la colline; — à moi, les études du cloître; moi, vivant dans mon propre cœur et me dévouant, corps et âme, à la plus intense et à la plus pénible méditation, — elle, errant insoucieuse à travers la vie, sans penser aux ombres de son chemin ou à la fuite silencieuse des heures au noir plumage. Bérénice! — j'invoque son nom, — Bérénice! — et des ruines grises de ma mémoire se dressent à ce son mille souvenirs tumultueux! Ah! son image est là vivante devant moi, comme dans les premiers jours de son allégresse et sa joie! Oh! magnifique et pourtant fantastique beauté! Oh! sylphe parmi les bocages d'Arnheim! Oh! naïade parmi ses fontaines! Et puis, — et puis tout est mystère et terreur, une histoire qui ne veut pas être racontée. Un mal, — un mal fatal s'abattit sur sa constitution comme le simoun; et même pendant que je la contemplais, l'esprit de métamorphose passait sur elle et l'enlevait, pénétrant son esprit, ses habitudes, son caractère, et, de la manière la plus subtile et la plus terrible, perturbant même son identité! Hélas! le destructeur venait et s'en allait; — mais la victime, — la vraie Bérénice, — qu'est-elle devenue? Je ne connaissais pas celle-ci, ou du moins je ne la reconnaissais plus comme Bérénice.

Parmi la nombreuse série de maladies amenées par cette fatale et principale attaque, qui opéra une si horrible révolution dans l'être physique et moral de ma cousine, il faut mentionner, comme la plus affligeante et la plus opiniâtre, une espèce d'épilepsie qui souvent se terminait en catalepsie, — catalepsie ressemblant parfaitement à la mort, et dont elle se réveillait, dans quelques cas, d'une manière tout à fait brusque et soudaine. En même temps, mon propre mal, — car on m'a dit que je ne pouvais pas l'appeler d'un autre nom, — mon propre mal grandissait rapidement, et, ses symptômes s'aggravant par un usage immodéré de l'opium, il prit finalement le caractère d'une monomanie d'une forme nouvelle et extraordinaire. D'heure en heure, de minute en minute, il gagnait de l'énergie, et à la longue il usurpa sur moi la plus singulière et la plus incompréhensible domination. Cette monomanie, s'il faut que je me serve de ce terme, consistait dans une irritabilité morbide des facultés de l'esprit que la langue philosophique comprend dans le mot : facultés d'attention. Il est plus que probable que je ne suis pas compris, mais je crains, en vérité, qu'il ne me soit absolument impossible de donner au commun des lecteurs une idée exacte de cette nerveuse *intensité d'intérêt* avec laquelle, dans mon cas, la faculté méditative, — pour éviter la langue technique, — s'appliquait et se plongeait dans la contemplation des objets les plus vulgaires du monde.

Réfléchir infatigablement de longues heures, l'attention rivée à quelque citation puérile sur la marge ou dans le texte d'un livre, — rester absorbé, la plus grande partie d'une journée d'été, dans une ombre bizarre s'allongeant obliquement sur la tapisserie ou sur le plancher, — m'oublier une nuit entière à surveiller la flamme droite d'une lampe ou les braises du foyer, — rêver des jours entiers sur le parfum d'une fleur, — répéter, d'une manière monotone, quelque mot vulgaire, jusqu'à ce que le son, à force d'être répété, cessât de présenter à l'esprit une idée quelconque, — perdre tout sentiment de mouvement ou d'existence physique dans un repos absolu obstinément prolongé, — telles étaient quelques-unes des plus communes et des moins pernicieuses aberrations de mes facultés mentales, aberrations qui sans doute ne sont pas absolument sans exemple, mais qui défient certainement toute explication et toute analyse.

Encore, je veux être bien compris. L'anormale, intense et morbide attention ainsi excitée par des objets frivoles en eux-mêmes est d'une nature qui ne doit pas être confondue avec ce penchant à la rêverie commune à toute l'humanité, et auquel se livrent surtout les personnes d'une imagination ardente. Non-seulement elle n'était pas, comme on pourrait le supposer d'abord, un terme excessif et une exagération de ce penchant, mais encore elle en était originairement et essentiellement distincte. Dans l'un de ces cas, le rêveur, l'homme imaginatif, étant intéressé par un objet généralement non frivole, perd peu à peu son objet de vue à travers une immensité de déductions et de suggestions qui en jaillit, si bien qu'à la fin d'une de ces songeries *souvent remplies de volupté,* il trouve l'*incitamentum* ou cause première de ses réflexions, entièrement évanoui et oublié. Dans mon cas, le point de départ était *invariablement frivole,* quoique revêtant, à travers le milieu de ma vision maladive, une importance imaginaire et de réfraction. Je faisais peu de déductions, — si toutefois j'en faisais; et, dans ce cas, elles retournaient opiniâtrément à l'objet principe comme à un centre. Les méditations n'étaient *jamais* agréables; et, à la fin de la rêverie, la cause première, bien loin d'être hors de vue, avait atteint cet intérêt surnaturellement exagéré qui était le trait dominant de mon mal. En un mot, la faculté de l'esprit plus particulièrement excitée en moi était, comme je l'ai dit, la faculté de l'attention, tandis que, chez le rêveur ordinaire, c'est celle de la méditation.

Mes livres, à cette époque, s'ils ne servaient pas positivement à irriter le mal, participaient largement, on doit le comprendre, par leur nature imaginative et irrationnelle, des qualités caractéristiques du mal lui-même. Je me rappelle fort bien, entre autres, le traité du noble italien Cœlius Secundus Curio, *De Amplitudine Beati Regni Dei;* le grand ouvrage de saint Augustin, *la Cité de Dieu,* et le *De Carne Christi,* de Tertullien, de qui l'inintelligible pensée : — *Mortuus est Dei Filius; credibile est quia ineptum est; et sepultus resurrexit; certum est quia im-*

possibile est, — absorba exclusivement tout mon temps,
pendant plusieurs semaines d'une laborieuse et infruc-
tueuse investigation.

On jugera sans doute que, dérangée de son équilibre par
des choses insignifiantes, ma raison avait quelque ressemblance avec cette roche marine dont parle Ptolémée Hé-
phestion, qui résistait immuablement à toutes les attaques
des hommes et à la fureur plus terrible des eaux et des
vents, et qui tremblait seulement au toucher de la fleur
nommée asphodèle. A un penseur inattentif il paraîtra
tout simple et hors de doute que la terrible altération
produite dans la condition *morale* de Bérénice par sa déplorable maladie dut me fournir maint sujet d'exercer
cette intense et anormale méditation dont j'ai eu quelque
peine à expliquer la nature. Eh bien! il n'en était absolument rien. Dans les intervalles lucides de mon infirmité,
son malheur me causait, il est vrai, du chagrin; cette
ruine totale de sa belle et douce vie me touchait profondément le cœur; je méditais fréquemment et amèrement
sur les voies mystérieuses et étonnantes par lesquelles une
si étrange et si soudaine révolution avait pu se produire.
Mais ces réflexions ne participaient pas de l'idiosyncrasie
de mon mal, et étaient telles qu'elles se seraient offertes
dans des circonstances analogues à la masse ordinaire des
hommes. Quant à ma maladie, fidèle à son caractère
propre, elle se faisait une pâture des changements moins
importants, mais plus saisissants, qui se manifestaient dans
le système *physique* de Bérénice, — dans la singulière et
effrayante distorsion de son identité personnelle.

Dans les jours les plus brillants de son incomparable
beauté, très-sûrement je ne l'avais jamais aimée. Dans
l'étrange anomalie de mon existence, les sentiments ne
me sont *jamais* venus du cœur, et mes passions sont toujours venues de l'esprit. A travers les blancheurs du crépuscule, — à midi, parmi les ombres treillissées de la forêt, — et la nuit dans le silence de ma bibliothèque, —
elle avait traversé mes yeux, et je l'avais vue, — non
comme la Bérénice vivante et respirante, mais comme la

Bérénice d'un songe; non comme un être de la terre, un être charnel, mais comme l'abstraction d'un tel être; non comme une chose à admirer, mais à analyser; non comme un objet d'amour, mais comme le thème d'une méditation aussi abstruse qu'irrégulière. Et *maintenant*, — maintenant, je frissonnais en sa présence, je pâlissais à son approche; cependant, tout en me lamentant amèrement sur sa déplorable condition de déchéance, je me rappelai qu'elle m'avait longtemps aimé, et, dans un mauvais moment, je lui parlai de mariage.

Enfin l'époque fixée pour nos noces approchait, quand, dans une après-midi d'hiver, — dans une de ces journées intempestivement chaudes, calmes et brumeuses, qui sont les nourrices de la belle Halcyone, — je m'assis, me croyant seul, dans le cabinet de la bibliothèque. Mais en levant les yeux, je vis Bérénice debout devant moi.

Fut-ce mon imagination surexcitée, — ou l'influence brumeuse de l'atmosphère, — ou le crépuscule incertain de la chambre, — ou le vêtement obscur qui enveloppait sa taille, — qui lui prêta ce contour si tremblant et si indéfini? Je ne pourrais le dire. Peut-être avait-elle grandi depuis sa maladie. Elle ne dit pas un mot; et moi, pour rien au monde, je n'aurais prononcé une syllabe. Un frisson de glace parcourut mon corps; une sensation d'insupportable angoisse m'oppressait; une dévorante curiosité pénétrait mon âme; et, me renversant dans le fauteuil, je restai quelque temps sans souffle et sans mouvement, les yeux cloués sur sa personne. Hélas! son amaigrissement était excessif, et pas un vestige de l'être primitif n'avait survécu et ne s'était réfugié dans un seul contour. A la fin, mes regards tombèrent ardemment sur sa figure.

Le front était haut, très-pâle, et singulièrement placide; et les cheveux, autrefois d'un noir de jais, le recouvraient en partie et ombrageaient les tempes creuses d'innombrables boucles, actuellement d'un blond ardent, dont le caractère fantastique jurait cruellement avec la mélancolie dominante de sa physionomie. Les yeux étaient sans vie et sans éclat, en apparence sans pupilles, et involon-

tairement je détournai ma vue de leur fixité vitreuse pour
contempler les lèvres amincies et recroquevillées. Elles
s'ouvrirent et, dans un sourire singulièrement significatif,
les dents de la nouvelle Bérénice se révélèrent lentement
à ma vue. Plût à Dieu que je ne les eusse jamais regardées,
ou que, les ayant regardées, je fusse mort!
. . . .

Une porte en se fermant me troubla, et, levant les yeux,
je vis que ma cousine avait quitté la chambre. Mais la
chambre dérangée de mon cerveau, le *spectre* blanc et terrible de ses dents ne l'avait pas quittée et n'en voulait
pas sortir. Pas une piqûre sur leur surface, — pas une
nuance de leur émail, — pas une pointe sur leurs arêtes
que ce passager sourire n'ait suffi à imprimer dans ma
mémoire! Je les vis même alors plus distinctement que
je ne les avais vues *tout à l'heure*. — Les dents! — les
dents! — Elles étaient là, — et puis là, — et partout, —
visibles, palpables devant moi; longues, étroites et excessivement blanches, avec les lèvres pâles se tordant autour,
affreusement distendues comme elles étaient naguère.
Alors arriva la pleine furie de ma monomanie, et je luttai
en vain contre son irrésistible et étrange influence. Dans
le nombre infini des objets du monde extérieur, je n'avais
de pensées que pour les dents. J'éprouvais à leur endroit
un désir frénétique. Tous les autres sujets, tous les intérêts divers furent absorbés dans cette unique contemplation. Elles — elles seules — étaient présentes à l'œil de
mon esprit, et leur individualité exclusive devint l'essence
de ma vie intellectuelle. Je les regardais dans tous les
jours. Je les tournais dans tous les sens. J'étudiais leur
caractère. J'observais leurs marques particulières. Je méditais sur leur conformation. Je réfléchissais à l'altération
de leur nature. Je frissonnais en leur attribuant dans mon
imagination une faculté de sensation et de sentiment, et
même, sans le secours des lèvres, une puissance d'expression morale. On a fort bien dit de mademoiselle Sallé que
tous ses pas étaient des sentiments, et de Bérénice je

croyais plus sérieusement que *toutes les dents étaient des idées.* — *Des idées!* ah! voilà la pensée absurde qui m'a perdu! *Des idées!* — ah! *voilà donc pourquoi* je les convoitais si follement! Je sentais que leur possession pouvait seule me rendre la paix et rétablir ma raison.

Et le soir descendit ainsi sur moi, — et les ténèbres vinrent, s'installèrent, et puis s'en allèrent, — et un jour nouveau parut, — et les brumes d'une seconde nuit s'amoncelèrent autour de moi, — et toujours je restais immobile dans cette chambre solitaire, — toujours assis, toujours enseveli dans ma méditation, — et toujours le *fantôme* des dents maintenait son influence terrible au point qu'avec la plus vivante et la plus hideuse netteté il flottait çà et là à travers la lumière et les ombres changeantes de la chambre. Enfin, au milieu de mes rêves, éclata un grand cri d'horreur et d'épouvante, auquel succéda, après une pause, un bruit de voix désolées, entrecoupées par de sourds gémissements de douleur ou de deuil. Je me levai, et, ouvrant une des portes de la bibliothèque, je trouvai dans l'antichambre une domestique tout en larmes, qui me dit que Bérénice n'existait plus! Elle avait été prise d'épilepsie dans la matinée; et maintenant, à la tombée de la nuit, la fosse attendait sa future habitante, et tous les préparatifs de l'ensevelissement étaient terminés.

. . . .

Le cœur plein d'angoisse, et oppressé par la crainte, je me dirigeai avec répugnance vers la chambre à coucher de la défunte. La chambre était vaste et très-sombre, et à chaque pas je me heurtais contre les préparatifs de la sépulture. Les rideaux du lit, me dit un domestique, étaient fermés sur la bière, et dans cette bière, ajouta-t-il à voix basse, gisait tout ce qui restait de Bérénice.

Qui donc me demanda si je ne voulais pas voir le corps? — Je ne vis remuer les lèvres de personne; cependant la question avait été bien faite, et l'écho des dernières syllabes traînait encore dans la chambre. Il était impossible de refuser, et, avec un sentiment d'oppression, je me traînai à côté du lit. Je soulevai doucement les sombres draperies des courtines; mais, en les laissant retomber, elles descendirent sur mes épaules, et, me séparant du monde vivant, elles m'enfermèrent dans la plus étroite communion avec la défunte.

Toute l'atmosphère de la chambre sentait la mort; mais l'air particulier de la bière me faisait mal, et je m'imaginais qu'une odeur délétère s'exhalait déjà du cadavre. J'aurais donné des mondes pour échapper, pour fuir la pernicieuse influence de la mortalité, pour respirer une fois encore l'air pur des cieux éternels. Mais je n'avais plus la puissance de bouger, mes genoux vacillaient sous moi, et j'avais pris racine dans le sol, regardant fixement le cadavre rigide étendu tout de son long dans la bière ouverte.

Dieu du ciel! est-ce possible? Mon cerveau s'est-il égaré? ou le doigt de la défunte a-t-il remué dans la toile blanche qui l'enfermait? Frissonnant d'une inexprimable crainte, je levai lentement les yeux pour voir la physionomie du cadavre. On avait mis un bandeau autour des mâchoires; mais, je ne sais comment, il s'était dénoué. Les lèvres livides se tordaient en une espèce de sourire, et à travers leur cadre mélancolique les dents de Bérénice, blanches, luisantes, terribles, me *regardaient* encore avec une trop vivante réalité. Je m'arrachai convulsivement du lit, et, sans prononcer un mot, je m'élançai comme un maniaque hors de cette chambre de mystère, d'horreur et de mort.

. . . .

Je me retrouvai dans la bibliothèque; j'étais assis, j'étais seul. Il me semblait que je sortais d'un rêve confus et agité. Je m'aperçus qu'il était minuit, et j'avais bien pris mes précautions pour que Bérénice fût enterrée après le coucher du soleil; mais je n'ai pas gardé une intelligence bien positive ni bien définie de ce qui s'est passé durant ce lugubre intervalle. Cependant, ma mémoire était pleine d'horreur, — horreur d'autant plus horrible qu'elle était plus vague, — d'une terreur que son ambiguïté rendait plus terrible. C'était comme une page effrayante du registre de mon existence, écrite tout entière avec des souvenirs obscurs, hideux et inintelligibles. Je m'efforçai de les déchiffrer, mais en vain. De temps à autre, cependant, semblable à l'âme d'un son envolé, un cri grêle et perçant, — une voix de femme, — semblait tinter dans mes oreilles. J'avais accompli quelque chose; — mais qu'était-ce donc? Je m'adressais à moi-même la question à haute voix, et les échos de la chambre me chuchotaient en manière de réponse : — *Qu'était-ce donc?*

Sur la table, à côté de moi, brûlait une lampe, et auprès était une petite boîte d'ébène. Ce n'était pas une boîte d'un style remarquable, et je l'avais déjà vue fréquemment, car elle appartenait au médecin de la famille; mais comment était-elle venue *là*, sur ma table, et pourquoi frissonnai-je en la regardant? C'étaient là des choses qui ne valaient pas la peine d'y prendre garde; mais mes yeux tombèrent à la fin sur les pages ouvertes d'un livre, et sur une phrase soulignée. C'étaient les mots singuliers, mais fort simples, du poëte Ebn Zaiat : *Dicebant mihi sodales, si sepulchrum amicœ visitarem, curas meas aliquantulum fore levatas.* — D'où vient donc qu'en les lisant, mes cheveux se dressèrent sur ma tête et que mon sang se glaça dans mes veines?

On frappa un léger coup à la porte de la bibliothèque, et, pâle comme un habitant de la tombe, un domestique entra sur la pointe du pied. Ses regards étaient égarés par la terreur, et il me parla d'une voix très-basse, tremblante, étranglée. Que me dit-il? — J'entendis quelques phrases par-ci par-là. Il me raconta, ce me semble, qu'un cri effroyable avait troublé le silence de la nuit, — que tous les domestiques s'étaient réunis, — qu'on avait cherché dans la direction du son, — et enfin sa voix basse devint distincte à faire frémir quand il me parla d'une violation de sépulture, — d'un corps défiguré, dépouillé de son linceul, mais respirant encore, — palpitant encore, — *encore vivant!*

Il regarda mes vêtements; ils étaient grumeleux de boue et de sang. Sans dire un mot, il me prit doucement par la main; elle portait des stigmates d'ongles humains. Il dirigea mon attention vers un objet placé contre le mur. Je le regardai quelques minutes : c'était une bêche. Avec un cri je me jetai sur la table et me saisis de la boîte d'ébène. Mais je n'eus pas la force de l'ouvrir; et, dans mon tremblement, elle m'échappa des mains, tomba lourdement et se brisa en morceaux; et il s'en échappa, roulant avec un vacarme de ferraille, quelques instruments de chirurgie dentaire, et avec eux trente-deux petites choses blanches, semblables à de l'ivoire, qui s'éparpillèrent çà et là sur le plancher.

LA CHUTE
DE LA MAISON USHER

Son cœur est un luth suspendu;
Sitôt qu'on le touche, il résonne.

DE BÉRANGER.

PENDANT toute une journée d'automne, journée fuligineuse,
sombre et muette, où les nuages pesaient lourds et bas
dans le ciel, j'avais traversé seul et à cheval une étendue
de pays singulièrement lugubre, et enfin, comme les
ombres du soir approchaient, je me trouvai en vue de la
mélancolique Maison Usher. Je ne sais comment cela se
fit, — mais, au premier coup d'œil que je jetai sur le bâtiment, un sentiment d'insupportable tristesse pénétra mon
âme. Je dis insupportable, car cette tristesse n'était nullement tempérée par une parcelle de ce sentiment dont
l'essence poétique fait presque une volupté, et dont l'âme
est généralement saisie en face des images naturelles les
plus sombres de la désolation et de la terreur. Je regardais
le tableau placé devant moi, et, rien qu'à voir la maison
et la perspective caractéristique de ce domaine, — les
murs qui avaient froid, — les fenêtres semblables à des
yeux distraits, — quelques bouquets de joncs vigoureux,
— quelques troncs d'arbres blancs et dépéris, — j'éprou-

vais cet entier affaissement d'âme qui, parmi les sensations
terrestres, ne peut se mieux comparer qu'à l'arrière-rê-
verie du mangeur d'opium, — à son navrant retour à la
vie journalière, — à l'horrible et lente retraite du voile.
C'était une glace au cœur, un abattement, un malaise, —
une irrémédiable tristesse de pensée qu'aucun aiguillon
de l'imagination ne pouvait raviver ni pousser au grand.
Qu'était donc, — je m'arrêtai pour y penser, — qu'était
donc ce je ne sais quoi qui m'énervait ainsi en contemplant la Maison Usher? C'était un mystère tout à fait
insoluble, et je ne pouvais pas lutter contre les pensées
ténébreuses qui s'amoncelaient sur moi pendant que j'y
réfléchissais. Je fus forcé de me rejeter dans cette conclu-
sion peu satisfaisante, qu'il existe des combinaisons d'objets naturels très-simples qui ont la puissance de nous
affecter de cette sorte, et que l'analyse de cette puissance
gît dans des considérations où nous perdrions pied. Il
était possible, pensais-je, qu'une simple différence dans
l'arrangement des matériaux de la décoration, des détails
du tableau, suffit pour modifier, pour annihiler peut-être
cette puissance d'impression douloureuse; et, agissant
d'après cette idée, je conduisis mon cheval vers le bord
escarpé d'un noir et lugubre étang, qui, miroir immobile,
s'étalait devant le bâtiment; et je regardai — mais avec
un frisson plus pénétrant encore que la première fois —
les images répercutées et renversées des joncs grisâtres, des
troncs d'arbres sinistres, et des fenêtres semblables à des
yeux sans pensée.

C'était néanmoins dans cet habitacle de mélancolie que
je me proposais de séjourner pendant quelques semaines.
Son propriétaire, Roderick Usher, avait été l'un de mes
bons camarades d'enfance; mais plusieurs années s'étaient
écoulées depuis notre dernière entrevue. Une lettre cependant m'était parvenue récemment dans une partie
lointaine du pays, — une lettre de lui, — dont la tournure follement pressante n'admettait pas d'autre réponse
que ma présence même. L'écriture portait la trace d'une
agitation nerveuse. L'auteur de cette lettre me parlait

d'une maladie physique aiguë, — d'une affection mentale qui l'oppressait, — et d'un ardent désir de me voir, comme étant son meilleur et véritablement son seul ami, — espérant trouver dans la joie de ma société quelque soulagement à son mal. C'était le ton dans lequel toutes ces choses et bien d'autres encore étaient dites, — c'était cette ouverture d'un cœur suppliant, qui ne me permettaient pas l'hésitation; en conséquence, j'obéis immédiatement à ce que je considérais toutefois comme une invitation des plus singulières.

Quoique dans notre enfance nous eussions été camarades intimes, en réalité, je ne savais pourtant que fort peu de chose de mon ami. Une réserve excessive avait toujours été dans ses habitudes. Je savais toutefois qu'il appartenait à une famille très-ancienne qui s'était distinguée depuis un temps immémorial par une sensibilité particulière de tempérament. Cette sensibilité s'était déployée, à travers les âges, dans de nombreux ouvrages d'un art supérieur et s'était manifestée, de vieille date, par les actes répétés d'une charité aussi large que discrète, ainsi que par un amour passionné pour les difficultés plutôt peut-être que pour les beautés orthodoxes, toujours si facilement reconnaissables, de la science musicale. J'avais appris aussi ce fait très-remarquable que la souche de la race d'Usher, si glorieusement ancienne qu'elle fût, n'avait jamais, à aucune époque poussé de branche durable; en d'autres termes, que la famille entière ne s'était perpétuée qu'en ligne directe, à quelques exceptions près, très-insignifiantes et très-passagères. C'était cette absence, — pensai-je, tout en rêvant au parfait accord entre le caractère des lieux et le caractère proverbial de la race, et en réfléchissant à l'influence que dans une longue suite de siècles l'un pouvait avoir exercée sur l'autre, — c'était peut-être cette absence de branche collatérale et de transmission constante de père en fils du patrimoine et du nom qui avaient à la longue si bien identifié les deux, que le nom primitif du domaine s'était fondu dans la bizarre et équivoque appellation de *Maison Usher,* — appellation

usitée parmi les paysans, et qui semblait, dans leur esprit,
enfermer la famille et l'habitation de famille.

J'ai dit que le seul effet de mon expérience quelque peu
puérile, — c'est-à-dire d'avoir regardé dans l'étang, —
avait été de rendre plus profonde ma première et si singulière impression. Je ne dois pas douter que la conscience
de ma superstition croissante — pourquoi ne la définirais-
je pas ainsi? — n'ait principalement contribué à accélérer
cet accroissement. Telle est, je le savais de vieille date, la
loi paradoxale de tous les sentiments qui ont la terreur
pour basse. Et ce fut peut-être l'unique raison qui fit que,
quand mes yeux, laissant l'image dans l'étang, se relevèrent
vers la maison elle-même, une étrange idée me poussa
dans l'esprit, — une idée si ridicule, en vérité, que, si
j'en fais mention, c'est seulement pour montrer la force
vive des sensations qui m'oppressaient. Mon imagination
avait si bien travaillé, que je croyais réellement qu'autour
de l'habitation et du domaine planait une atmosphère
qui lui était particulière, ainsi qu'aux environs les plus
proches. — une atmosphère qui n'avait pas d'affinité avec
l'air du ciel, mais qui s'exhalait des arbres dépéris, des
murailles grisâtres et de l'étang silencieux. — une vapeur
mystérieuse et pestilentielle, à peine visible, lourde,
paresseuse et d'une couleur plombée.

Je secouai de mon esprit ce qui ne pouvait être qu'un
rêve, et j'examinai avec plus d'attention l'aspect réel du
bâtiment. Son caractère dominant semblait être celui
d'une excessive antiquité. La décoloration produite par les
siècles était grande. De menues fongosités recouvraient
toute la face extérieure et la tapissaient, à partir du toit,
comme une fine étoffe curieusement brodée. Mais tout
cela n'impliquait aucune détérioration extraordinaire.
Aucune partie de la maçonnerie n'était tombée, et il semblait qu'il y eût une contradiction étrange entre la consis-
tance générale intacte de toutes ses parties et l'état particulier des pierres émiettées, qui me rappelaient complètement la spécieuse intégrité de ces vieilles boiseries qu'on
a laissées longtemps pourrir dans quelque cave oubliée,

loin du souffle de l'air extérieur. A part cet indice d'un
vaste délabrement, l'édifice ne donnait aucun symptôme
de fragilité. Peut-être l'œil d'un observateur minutieux
aurait-il découvert une fissure à peine visible, qui, partant
du toit de la façade, se frayait une route en zigzag à travers le mur et allait se perdre dans les eaux funestes de
l'étang.

Tout en remarquant ces détails, je suivis à cheval une
courte chaussée qui me menait à la maison. Un valet de
chambre prit mon cheval, et j'entrai sous la voûte gothique du vestibule. Un domestique, au pas furtif, me
conduisit en silence à travers maint passage obscur et
compliqué vers le cabinet de son maître. Bien des choses
que je rencontrai dans cette promenade contribuèrent, je
ne sais comment, à renforcer les sensations vagues dont
j'ai déjà parlé. Les objets qui m'entouraient, — les sculptures des plafonds, les sombres tapisseries des murs, la
noirceur d'ébène des parquets et les fantasmagoriques
trophées armoriaux qui bruissaient, ébranlés par ma
marche précipitée, étaient choses bien connues de moi.
Mon enfance avait été accoutumée à des spectacles analogues, — et, quoique je les reconnusse sans hésitation
pour des choses qui m'étaient familières, j'admirais quelles
pensées insolites ces images ordinaires évoquaient en moi.
Sur l'un des escaliers, je rencontrai le médecin de la famille. Sa physionomie, à ce qu'il me sembla, portait une
expression mêlée de malignité basse et de perplexité. Il
me croisa précipitamment et passa. Le domestique
ouvrit alors une porte et m'introduisit en présence de son
maître.

La chambre dans laquelle je me trouvai était très-
grande et très-haute; les fenêtres, longues, étroites, et à
une telle distance du noir plancher de chêne, qu'il était
absolument impossible d'y atteindre. De faibles rayons
d'une lumière cramoisie se frayaient un chemin à travers
les carreaux treillissés, et rendaient suffisamment distincts
les principaux objets environnants; l'œil néanmoins s'efforçait en vain d'atteindre les angles lointains de la

chambre ou les enfoncements du plafond arrondi en
voûte et sculpté. De sombres draperies tapissaient les
murs. L'ameublement général était extravagant, incom-
mode, antique et délabré. Une masse de livres et d'instruments de musique gisait éparpillée çà et là, mais ne suffisait pas à donner une vitalité quelconque au tableau. Je
sentais que je respirais une atmosphère de chagrin. Un
air de mélancolie âpre, profonde, incurable, planait sur
tout et pénétrait tout.

A mon entrée, Usher se leva d'un canapé sur lequel il
était couché tout de son long et m'accueillit avec une cha-
leureuse vivacité, qui ressemblait fort, — telle fut, du
moins, ma première pensée, — à une cordialité emphatique, — à l'effort d'un homme du monde ennuyé, qui
obéit à une circonstance. Néanmoins, un coup d'œil jeté
sur sa physionomie me convainquit de sa parfaite sincé-
rité. Nous nous assîmes, et, pendant quelques moments,
comme il restait muet, je le contemplai avec un sentiment
moitié de pitié et moitié d'effroi. A coup sûr, jamais
homme n'avait aussi terriblement changé, et en aussi peu
de temps, que Roderick Usher! Ce n'était qu'avec peine
que je pouvais consentir à admettre l'identité de l'homme
placé en face de moi avec le compagnon de mes premières
années. Le caractère de sa physionomie avait toujours été
remarquable. Un teint cadavéreux, — un œil large, liquide
et lumineux au-delà de toute comparaison, — des lèvres
un peu minces et très-pâles, mais d'une courbe merveilleusement belle, — un nez d'un moule hébraïque, très-
délicat, mais d'une ampleur de narines qui s'accorde rarement avec une pareille forme, — un menton d'un modèle charmant, mais qui, par un manque de saillie, tra-
hissait un manque d'énergie morale, — des cheveux d'une
douceur et d'une ténuité plus qu'arachnéennes, — tous
ces traits, auxquels il faut ajouter un développement fron-
tal excessif, lui faisaient une physionomie qu'il n'était
pas facile d'oublier. Mais actuellement, dans la simple
exagération du caractère de cette figure et de l'expression
qu'elle présentait habituellement, il y avait un tel chan-

gement, que je doutais de l'homme à qui je parlais. La
pâleur maintenant spectrale de la peau et l'éclat maintenant miraculeux de l'œil me saisissaient particulièrement
et m'épouvantaient. Puis il avait laissé croître indéfiniment ses cheveux sans s'en apercevoir, et, comme cet
étrange tourbillon aranéeux flottait plutôt qu'il ne tombait autour de sa face, je ne pouvais, même avec de la
bonne volonté, trouver dans leur étonnant style arabesque
rien qui rappelât la simple humanité.

Je fus tout d'abord frappé d'une certaine incohérence,
— d'une inconsistance dans les manières de mon ami, et
je découvris bientôt que cela provenait d'un effort inces-
sant, aussi faible que puéril, pour maîtriser une trépida-
tion habituelle, — une excessive agitation nerveuse. Je
m'attendais bien à quelque chose dans ce genre, et j'y
avais été préparé non-seulement par sa lettre, mais aussi
par le souvenir de certains traits de son enfance, et par
des conclusions déduites de sa singulière conformation
physique et de son tempérament. Son action était alternativement vive et indolente. Sa voix passait rapidement
d'une indécision tremblante, — quand les esprits vitaux
semblaient entièrement absents, — à cette espèce de briè-
veté énergique, — à cette énonciation abrupte, solide,
pausée et sonnant le creux, — à ce parler guttural et
rude, parfaitement balancé et modulé, qu'on peut observer chez le parfait ivrogne ou l'incorrigible mangeur
d'opium pendant les périodes de leur plus intense excitation.

Ce fut dans ce ton qu'il parla de l'objet de ma visite,
de son ardent désir de me voir, et de la consolation qu'il
attendait de moi. Il s'étendit assez longuement et s'expliqua à sa manière sur le caractère de sa maladie. C'était,
disait-il, un mal de famille, un mal constitutionnel, un
mal pour lequel il désespérait de trouver un remède, —
une simple affection nerveuse, — ajouta-t-il immédiatement, — dont, sans doute, il serait bientôt délivré. Elle
se manifestait par une foule de sensations extranaturelles.
Quelques-unes, pendant qu'il me les décrivait, m'intéres·

sèrent et me confondirent; il se peut cependant que les
termes et le ton de son débit y aient été pour beaucoup.
Il souffrait vivement d'une acuïté morbide des sens; les
aliments les plus simples étaient pour lui les seuls tolé-
rables; il ne pouvait porter, en fait de vêtement que certains tissus; toutes les odeurs de fleurs le suffoquaient;
une lumière, même faible, lui torturait les yeux; et il n'y
avait que quelques sons particuliers, c'est-à-dire ceux des
instruments à corde, qui ne lui inspirassent pas d'horreur.

Je vis qu'il était l'esclave subjugué d'une espèce de
terreur tout à fait anormale. — Je mourrai, — dit-il, —
il *faut* que je meure de cette déplorable folie. C'est ainsi,
ainsi, et non pas autrement, que je périrai. Je redoute les
événements à venir, non en eux-mêmes, mais dans leurs
résultats. Je frissonne à la pensée d'un incident quelconque, du genre le plus vulgaire, qui peut opérer sur
cette intolérable agitation de mon âme. Je n'ai vraiment
pas horreur du danger, excepté dans son effet positif, —
la terreur. Dans cet état d'énervation, — état pitoyable, —
je sens que tôt ou tard le moment viendra où la vie et la
raison m'abandonneront à la fois, dans quelque lutte
inégale avec le sinistre fantôme, — LA PEUR!

J'appris aussi, par intervalles, et par des confidences
hachées, des demi-mots et des sous-entendus, une autre
particularité de sa situation morale. Il était dominé par
certaines impressions superstitieuses relatives au manoir
qu'il habitait, et d'où il n'avait pas osé sortir depuis plusieurs années, — relatives à une influence dont il traduisait la force supposée en des termes trop ténébreux
pour être rapportés ici, — une influence que quelques
particularités dans la forme même et dans la matière du
manoir héréditaire avaient, par l'usage de la souffrance,
disait-il, imprimée sur son esprit, — un effet que le *physique* des murs gris, des tourelles et de l'étang noirâtre
où se mirait tout le bâtiment, avait à la longue créé sur le
moral de son existence.

Il admettait toutefois, mais non sans hésitation, qu'une

bonne part de la mélancolie singulière dont il était affligé pouvait être attribuée à une origine plus naturelle et beaucoup plus positive, — à la maladie cruelle et déjà ancienne, — enfin, à la mort évidemment prochaine d'une sœur tendrement aimée, — sa seule société depuis de longues années, — sa dernière et sa seule parente sur la terre. — Sa mort, — dit-il avec une amertume que je n'oublierai jamais, — me laissera, — moi, le frêle et le désespéré, — dernier de l'antique race des Usher. — Pendant qu'il parlait, lady Madeline, — c'est ainsi qu'elle se nommait, — passa lentement dans une partie reculée de la chambre, et disparut sans avoir pris garde à ma présence. Je la regardai avec un immense étonnement, où se mêlait quelque terreur; mais il me sembla impossible de me rendre compte de mes sentiments. Une sensation de stupeur m'oppressait, pendant que mes yeux suivaient ses pas qui s'éloignaient. Lorsque enfin une porte se fut fermée sur elle, mon regard chercha instinctivement et curieusement la physionomie de son frère; — mais il avait plongé sa face dans ses mains, et je pus voir seulement qu'une pâleur plus qu'ordinaire s'était répandue sur les doigts amaigris, à travers lesquels filtrait une pluie de larmes passionnées.

La maladie de lady Madeline avait longtemps bafoué la science de ses médecins. Une apathie fixe, un épuisement graduel de sa personne, et des crises fréquentes, quoique passagères, d'un caractère presque cataleptique, en étaient les diagnostics très-singuliers. Jusque-là, elle avait bravement porté le poids de la maladie et ne s'était pas encore résignée à se mettre au lit; mais, sur la fin du soir de mon arrivée au château, elle cédait — comme son frère me le dit dans la nuit avec une inexprimable agitation — à la puissance écrasante du fléau, et j'appris que le coup d'œil que j'avais jeté sur elle serait probablement le dernier, — que je ne verrais plus la dame, vivante du moins.

Pendant les quelques jours qui suivirent, son nom ne fut prononcé ni par Usher ni par moi; et durant cette période je m'épuisai en efforts pour alléger la mélancolie

de mon ami. Nous peignîmes et nous lûmes ensemble;
ou bien j'écoutais, comme dans un rêve, ses étranges im-
provisations sur son éloquente guitare. Et ainsi, à mesure
qu'une intimité de plus en plus étroite m'ouvrait plus
familièrement les profondeurs de son âme, je reconnaissais
plus amèrement la vanité de tous mes efforts pour ramener
un esprit, d'où la nuit, comme une propriété qui lui
aurait été inhérente, déversait sur tous les objets de
l'univers physique et moral une irradiation incessante de
ténèbres.

Je garderai toujours le souvenir de maintes heures
solennelles que j'ai passées seul avec le maître de la
Maison Usher. Mais j'essaierais vainement de définir le
caractère exact des études ou des occupations dans lesquelles il m'entraînait ou me montrait le chemin. Une
idéalité ardente, excessive, morbide, projetait sur toutes
choses sa lumière sulfureuse. Ses longues et funèbres im-
provisations résonneront éternellement dans mes oreilles.
Entre autres choses, je me rappelle douloureusement une
certaine paraphrase singulière, — une perversion de l'air,
déjà fort étrange, de la dernière valse de Von Weber.
Quant aux peintures que couvait sa laborieuse fantaisie,
et qui arrivaient, touche par touche, à un vague qui me
donnait le frisson, un frisson d'autant plus pénétrant que
je frissonnais sans savoir pourquoi, — quant à ces peintures, si vivantes pour moi, que j'ai encore leurs images
dans mes yeux, — j'essaierais vainement d'en extraire
un échantillon suffisant, qui pût tenir dans le compas de
la parole écrite. Par l'absolue simplicité, par la nudité de
ses dessins, il arrêtait, il subjuguait l'attention. Si jamais
mortel peignit une idée, ce mortel fut Roderick Usher.
Pour moi, du moins, — dans les circonstances qui m'entouraient, — il s'élevait, des pures abstractions que l'hypocondriaque s'ingéniait à jeter sur sa toile, une terreur intense, irrésistible, dont je n'ai jamais senti l'ombre dans
la contemplation des rêveries de Fuseli lui-même, écla-
tantes sans doute, mais encore trop concrètes.

Il est une des conceptions fantasmagoriques de mon

ami où l'esprit d'abstraction n'avait pas une part aussi
exclusive, et qui peut être esquissée, quoique faiblement,
par la parole. C'était un petit tableau représentant l'intérieur d'une cave ou d'un souterrain immensément long,
rectangulaire, avec des murs bas, polis, blancs, sans aucun
ornement, sans aucune interruption. Certains détails acces-
soires de la composition servaient à faire comprendre que
cette galerie se trouvait à une profondeur excessive au-
dessous de la surface de la terre. On n'apercevait aucune
issue dans son immense parcours; on ne distinguait aucune torche, aucune source artificielle de lumière; et
cependant une effusion de rayons intenses roulait de l'un
à l'autre bout et baignait le tout d'une splendeur fantastique et incompréhensible.

J'ai dit un mot de l'état morbide du nerf acoustique
qui rendait pour le malheureux toute musique intolérable, excepté certains effets des instruments à corde.
C'étaient peut-être les étroites limites dans lesquelles il
avait confiné son talent sur la guitare qui avaient, en
grande partie, imposé à ses compositions leur caractère
fantastique. Mais, quant à la brûlante facilité de ses im-
provisations, on ne pouvait s'en rendre compte de la
même manière. Il fallait évidemment qu'elles fussent et
elles étaient, en effet, dans les notes aussi bien que dans
les paroles de ses étranges fantaisies, — car il accompa-
gnait souvent sa musique de paroles improvisées et rimées,
— le résultat de cet intense recueillement et de cette
concentration des forces mentales, qui ne se manifestent,
comme je l'ai déjà dit, que dans les cas particuliers de la
plus haute excitation artificielle. D'une de ces rapsodies je
me suis rappelé facilement les paroles. Peut-être m'im-
pressionna-t-elle plus fortement, quand il me la montra,
parce que, dans le sens intérieur et mystérieux de l'œuvre,
je découvris pour la première fois qu'Usher avait pleine
conscience de son état, — qu'il sentait que sa sublime
raison chancelait sur son trône. Ces vers, qui avaient pour
titre *Le Palais hanté*, étaient, à très-peu de chose près,
tels que je les cite :

I

Dans la plus verte de nos vallées,
    Par les bons anges habitée,
Autrefois un beau et majestueux palais,
    — Un rayonnant palais, — dressait son front.
C'était dans le domaine du monarque Pensée,
    C'était là qu'il s'élevait :
Jamais Séraphin ne déploya son aile
    Sur un édifice à moitié aussi beau.

II

Des bannières blondes, superbes, dorées,
    A son dôme flottaient et ondulaient;
(C'était, — tout cela, c'était dans le vieux,
    Dans le très-vieux temps,)
Et, à chaque douce brise qui se jouait
    Dans ces suaves journées,
Le long des remparts chevelus et pâles,
    S'échappait un parfum ailé.

III

Les voyageurs, dans cette heureuse vallée,
    A travers deux fenêtres lumineuses, voyaient
Des esprits qui se mouvaient harmonieusement
    Au commandement d'un luth bien accordé,
Tout autour d'un trône, où, siégeant
    — Un vrai Porphyrogénète, celui-là ! —
Dans un apparat digne de sa gloire,
    Apparaissait le maître du royaume.

IV

Et tout étincelante de nacre et de rubis
    Etait la porte du beau palais,
Par laquelle coulait à flots, à flots, à flots,
    Et pétillait incessamment
Une troupe d'Echos dont l'agréable fonction
    Etait simplement de chanter,
Avec des accents d'une exquise beauté,
    L'esprit et la sagesse de leur roi.

V

Mais des êtres de malheur, en robes de deuil,
    Ont assailli la haute autorité du monarque.
— Ah! pleurons! car jamais l'aube d'un lendemain
    Ne brillera sur lui, le désolé! —
Et, tout autour de sa demeure, la gloire
    Qui s'empourprait et florissait
N'est plus qu'une histoire, souvenir ténébreux
    Des vieux âges défunts.

VI

Et maintenant les voyageurs, dans cette vallée,
    A travers les fenêtres rougeâtres, voient
De vastes formes qui se meuvent fantastiquement
    Aux sons d'une musique discordante;
Pendant que, comme une rivière rapide et lugubre,
    A travers la porte pâle,
Une hideuse multitude se rue éternellement,
Qui va éclatant de rire, — ne pouvant plus sourire.

Je me rappelle fort bien que les inspirations naissant
de cette ballade nous jetèrent dans un courant d'idées,

au milieu duquel se manifesta une opinion d'Usher que
je cite, non pas tant en raison de sa nouveauté, — car
d'autres hommes [1] ont pensé de même, — qu'à cause de
l'opiniâtreté avec laquelle il la soutenait. Cette opinion,
dans sa forme générale, n'était autre que la croyance à
la sensitivité de tous les êtres végétaux. Mais, dans son
imagination déréglée, l'idée avait pris un caractère encore
plus audacieux, et empiétait, dans de certaines conditions,
jusque sur le règne inorganique. Les mots me manquent
pour exprimer toute l'étendue, tout le sérieux, tout l'*aban-
don* de sa foi. Cette croyance toutefois se rattachait —
comme je l'ai déjà donné à entendre — aux pierres grises
du manoir de ses ancêtres. Ici, les conditions de sensitivité étaient remplies, à ce qu'il imaginait, par la méthode
qui avait présidé à la construction, — par la disposition
respective des pierres, aussi bien que de toutes les fongosités dont elles étaient revêtues, et des arbres ruinés qui
s'élevaient à l'entour, — mais surtout par l'immutabilité
de cet arrangement et par sa répercussion dans les eaux
dormantes de l'étang. La preuve, — la preuve de cette
sensitivité se faisait voir — disait-il, et je l'écoutais alors
avec inquiétude, — dans la condensation graduelle, mais
positive, au-dessus des eaux, autour des murs, d'une atmosphère qui leur était propre. Le résultat, — ajoutait-il,
— se déclarait dans cette influence muette, mais importune
et terrible, qui depuis des siècles avait pour ainsi dire
moulé les destinées de sa famille, et qui le faisait, *lui*,
tel que je le voyais maintenant, — tel qu'il était. De
pareilles opinions n'ont pas besoin de commentaires. et
je n'en ferai pas.

Nos livres, — les livres qui depuis des années constituaient une grande partie de l'existence spirituelle du
malade, — étaient, comme on le suppose bien, en accord
parfait avec ce caractère de visionnaire. Nous analysions
ensemble des ouvrages tels que le *Vert-Vert* et la *Char-
treuse,* de Gresset; le *Belphégor,* de Machiavel; *les Mer-*

1. Watson, Percival, Spallanzani, et particulièrement l'évêque de
Landaff; voir les *Chemical Essays,* vol. V.

veilles du Ciel et de l'Enfer, de Swedenborg; le *Voyage souterrain de Nicholas Klimm*, par Holberg; *la Chiromancie*, de Robert Flud, de Jean d'Indaginé et de De la Chambre; le *Voyage dans le Bleu*, de Tieck, et *la Cité du Soleil*, de Campanella. Un de ses volumes favoris était une petite édition in-octavo du *Directorium inquisitorium*, par le dominicain Eymeric De Gironne; et il avait des passages dans Pomponius Méla, à propos des anciens Satyres africains et des Ægipans, sur lesquels Usher rêvassait pendant des heures. Il faisait néanmoins ses principales délices de la lecture d'un in-quarto gothique excessivement rare et curieux, — le manuel d'une église oubliée, — les *Vigiliæ Mortuorum secundum Chorum Ecclesiæ Maguntinæ*.

Je songeais malgré moi à l'étrange rituel contenu dans ce livre et à son influence probable sur l'hypocondriaque, quand, un soir, m'ayant informé brusquement que lady Madeline n'existait plus, il annonça l'intention de conserver le corps pendant une quinzaine — en attendant l'enterrement définitif — dans un des nombreux caveaux situés sous les gros murs du château. La raison humaine qu'il donnait de cette singulière manière d'agir était une de ces raisons que je ne me sentais pas le droit de contredire. Comme frère — me disait-il, — il avait pris cette résolution en considération du caractère insolite de la maladie de la défunte, d'une certaine curiosité importune et indiscrète de la part des hommes de science, et de la situation éloignée et fort exposée du caveau de famille. J'avouerai que, quand je me rappelai la physionomie sinistre de l'individu que j'avais rencontré sur l'escalier, le soir de mon arrivée au château, je n'eus pas envie de m'opposer à ce que je regardais comme une précaution bien innocente, sans doute, mais certainement fort naturelle.

A la prière d'Usher, je l'aidai personnellement dans les préparatifs de cette sépulture temporaire. Nous mîmes le corps dans la bière, et, à nous deux, nous le portâmes à son lieu de repos. Le caveau dans lequel nous le dépo-

sâmes, — et qui était resté fermé depuis si longtemps,
que nos torches, à moitié étouffées dans cette atmosphère
suffocante, ne nous permettaient guère d'examiner les
lieux, — était petit, humide, et n'offrait aucune voie à la
lumière du jour; il était situé, à une grande profondeur,
juste au-dessous de cette partie du bâtiment où se trouvait
ma chambre à coucher. Il avait rempli probablement,
dans les vieux temps féodaux, l'horrible office d'oubliettes,
et, dans les temps postérieurs, de cave à serrer la poudre
ou toute autre matière facilement inflammable; car une
partie du sol et toutes les parois d'un long vestibule que
nous traversâmes pour y arriver étaient soigneusement
revêtues de cuivre. La porte, de fer massif, avait été
l'objet des mêmes précautions. Quand ce poids immense
roulait sur ses gonds, il rendait un son singulièrement
aigu et discordant.

Nous déposâmes donc notre fardeau funèbre sur des
tréteaux dans cette région d'horreur; nous tournâmes un
peu de côté le couvercle de la bière qui n'était pas
encore vissé, et nous regardâmes la face du cadavre. Une
ressemblance frappante entre le frère et la sœur fixa tout
d'abord mon attention; et Usher, devinant peut-être mes
pensées, murmura quelques paroles qui m'apprirent que
la défunte et lui étaient jumeaux, et que des sympathies
d'une nature presque inexplicable avaient toujours existé
entre eux. Nos regards, néanmoins, ne restèrent pas longtemps fixés sur la morte, — car nous ne pouvions pas
la contempler sans effroi. Le mal qui avait mis au tombeau
lady Madeline dans la plénitude de sa jeunesse avait
laissé, comme cela arrive ordinairement dans toutes les
maladies d'un caractère strictement cataleptique, l'ironie
d'une faible coloration sur le sein et sur la face, et sur
la lèvre ce sourire équivoque et languissant qui est si
terrible dans la mort. Nous replaçâmes et nous vissâmes
le couvercle, et, après avoir assujetti la porte de fer,
nous reprîmes avec lassitude notre chemin vers les appar-
tements supérieurs, qui n'étaient guère moins mélancoliques.

Et alors, après un laps de quelques jours pleins du chagrin le plus amer, il s'opéra un changement visible dans les symptômes de la maladie morale de mon ami. Ses manières ordinaires avaient disparu. Ses occupations habituelles étaient négligées, oubliées. Il errait de chambre en chambre d'un pas précipité, inégal et sans but. La pâleur de sa physionomie avait revêtu une couleur peut-être encore plus spectrale; — mais la propriété lumineuse de son œil avait entièrement disparu. Je n'entendais plus ce ton de voix âpre qu'il prenait autrefois à l'occasion; et un tremblement qu'on eût dit causé par une extrême terreur caractérisait habituellement sa prononciation. Il m'arrivait quelquefois, en vérité, de me figurer que son esprit, incessamment agité, était travaillé par quelque suffocant secret et qu'il ne pouvait trouver le courage nécessaire pour le révéler. D'autres fois, j'étais obligé de conclure simplement aux bizarreries inexplicables de la folie; car je le voyais regardant dans le vide pendant de longues heures, dans l'attitude de la plus profonde attention, comme s'il écoutait un bruit imaginaire. Il ne faut pas s'étonner que son état m'effrayât, — qu'il m'infectât même. Je sentais se glisser en moi, par une gradation lente mais sûre, l'étrange influence de ses superstitions fantastiques et contagieuses.

Ce fut particulièrement une nuit, — la septième ou la huitième depuis que nous avions déposé lady Madeline dans le caveau, — fort tard, avant de me mettre au lit, que j'éprouvai toute la puissance de ces sensations. Le sommeil ne voulait pas approcher de ma couche; — les heures, une à une, tombaient, tombaient toujours. Je m'efforçai de raisonner l'agitation nerveuse qui me dominait. J'essayai de me persuader que je devais ce que j'éprouvais, en partie, sinon absolument, à l'influence prestigieuse du mélancolique ameublement de la chambre, — des sombres draperies déchirées, qui, tourmentées par le souffle d'un orage naissant, vacillaient çà et là sur les murs, comme par accès, et bruissaient douloureusement autour des ornements du lit.

Mais mes efforts furent vains. Une insurmontable terreur pénétra graduellement tout mon être; et à la longue
une angoisse sans motif, un vrai cauchemar, vint s'asseoir
sur mon cœur. Je respirai violemment, je fis un effort,
je parvins à le secouer; et, me soulevant sur les oreillers
et plongeant ardemment mon regard dans l'épaisse obscurité de la chambre, je prêtai l'oreille — je ne saurais
dire pourquoi, si ce n'est que j'y fus poussé par une
force instinctive, — à certains sons bas et vagues qui
partaient je ne sais d'où, et qui m'arrivaient à de longs
intervalles, à travers les accalmies de la tempête. Dominé
par une sensation intense d'horreur, inexplicable et intolérable, je mis mes habits à la hâte, — car je sentais
que je ne pourrais pas dormir de la nuit, — et je m'efforçai, en marchant çà et là à grands pas dans la chambre,
de sortir de l'état déplorable dans lequel j'étais tombé.

J'avais à peine fait ainsi quelques tours, quand un
pas léger sur un escalier voisin arrêta mon attention.
Je reconnus bientôt que c'était le pas d'Usher. Une seconde après, il frappa doucement à ma porte, et entra,
une lampe à la main. Sa physionomie était, comme
d'habitude, d'une pâleur cadavéreuse, — mais il y avait
en outre dans ses yeux je ne sais quelle hilarité insensée,
— et dans toutes ses manières une espèce d'hystérie évidemment contenue. Son air m'épouvanta : — mais tout
était préférable à la solitude que j'avais enduré si longtemps, et j'accueillis sa présence comme un soulagement.

— Et vous n'avez pas vu cela? — dit-il brusquement,
après quelques minutes de silence et après avoir promené
autour de lui un regard fixe, — vous n'avez donc pas vu
cela? — Mais attendez! vous le verrez! — Tout en parlant ainsi, et ayant soigneusement abrité sa lampe, il se
précipita vers une des fenêtres, et l'ouvrit toute grande
à la tempête.

L'impétueuse furie de la rafale nous enleva presque
du sol. C'était vraiment une nuit d'orage affreusement
belle, une nuit unique et étrange dans son horreur et sa
beauté. Un tourbillon s'était probablement concentré dans

notre voisinage; car il y avait des changements fréquents et violents dans la direction du vent, et l'excessive densité des nuages, maintenant descendus si bas qu'ils pesaient presque sur les tourelles du château, ne nous empêchait pas d'apprécier la vélocité vivante avec laquelle ils accouraient l'un contre l'autre de tous les points de l'horizon, au lieu de se perdre dans l'espace. Leur excessive densité ne nous empêchait pas de voir ce phénomène; pourtant nous n'apercevions pas un brin de lune ni d'étoiles, et aucun éclair ne projetait sa lueur. Mais les surfaces inférieures de ces vastes masses de vapeurs cahotées, aussi bien que tous les objets terrestres situés dans notre étroit horizon, réfléchissaient la clarté surnaturelle d'une exhalaison gazeuse qui pesait sur la maison et l'enveloppait dans un linceul presque lumineux et distinctement visible.

— Vous ne devez pas voir cela! — Vous ne contemplerez pas cela! — dis-je en frissonnant à Usher; et je le ramenai avec une douce violence de la fenêtre vers un fauteuil. — Ces spectacles qui vous mettent hors de vous sont des phénomènes purement électriques et fort ordinaires, — ou peut-être tirent-ils leur funeste origine des miasmes fétides de l'étang. Fermons cette fenêtre; — l'air est glacé et dangereux pour votre constitution. Voici un de vos romans favoris. Je lirai, et vous écouterez; — et nous passerons ainsi cette terrible nuit ensemble.

L'antique bouquin sur lequel j'avais mis la main était le *Mad Trist,* de sir Launcelot Canning; mais je l'avais décoré du titre de livre favori d'Usher par plaisanterie; — triste plaisanterie, car, en vérité, dans sa niaise et baroque prolixité, il n'y avait pas grande pâture pour la haute spiritualité de mon ami. Mais c'était le seul livre que j'eusse immédiatement sous la main; et je me berçais du vague espoir que l'agitation qui tourmentait l'hypocondriaque trouverait du soulagement (car l'histoire des maladies mentales est pleine d'anomalies de ce genre) dans l'exagération même des folies que j'allais lui lire. A en juger par l'air d'intérêt étrangement tendu avec lequel il écoutait ou feignait d'écouter les phrases du récit, j'aurais pu me féliciter du succès de ma ruse.

J'étais arrivé à cette partie si connue de l'histoire où Ethelred, le héros du livre, ayant en vain cherché à entrer à l'amiable dans la demeure d'un ermite, se met en devoir de s'introduire par la force. Ici, on s'en souvient, le narrateur s'exprime ainsi :

« Et Ethelred, qui était par nature un cœur vaillant, et qui maintenant était aussi très fort, en raison de l'efficacité du vin qu'il avait bu, n'attendit pas plus longtemps pour parlementer avec l'ermite, qui avait, en vérité, l'esprit tourné à l'obstination et à la malice, mais, sentant la pluie sur ses épaules et craignant l'explosion de la tempête, il leva bel et bien sa massue, et avec quelques coups fraya bien vite un chemin, à travers les planches de la porte, à sa main gantée de fer; et, tirant avec sa main vigoureusement à lui, il fit craquer, et se fendre, et sauter le tout en morceaux, si bien que le bruit du bois sec et sonnant le creux porta l'alarme et fut répercuté d'un bout à l'autre de la forêt. »

A la fin de cette phrase, je tressaillis et je fis une pause; car il m'avait semblé, — mais je conclus bien vite à une illusion de mon imagination, — il m'avait semblé que d'une partie très-reculée du manoir était venu confusément à mon oreille un bruit qu'on eût dit, à cause de son exacte analogie, l'écho étouffé, amorti, de ce bruit de craquement et d'arrachement si précieusement décrit par sir Launcelot. Evidemment, c'était la coïncidence seule qui avait arrêté mon attention; car, parmi le claquement des châssis des fenêtres et tous les bruits confus de la tempête toujours croissante, le son en lui-même n'avait rien vraiment qui pût m'intriguer ou me troubler. Je continuai le récit :

« Mais Ethelred, le solide champion, passant alors la porte, fut grandement furieux et émerveillé de n'apercevoir aucune trace du malicieux ermite, mais en son lieu et place un dragon d'une apparence monstrueuse et écailleuse, avec une langue de feu, qui se tenait en sentinelle devant un palais d'or, dont le plancher était d'argent; et sur le mur était suspendu un bouclier d'airain brillant, avec cette légende gravée dessus :

> Celui-là qui entre ici a été le vainqueur;
> Celui-là qui tue le dragon, il aura gagné le bouclier.

» Et Ethelred leva sa massue et frappa sur la tête du dragon, qui tomba devant lui et rendit son souffle empesté avec un rugissement si épouvantable, si âpre et si perçant à la fois, qu'Ethelred fut obligé de se boucher les oreilles avec ses mains, pour se garantir de ce bruit terrible, tel qu'il n'en avait jamais entendu de semblable. »

Ici je fis brusquement une nouvelle pause, et cette fois avec un sentiment de violent étonnement, — car il n'y avait pas lieu à douter que je n'eusse réellement entendu (dans quelle direction, il m'était impossible de le deviner) un son affaibli et comme lointain, mais âpre, prolongé, singulièrement perçant et grinçant, — l'exacte contre-partie du cri surnaturel du dragon décrit par le romancier, et tel que mon imagination se l'était déjà figuré.

Oppressé, comme je l'étais évidemment lors de cette seconde et très-extraordinaire coïncidence, par mille sensations contradictoires, parmi lesquelles dominaient un étonnement et une frayeur extrêmes, je gardai néanmoins assez de présence d'esprit pour éviter d'exciter par une observation quelconque la sensibilité nerveuse de mon camarade. Je n'étais pas du tout sûr qu'il eût remarqué les bruits en question, quoique bien certainement une étrange altération se fût depuis ces dernières minutes manifestée dans son maintien. De sa position primitive, juste vis-à-vis de moi, il avait peu à peu tourné son fauteuil de manière à se trouver assis la face tournée vers la porte de la chambre; en sorte que je ne pouvais pas voir ses traits d'ensemble, — quoique je m'aperçusse bien que ses lèvres tremblaient comme si elles murmuraient

quelque chose d'insaisissable. Sa tête était tombée sur
sa poitrine; — cependant, je savais qu'il n'était pas endormi; — l'œil que j'entrevoyais de profil était béant
et fixe. D'ailleurs, le mouvement de son corps contre-
disait aussi cette idée, — car il se balançait d'un côté à
l'autre avec un mouvement très-doux, mais constant et
uniforme. Je remarquai rapidement tout cela, et repris
le récit de sir Launcelot, qui continuait ainsi :

« Et maintenant, le brave champion, ayant échappé à
la terrible furie du dragon, se souvenant du bouclier
d'airain, et que l'enchantement qui était dessus était
rompu, écarta le cadavre de devant son chemin et s'avança
courageusement, sur le pavé d'argent du château, vers
l'endroit du mur où pendait le bouclier, lequel, en vérité,
n'attendit pas qu'il fût arrivé tout auprès, mais tomba à
ses pieds sur le pavé d'argent avec un puissant et terrible
retentissement. »

A peine ces dernières syllabes avaient-elles fui mes
lèvres, que, — comme si un bouclier d'airain était pesamment tombé, en ce moment même, sur un plancher
d'argent, — j'en entendis l'écho distinct, profond, métallique, retentissant, mais comme assourdi. J'étais complètement énervé; je sautai sur mes pieds; mais Usher n'avait
pas interrompu son balancement régulier. Je me précipitai
vers le fauteuil où il était toujours assis. Ses yeux étaient
braqués droit devant lui, et toute sa physionomie était
tendue par une rigidité de pierre. Mais, quand je posai
la main sur son épaule, un violent frisson parcourut tout
son être, un sourire malsain trembla sur ses lèvres, et je
vis qu'il parlait bas, très-bas, — un murmure précipité
et inarticulé, — comme s'il n'avait pas conscience de ma
présence. Je me penchai tout à fait contre lui, et enfin
je dévorai l'horrible signification de ses paroles :

— Vous n'entendez pas? — Moi, j'entends, et *j'ai* entendu pendant longtemps, — longtemps, bien longtemps,
bien des minutes, bien des heures, bien des jours, j'ai
entendu, — mais je n'osais pas — oh! pitié pour moi
misérable infortuné que je suis! — je n'osais pas, — je

n'osais pas parler! *Nous l'avons mise vivante dans la tombe!* Ne vous ai-je pas dit que mes sens étaient très-fins? Je vous dis *maintenant* que j'ai entendu ses premiers faibles mouvements dans le fond de la bière. Je les ai entendus, — il y a déjà bien des jours, bien des jours, — mais je n'osais pas, — *je n'osais pas parler!* Et maintenant, — cette nuit, — Ethelred, — ha! ha! — la porte de l'ermite enfoncée, et le râle du dragon et le retentissement du bouclier! — dites plutôt le bris de sa bière, et le grincement des gonds de fer de sa prison, et son affreuse lutte dans le vestibule de cuivre! Oh! où fuir? Ne sera-t-elle pas ici tout à l'heure? N'arrive-t-elle pas pour me reprocher ma précipitation? N'ai-je pas entendu son pas sur l'escalier? Est-ce que je ne distingue pas l'horrible et lourd battement de son cœur! Insensé! — Ici, il se dressa furieusement sur ses pieds, et hurla ces syllabes, comme si dans cet effort suprême il rendait son âme : — *Insensé! je vous dis qu'elle est maintenant derrière la porte!* A l'instant même, comme si l'énergie surhumaine de sa parole eût acquis la toute-puissance d'un charme, les vastes et antiques panneaux que désignait Usher entrouvrirent lentement leurs lourdes mâchoires d'ébène. C'était l'œuvre d'un furieux coup de vent; — mais derrière cette porte se tenait alors la haute figure de lady Madeline Usher, enveloppée de son suaire. Il y avait du sang sur ses vêtements blancs, et toute sa personne amaigrie portait les traces évidentes de quelque horrible lutte. Pendant un moment, elle resta tremblante et vacillante sur le seuil; — puis, avec un cri plaintif et profond, elle tomba lourdement en avant sur son frère, et, dans sa violente et définitive agonie, elle l'entraîna à terre, — cadavre maintenant et victime de ses terreurs anticipées.

Je m'enfuis de cette chambre et de ce manoir, frappé d'horreur. La tempête était encore dans toute sa rage quand je franchissais la vieille avenue. Tout d'un coup, une lumière étrange se projeta sur la route, et je me retournai pour voir d'où pouvait jaillir une lueur si singu-

lière, car je n'avais derrière moi que le vaste château avec
toutes ses ombres. Le rayonnement provenait de la
pleine lune qui se couchait, rouge de sang, et maintenant
brillait vivement à travers cette fissure à peine visible
naguère, qui, comme je l'ai dit, parcourait en zigzag le
bâtiment depuis le toit jusqu'à la base. Pendant que je
regardais, cette fissure s'élargit rapidement; — il survint
une reprise de vent, un tourbillon furieux; — le disque
entier de la planète éclata tout à coup à ma vue. La tête
me tourna quand je vis les puissantes murailles s'écrouler
en deux. — Il se fit un bruit prolongé, un fracas tumultueux comme la voix de mille cataractes, — et l'étang
profond et croupi placé à mes pieds se referma tristement
et silencieusement sur les ruines de la *Maison Usher*.

LE PUITS ET LE PENDULE

Impia tortorum longos hic turba furores,
Sanguinis innocui non satiata, aluit.
Sospite nunc patria, fracto nunc funeris antro,
Mors ubi dira fuit vita salusque patent.

*Quatrain composé pour les portes d'un marché
qui devait s'élever sur l'emplacement du club
des Jacobins, à Paris* [1].

J'ÉTAIS brisé, — brisé jusqu'à la mort par cette longue
agonie; et, quand enfin ils me délièrent et qu'il me fut
permis de m'asseoir, je sentis que mes sens m'abandon-
naient. La sentence, — la terrible sentence de mort, —
fut la dernière phrase distinctement accentuée qui frappa
mes oreilles. Après quoi, le son des voix des inquisiteurs
me parut se noyer dans le bourdonnement indéfini d'un
rêve. Ce bruit apportait dans mon âme l'idée d'une rota-
tion, — peut-être à cause que dans mon imagination je
l'associais avec une roue de moulin. Mais cela ne dura
que fort peu de temps; car tout d'un coup je n'entendis
plus rien. Toutefois, pendant quelque temps encore, je
vis; mais avec quelle terrible exagération! Je voyais les

1. Ce marché — marché Saint-Honoré — n'a jamais eu ni portes ni
inscription. L'inscription a-t-elle existé en projet? (C.B.)

lèvres des juges en robe noire. Elles m'apparaissaient
blanches, — plus blanches que la feuille sur laquelle
je trace ces mots, — et minces jusqu'au grotesque; amincies par l'intensité de leur expression de dureté, — d'immuable résolution, — de rigoureux mépris de la douleur
humaine. Je voyais que les décrets de ce qui pour moi
représentait le Destin coulaient encore de ces lèvres. Je
les vis se tordre en une phrase de mort. Je les vis figurer
les syllabes de mon nom; et je frissonnai, sentant que le
son ne suivait pas le mouvement. Je vis aussi, pendant
quelques moments d'horreur délirante, la molle et presque
imperceptible ondulation des draperies noires qui revêtaient les murs de la salle. Et alors ma vue tomba sur
les sept grands flambeaux qui étaient posés sur la table.
D'abord, ils revêtirent l'aspect de la Charité, et m'appa-
rurent comme des anges blancs et sveltes qui devaient me
sauver; mais alors, et tout d'un coup, une nausée mortelle envahit mon âme, et je sentis chaque fibre de mon
être frémir comme si j'avais touché le fil d'une pile
voltaïque; et les formes angéliques devenaient des spectres
insignifiants, avec des têtes de flamme, et je voyais bien
qu'il n'y avait aucun secours à espérer d'eux. Et alors
se glissa dans mon imagination comme une riche note
musicale, l'idée du repos délicieux qui nous attend dans
la tombe. L'idée vint doucement et furtivement, et il me
sembla qu'il me fallut un long temps pour en avoir une
appréciation complète; mais, au moment même où mon
esprit commençait enfin à bien sentir et à choyer cette
idée, les figures des juges s'évanouirent comme par magie;
les grands flambeaux se réduisirent à néant; leurs flammes
s'éteignirent entièrement; le noir des ténèbres survint :
toutes sensations parurent s'engloutir comme dans un
plongeon fou et précipité de l'âme dans l'Hadès. Et l'univers ne fut plus que nuit, silence, immobilité.

J'étais évanoui; mais cependant je ne dirai pas que
j'eusse perdu toute conscience. Ce qu'il m'en restait, je
n'essaierai pas de le définir, ni même de le décrire; mais
enfin tout n'était pas perdu. Dans le plus profond som-

meil, — non! Dans le délire, — non! Dans l'évanouissement, — non! Dans la mort, — non! Même dans le tombeau tout n'est pas perdu. Autrement, il n'y aurait pas
d'immortalité pour l'homme. En nous éveillant du plus
profond sommeil, nous déchirons la toile aranéeuse de
quelque rêve. Cependant, une seconde après, — tant était
frêle peut-être ce tissu, — nous ne nous souvenons pas
d'avoir rêvé. Dans le retour de l'évanouissement à la vie,
il y a deux degrés : le premier, c'est le sentiment de
l'existence morale ou spirituelle; le second, le sentiment
de l'existence physique. Il semble probable que, si, en
arrivant au second degré, nous pouvions évoquer les impressions du premier, nous y retrouverions tous les élo-
quents souvenirs du gouffre transmondain. Et ce gouffre,
quel est-il? Comment du moins distinguerons-nous ses
ombres de celles de la tombe? Mais, si les impressions de
ce que j'ai appelé le premier degré ne reviennent pas à
l'appel de la volonté, toutefois, après un long intervalle,
n'apparaissent-elles pas sans y être invitées, cependant que
nous nous émerveillons d'où elles peuvent sortir? Celui-là
qui ne s'est jamais évanoui n'est pas celui qui découvre
d'étranges palais et des visages bizarrement familiers dans
les braises ardentes; ce n'est pas lui qui contemple, flot-
tantes au milieu de l'air, les mélancoliques visions que
le vulgaire ne peut apercevoir; ce n'est pas lui qui médite
sur le parfum de quelque fleur inconnue, — ce n'est pas
lui dont le cerveau s'égare dans le mystère de quelque
mélodie qui jusqu'alors n'avait jamais arrêté son attention.

Au milieu de mes efforts répétés et intenses, de mon
énergique application à ramasser quelque vestige de cet
état de néant apparent dans lequel avait glissé mon âme,
il y a eu des moments où je rêvais que je réussissais; il y
a eu de courts instants, de très-courts instants où j'ai
conjuré des souvenirs que ma raison lucide, dans une
époque postérieure, m'a affirmé ne pouvoir se rapporter
qu'à cet état où la conscience paraît annihilée. Ces ombres
de souvenirs me présentent, très-indistinctement, de

grandes figures qui m'enlevaient, et silencieusement me
transportaient en bas, — et encore en bas, — toujours
plus bas, — jusqu'au moment où un vertige horrible
m'oppressa à la simple idée de l'infini dans la descente.
Elles me rappellent aussi je ne sais quelle vague horreur
que j'éprouvais au cœur, en raison même du calme surnaturel de ce cœur. Puis vient le sentiment d'une immobilité soudaine dans tous les êtres environnants; comme
si ceux qui me portaient, — un cortège de spectres! —
avaient dépassé dans leur descente les limites de l'illimité,
et s'étaient arrêtés, vaincus par l'infini ennui de leur
besogne. Ensuite mon âme retrouve une sensation de
fadeur et d'humidité; et puis tout n'est plus que folie, —
folie d'une mémoire qui s'agite dans l'abominable.

Très-soudainement revinrent dans mon âme son et
mouvement, — le mouvement tumultueux du cœur, et
dans mes oreilles le bruit de ses battements. Puis une
pause dans laquelle tout disparaît. Puis, de nouveau, le
son, le mouvement et le toucher, — comme une sensation vibrante pénétrant mon être. Puis, la simple
conscience de mon existence, sans pensée, — situation
qui dura longtemps. Puis, très-soudainement, la *pensée,*
et une terreur frissonnante, et un ardent effort de comprendre au vrai mon état. Puis un vif désir de retomber
dans l'insensibilité. Puis brusque renaissance de l'âme et
tentative réussie de mouvement. Et alors le souvenir complet du procès, des draperies noires, de la sentence, de
ma faiblesse, de mon évanouissement. Quant à tout ce
qui suivit, l'oubli le plus complet; ce n'est que plus tard
et par l'application la plus énergique que je suis parvenu
à me le rappeler vaguement.

Jusque-là, je n'avais pas ouvert les yeux, je sentais
que j'étais couché sur le dos et sans liens. J'étendis ma
main, et elle tomba lourdement sur quelque chose d'humide et dur. Je la laissai reposer ainsi pendant quelques
minutes, m'évertuant à deviner où je pouvais être et
ce que j'étais devenu. J'étais impatient de me servir de
mes yeux, mais je n'osais pas. Je redoutais le premier

coup d'œil sur les objets environnants. Ce n'était pas que je craignisse de regarder des choses horribles, mais j'étais épouvanté de l'idée de ne rien voir. A la longue, avec une folle angoisse de cœur, j'ouvris vivement les yeux. Mon affreuse pensée se trouvait donc confirmée. La noirceur de l'éternelle nuit m'enveloppait. Je fis un effort pour respirer. Il me semblait que l'intensité des ténèbres m'oppressait et me suffoquait. L'atmosphère était intolérablement lourde. Je restai paisiblement couché, et je fis un effort pour exercer ma raison. Je me rappelai les procédés de l'Inquisition, et, partant de là, je m'appliquai à en déduire ma position réelle. La sentence avait été prononcée, et il me semblait que, depuis lors, il s'était écoulé un long intervalle de temps. Cependant, je n'imaginai pas un seul instant que je fusse réellement mort. Une telle idée, en dépit de toutes les fictions littéraires, est tout à fait incompatible avec l'existence réelle; — mais où étais-je, et dans quel état? Les condamnés à mort, je le savais, mouraient ordinairement dans les *auto-da-fé*. Une solennité de ce genre avait été célébrée le soir même du jour de mon jugement. Avais-je été réintégré dans mon cachot pour y attendre le prochain sacrifice qui ne devait avoir lieu que dans quelques mois? Je vis tout d'abord que cela ne pouvait pas être. Le contingent des victimes avait été mis immédiatement en réquisition; de plus, mon premier cachot, comme toutes les cellules des condamnés à Tolède, était pavé de pierres, et la lumière n'en était pas tout à fait exclue.

Tout à coup une idée terrible chassa le sang par torrents vers mon cœur, et, pendant quelques instants, je retombai de nouveau dans mon insensibilité. En revenant à moi, je me dressai d'un seul coup sur mes pieds, tremblant convulsivement dans chaque fibre. J'étendis follement mes bras au-dessus et autour de moi, dans tous les sens. Je ne sentais rien; cependant, je tremblais de faire un pas, j'avais peur de me heurter contre les murs de ma tombe. La sueur jaillissait de tous mes pores et s'arrêtait en grosses gouttes froides sur mon front. L'ago-

nie de l'incertitude devint à la longue intolérable, et je
m'avançai avec précaution, étendant les bras et dardant
mes yeux hors de leurs orbites, dans l'espérance de sur-
prendre quelque faible rayon de lumière. Je fis plusieurs
pas, mais tout était noir et vide. Je respirai plus librement.
Enfin il me parut évident que la plus affreuse des destinées
n'était pas celle qu'on m'avait réservée.

Et alors, comme je continuais à m'avancer avec précaution, mille vagues rumeurs qui couraient sur ces horreurs de Tolède vinrent se presser pêle-mêle dans ma
mémoire. Il se racontait sur ces cachots d'étranges choses,
— je les avais toujours considérées comme des fables, —
mais cependant si étranges et si effrayantes, qu'on ne
les pouvait répéter qu'à voix basse. Devais-je mourir de
faim dans ce monde souterrain de ténèbres, — ou quelle
destinée, plus terrible encore peut-être, m'attendait? Que
le résultat fût la mort, et une mort d'une amertume
choisie, je connaissais trop bien le caractère de mes juges
pour en douter; le mode et l'heure étaient tout ce qui
m'occupait et me tourmentait.

Mes mains étendues rencontrèrent à la longue un
obstacle solide. C'était un mur, qui semblait construit en
pierres, — très-lisse, humide et froid. Je le suivis de près,
marchant avec la soigneuse méfiance que m'avaient inspirée certaines anciennes histoires. Cette opération néanmoins ne me donnait aucun moyen de vérifier la dimension de mon cachot; car je pouvais en faire le tour et
revenir au point d'où j'étais parti sans m'en apercevoir,
tant le mur semblait parfaitement uniforme. C'est pourquoi je cherchai le couteau que j'avais dans ma poche
quand on m'avait conduit au tribunal; mais il avait disparu, mes vêtements ayant été changés contre une robe
de serge grossière. J'avais eu l'idée d'enfoncer la lame
dans quelque menue crevasse de la maçonnerie, afin de
bien constater mon point de départ. La difficulté cependant était bien vulgaire; mais d'abord, dans le désordre
de ma pensée, elle me sembla insurmontable. Je déchirai
une partie de l'ourlet de ma robe, et je plaçai le morceau

par terre, dans toute sa longueur et à angle droit contre
le mur. En suivant mon chemin à tâtons autour de mon
cachot, je ne pouvais pas manquer de rencontrer ce chiffon en achevant le circuit. Du moins, je le croyais; mais
je n'avais pas tenu compte de l'étendue de mon cachot ou
de ma faiblesse. Le terrain était humide et glissant. J'allai
en chancelant pendant quelque temps, puis je trébuchai,
je tombai. Mon extrême fatigue me décida à rester couché,
et le sommeil me surprit bientôt dans cet état.

En m'éveillant et en étendant un bras, je trouvai à
côté de moi un pain et une cruche d'eau. J'étais trop
épuisé pour réfléchir sur cette circonstance, mais je bus
et mangeai avec avidité. Peu de temps après, je repris
mon voyage autour de ma prison, et avec beaucoup de
peine j'arrivai au lambeau de serge. Au moment où je
tombai, j'avais déjà compté cinquante-deux pas, et, en
reprenant ma promenade, j'en comptai encore quarante-
huit, — quand je rencontrai mon chiffon. Donc, en tout,
cela faisait cent pas; et, en supposant que deux pas fissent
un yard, je présumais que le cachot avait cinquante yards
de circuit. J'avais toutefois rencontré beaucoup d'angles
dans le mur, et ainsi il n'y avait guère moyen de conjec-
turer la forme du caveau; car je ne pouvais m'empêcher
de supposer que c'était un caveau.

Je ne mettais pas un bien grand intérêt dans ces recherches, — à coup sûr, pas d'espoir; mais une vague
curiosité me poussa à les continuer. Quittant le mur, je
résolus de traverser la superficie circonscrite. D'abord,
j'avançai avec une extrême précaution; car le sol, quoique
paraissant fait d'une matière dure, était traître et gluant.
A la longue cependant, je pris courage, et je me mis à
marcher avec assurance, m'appliquant à traverser en
ligne aussi droite que possible. Je m'étais ainsi avancé de
dix ou douze pas environ, quand le reste de l'ourlet déchiré de ma robe s'entortilla dans mes jambes. Je marchai
dessus et tombai violemment sur le visage.

Dans le désordre de ma chute, je ne remarquai pas tout
de suite une circonstance passablement surprenante, qui

cependant, quelques secondes après, et comme j'étais encore étendu, fixa mon attention. Voici : mon menton
posait sur le sol de la prison, mais mes lèvres et la partie
supérieure de ma tête, quoique paraissant situées à une
moindre élévation que le menton, ne touchaient à rien.
En même temps, il me sembla que mon front était baigné
d'une vapeur visqueuse et qu'une odeur particulière de
vieux champignons montait vers mes narines. J'étendis
le bras, et je frissonnai en découvrant que j'étais tombé
sur le bord même d'un puits circulaire, dont je n'avais,
pour le moment, aucun moyen de mesurer l'étendue. En
tâtant la maçonnerie juste au-dessous de la margelle,
je réussis à déloger un petit fragment, et je le laissai tomber dans l'abîme. Pendant quelques secondes, je prêtai
l'oreille à ses ricochets; il battait dans sa chute les parois
du gouffre; à la fin, il fit dans l'eau un lugubre plongeon,
suivi de bruyants échos. Au même instant, un bruit se
fit au-dessus de ma tête, comme d'une porte presque aussitôt fermée qu'ouverte, pendant qu'un faible rayon de
lumière traversait soudainement l'obscurité et s'éteignait
presque en même temps.

Je vis clairement la destinée qui m'avait été préparée,
et je me félicitai de l'accident opportun qui m'avait sauvé.
Un pas de plus, et le monde ne m'aurait plus revu. Et
cette mort évitée à temps portait ce même caractère que
j'avais regardé comme fabuleux et absurde dans les contes
qui se faisaient sur l'Inquisition. Les victimes de sa tyrannie n'avaient pas d'autre alternative que la mort avec ses
plus cruelles agonies physiques, ou la mort avec ses plus
abominables tortures morales. J'avais été réservé pour
cette dernière. Mes nerfs étaient détendus par une longue
souffrance, au point que je tremblais au son de ma propre
voix, et j'étais devenu à tous égards un excellent sujet
pour l'espèce de torture qui m'attendait.

Tremblant de tous mes membres, je rebroussai chemin
à tâtons vers le mur, — résolu à m'y laisser mourir plutôt
que d'affronter l'horreur des puits, que mon imagination
multipliait maintenant dans les ténèbres de mon cachot.

Dans une autre situation d'esprit, j'aurais eu le courage
d'en finir avec mes misères, d'un seul coup, par un plongeon dans l'un de ces abîmes; mais maintenant j'étais le
plus parfait des lâches. Et puis il m'était impossible d'oublier ce que j'avais lu au sujet de ces puits, — que l'ex-
tinction *soudaine* de la vie était une possibilité soigneusement exclue par l'infernal génie qui en avait conçu le
plan. L'agitation de mon esprit me tint éveillé pendant
de longues heures; mais à la fin je m'assoupis de nouveau.
En m'éveillant, je trouvai à côté de moi, comme la
première fois, un pain et une cruche d'eau. Une soif
brûlante me consumait, et je vidai la cruche tout d'un
trait. Il faut que cette eau ait été droguée, — car à peine
l'eus-je bue que je m'assoupis irrésistiblement. Un profond sommeil tomba sur moi, — un sommeil semblable
à celui de la mort. Combien de temps dura-t-il, je n'en
puis rien savoir; mais, quand je rouvris les yeux, les
objets autour de moi étaient visibles. Grâce à une lueur
singulière, sulfureuse, dont je ne pus pas d'abord découvrir l'origine, je pouvais voir l'étendue et l'aspect de la
prison.

Je m'étais grandement mépris sur sa dimension. Les
murs ne pouvaient pas avoir plus de vingt-cinq yards
de circuit. Pendant quelques minutes cette découverte fut
pour moi un immense trouble; trouble bien puéril, en
vérité, — car, au milieu des circonstances terribles qui
m'entouraient, que pouvait-il y avoir de moins important
que les dimensions de ma prison? Mais mon âme mettait
un intérêt bizarre dans des niaiseries, et je m'appliquai
fortement à me rendre compte de l'erreur que j'avais
commise dans mes mesures. A la fin, la vérité m'apparut
comme un éclair. Dans ma première tentative d'explora-
tion, j'avais compté cinquante-deux pas, jusqu'au moment
où je tombai; je devais être alors à un pas ou deux du
morceau de serge; dans le fait, j'avais presque accompli
le circuit du caveau. Je m'endormis alors, — et, en
m'éveillant, il faut que je sois retourné sur mes pas, —
créant ainsi un circuit presque double du circuit réel. La

confusion de mon cerveau m'avait empêché de remarquer
que j'avais commencé mon tour avec le mur à ma gauche,
et que je finissais avec le mur à ma droite.

Je m'étais aussi trompé relativement à la forme de
l'enceinte. En tâtant ma route, j'avais trouvé beaucoup
d'angles, et j'en avais déduit l'idée d'une grande irrégularité; tant est puissant l'effet d'une totale obscurité sur
quelqu'un qui sort d'une léthargie ou d'un sommeil! Ces
angles étaient simplement produits par quelques légères
dépressions ou retraits à des intervalles inégaux. La forme
générale de la prison était un carré. Ce que j'avais pris
pour de la maçonnerie semblait maintenant du fer, ou
tout autre métal, en plaques énormes, dont les sutures et
les joints occasionnaient les dépressions. La surface entière
de cette construction métallique était grossièrement barbouillée de tous les emblèmes hideux et répulsifs auxquels
la superstition sépulcrale des moines a donné naissance.
Des figures de démons, avec des airs de menace, avec des
formes de squelettes, et d'autres images d'une horreur
plus réelle souillaient les murs dans toute leur étendue.
J'observai que les contours de ces monstruosités étaient
suffisamment distincts, mais que les couleurs étaient flé-
tries et altérées, comme par l'effet d'une atmosphère
humide. Je remarquai alors le sol, qui était en pierre.
Au centre bâillait le puits circulaire, à la gueule duquel
j'avais échappé; mais il n'y en avait qu'un seul dans le
cachot.

Je vis tout cela indistinctement et non sans effort, —
car ma situation physique avait singulièrement changé
pendant mon sommeil. J'étais maintenant couché sur le
dos, tout de mon long, sur une espèce de charpente de
bois très-basse. J'y étais solidement attaché avec une longue
bande qui ressemblait à une sangle. Elle s'enroulait plusieurs fois autour de mes membres et de mon corps, ne
laissant de liberté qu'à ma tête et à mon bras gauche;
mais encore me fallait-il faire un effort des plus pénibles
pour me procurer la nourriture contenue dans un plat
de terre posé à côté de moi sur le sol. Je m'aperçus

avec terreur que la cruche avait été enlevée. Je dis : avec terreur, car j'étais dévoré d'une intolérable soif. Il me sembla qu'il entrait dans le plan de mes bourreaux d'exaspérer cette soif, — car la nourriture contenue dans le plat était une viande cruellement assaisonnée.

Je levai les yeux, et j'examinai le plafond de la prison. Il était à une hauteur de trente ou quarante pieds, et, par sa construction, il ressemblait beaucoup aux murs latéraux. Dans un de ses panneaux, une figure des plus singulières fixa toute mon attention. C'était la figure peinte du Temps, comme il est représenté d'ordinaire, sauf qu'au lieu d'une faux il tenait un objet qu'au premier coup d'œil je pris pour l'image peinte d'un énorme pendule, comme on en voit dans les horloges antiques. Il y avait néanmoins dans l'aspect de cette machine quelque chose qui me fit la regarder avec plus d'attention. Comme je l'observais directement, les yeux en l'air, — car elle était placée juste au-dessus de moi, — je crus la voir remuer. Un instant après, mon idée était confirmée. Son balancement était court, et naturellement très-lent. Je l'épiai pendant quelques minutes, non sans une certaine défiance, mais surtout avec étonnement. Fatigué à la longue de surveiller son mouvement fastidieux, je tournai mes yeux vers les autres objets de la cellule.

Un léger bruit attira mon attention, et, regardant le sol, je vis quelques rats énormes qui le traversaient. Ils étaient sortis par le puits, que je pouvais apercevoir à ma droite. Au même instant, comme je les regardais, ils montèrent par troupes, en toute hâte, avec des yeux voraces, affriandés par le fumet de la viande. Il me fallait beaucoup d'efforts et d'attention pour les en écarter.

Il pouvait bien s'être écoulé une demi-heure, peut-être même une heure, — car je ne pouvais mesurer le temps que très-imparfaitement, — quand je levai de nouveau les yeux au-dessus de moi. Ce que je vis alors me confondit et me stupéfia. Le parcours du pendule s'était accru presque d'un yard; sa vélocité, conséquence naturelle,

était aussi beaucoup plus grande. Mais ce qui me troubla
principalement fut l'idée qu'il était visiblement *descendu*.
J'observai alors, — avec quel effroi, il est inutile de
le dire, — que son extrémité inférieure était formée d'un
croissant d'acier étincelant, ayant environ un pied de long
d'une corne à l'autre; les cornes dirigées en haut, et le
tranchant inférieur évidemment affilé comme celui d'un
rasoir. Comme un rasoir aussi, il paraissait lourd et massif,
s'épanouissant, à partir du fil, en une forme large et
solide. Il était ajusté à une lourde verge de cuivre, et le
tout *sifflait* en se balançant à travers l'espace.

Je ne pouvais pas douter plus longtemps du sort qui
m'avait été préparé par l'atroce ingéniosité monacale.
Ma découverte du puits était été devinée par les agents
de l'Inquisition, — *le puits*, dont les horreurs avaient été
réservées à un hérétique aussi téméraire que moi, — *le
puits*, figure de l'enfer, et considéré par l'opinion comme
l'*Ultima Thule* de tous leurs châtiments! J'avais évité le
plongeon par le plus fortuit des accidents, et je savais
que l'art de faire du supplice un piège et une surprise
formait une branche importante de tout ce fantastique
système d'exécutions secrètes. Or, ayant manqué ma chute
dans l'abîme, il n'entrait pas dans le plan démoniaque de
m'y précipiter; j'étais donc voué — et cette fois sans
alternative possible, — à une destruction différente et
plus douce. — Plus douce! J'ai presque souri dans mon
agonie en pensant à la singulière application que je faisais d'un pareil mot.

Que sert-il de raconter les longues, longues heures
d'horreur plus que mortelles durant lesquelles je comptai
les oscillations vibrantes de l'acier? Pouce par pouce, —
ligne par ligne, — il opérait une descente graduée et
seulement appréciable à des intervalles qui me paraissaient des siècles, — et toujours il descendait, — toujours
plus bas, — toujours plus bas! Il s'écoula des jours, il
se peut que plusieurs jours se soient écoulés, avant qu'il
vînt se balancer assez près de moi pour m'éventer avec son
souffle âcre. L'odeur de l'acier aiguisé s'introduisait dans

mes narines. Je priai le ciel, — je le fatiguai de ma prière,
— de faire descendre l'acier plus rapidement. Je devins
fou, frénétique, et je m'efforçai de me soulever, d'aller à
la rencontre de ce terrible cimeterre mouvant. Et puis,
soudainement je tombai dans un grand calme, — et je
restai étendu, souriant à cette mort étincelante, comme un
enfant à quelque précieux joujou.

Il se fit un nouvel intervalle de parfaite insensibilité;
intervalle très-court, car, en revenant à la vie, je ne
trouvai pas que le pendule fût descendu d'une quantité
appréciable. Cependant, il se pourrait bien que ce temps
eût été long, — car je savais qu'il y avait des démons
qui avaient pris note de mon évanouissement, et qui
pouvaient arrêter la vibration à leur gré. En revenant à
moi, j'éprouvai un malaise et une faiblesse — oh! inex-
primables, — comme par suite d'une longue inanition.
Même au milieu des angoisses présentes, la nature humaine implorait sa nourriture. Avec un effort pénible,
j'étendis mon bras gauche aussi loin que mes liens me
le permettaient, et je m'emparai d'un petit reste que les
rats avaient bien voulu me laisser. Comme j'en portais
une partie à mes lèvres, une pensée informe de joie, —
d'espérance, — traversa mon esprit. Cependant, qu'y avait-
il de commun entre *moi* et l'espérance? C'était, dis-je,
une pensée informe; — l'homme en a souvent de semblables, qui ne sont jamais complétées. Je sentis que
c'était une pensée de joie, — d'espérance; mais je sentis
aussi qu'elle était morte en naissant. Vainement je m'efforçai de la parfaire, — de la rattraper. Ma longue souffrance avait presque annihilé les facultés ordinaires de
mon esprit. J'étais un imbécile, — un idiot.

La vibration du pendule avait lieu dans un plan faisant
angle droit avec ma longueur. Je vis que le croissant
avait été disposé pour traverser la région du cœur. Il
éraillerait la serge de ma robe, — puis il reviendrait et
répéterait son opération, — encore, — et encore. Malgré
l'effroyable dimension de la courbe parcourue (quelque
chose comme trente pieds, peut-être plus), et la sifflante

énergie de sa descente, qui aurait suffi pour couper même
ces murailles de fer, en somme tout ce qu'il pouvait faire,
pour quelques minutes, c'était d'érailler ma robe. Et sur
cette pensée je fis une pause. Je n'osais pas aller plus
loin que cette réflexion. Je m'appesantis là-dessus avec
une attention opiniâtre, comme si, par cette insistance,
je pouvais arrêter *là* la descente de l'acier. Je m'appliquai
à méditer sur le son que produirait le croissant en passant à travers mon vêtement, — sur la sensation particulière et pénétrante que le frottement de la toile produit
sur les nerfs. Je méditai sur toutes ces futilités, jusqu'à ce
que mes dents fussent agacées.

Plus bas, — plus bas encore, — il glissait toujours plus
bas. Je prenais un plaisir frénétique à comparer sa vitesse
de haut en bas avec sa vitesse latérale. A droite, — à
gauche, — et puis il fuyait loin, loin, et puis il revenait,
— avec le glapissement d'un esprit damné! — jusqu'à mon
cœur, avec l'allure furtive du tigre! Je riais et je hurlais
alternativement, selon que l'une ou l'autre idée prenait
le dessus.

Plus bas, — invariablement, impitoyablement plus bas!
Il vibrait à trois pouces de ma poitrine! Je m'efforçai
violemment — furieusement, — de délivrer mon bras
gauche. Il était libre seulement depuis le coude jusqu'à
la main. Je pouvais faire jouer ma main depuis le plat
situé à côté de moi jusqu'à ma bouche, avec un grand
effort, — et rien de plus. Si j'avais pu briser les ligatures
au-dessus du coude, j'aurais saisi le pendule, et j'aurais
essayé de l'arrêter. J'aurais aussi bien essayé d'arrêter une
avalanche!

Toujours plus bas! — incessamment, — inévitablement
plus bas! Je respirais douloureusement, et je m'agitais
à chaque vibration. Je me rapetissais convulsivement à
chaque balancement. Mes yeux le suivaient dans sa volée
ascendante et descendante, avec l'ardeur du désespoir
le plus insensé; ils se refermaient spasmodiquement au
moment de la descente, quoique la mort eût été un soulagement, — oh! quel indicible soulagement! Et cepen·

dant je tremblais dans tous mes nerfs, quand je pensais
qu'il suffirait que la machine descendît d'un cran pour
précipiter sur ma poitrine cette hache aiguisée, étincelante.
C'était l'*espérance* qui faisait ainsi trembler mes nerfs,
et tout mon être se replier. C'était l'*espérance,* — l'espérance qui triomphe même sur le chevalet, — qui chuchote
à l'oreille des condamnés à mort, même dans les cachots
de l'Inquisition.

Je vis que dix ou douze vibrations environ mettraient
l'acier en contact immédiat avec mon vêtement, — et avec
cette observation entra dans mon esprti le calme aigu et
condensé du désespoir. Pour la première fois depuis bien
des heures, — depuis bien des jours peut-être, je *pensai.* Il
me vint à l'esprit que le bandage, ou sangle, qui m'enveloppait était d'un seul morceau. J'étais attaché par un lien
continu. La première morsure du rasoir, du croissant,
dans une partie quelconque de la sangle, devait la déta-
cher suffisamment pour permettre à ma main gauche de
la dérouler tout autour de moi. Mais combien devenait
terrible dans ce cas la proximité de l'acier! Et le résultat
de la plus légère secousse, mortel! Etait-il vraisemblable,
d'ailleurs, que les mignons du bourreau n'eussent pas
prévu et paré cette possibilité? Etait-il probable que le
bandage traversât ma poitrine dans le parcours du pendule? Tremblant de me voir frustré de ma faible espérance, vraisemblablement ma dernière, je haussai suffisamment ma tête pour voir distinctement ma poitrine. La
sangle enveloppait étroitement mes membres et mon corps
dans tous les sens, — *excepté dans le chemin du croissant
homicide.*

A peine avais-je laissé retomber ma tête dans sa position première, que je sentis briller dans mon esprit quelque chose que je ne saurais mieux définir que la moitié
non formée de cette idée de délivrance dont j'ai déjà
parlé, et dont une moitié seule avait flotté vaguement
dans ma cervelle, lorsque je portai la nourriture à mes
lèvres brûlantes. L'idée tout entière était maintenant présente; — faible, à peine viable, à peine définie, — mais

enfin complète. Je me mis immédiatement, avec l'énergie du désespoir, à en tenter l'exécution.

Depuis plusieurs heures, le voisinage immédiat du châssis sur lequel j'étais couché fourmillait littéralement de rats. Ils étaient tumultueux, hardis, voraces, — leurs yeux rouges dardés sur moi, comme s'ils n'attendaient que mon immobilité pour faire de moi leur proie.

— A quelle nourriture, pensai-je, ont-ils été accoutumés dans ce puits?

Excepté un petit reste, ils avaient dévoré, en dépit de tous mes efforts pour les en empêcher, le contenu du plat. Ma main avait contracté une habitude de va-et-vient, de balancement vers le plat; et, à la longue, l'uniformité machinale du mouvement lui avait enlevé toute son efficacité. Dans sa voracité cette vermine fixait souvent ses dents aiguës dans mes doigts. Avec les miettes de la viande huileuse et épicée qui restait encore, je frottai fortement le bandage partout où je pus l'atteindre; puis, retirant ma main du sol, je restai immobile et sans respirer.

D'abord, les voraces animaux furent saisis et effrayés du changement, — de la cessation du mouvement. Ils prirent l'alarme et tournèrent le dos; plusieurs regagnèrent le puits; mais cela ne dura qu'un moment. Je n'avais pas compté en vain sur leur gloutonnerie. Observant que je restais sans mouvement, un ou deux des plus hardis grimpèrent sur le châssis et flairèrent la sangle. Cela me parut le signal d'une invasion générale. Des troupes fraîches se précipitèrent hors du puits. Ils s'accrochèrent au bois, — ils l'escaladèrent et sautèrent par centaines sur mon corps. Le mouvement régulier du pendule ne les troublait pas le moins du monde. Ils évitaient son passage et travaillaient activement sur le bandage huilé. Ils se pressaient, — ils fourmillaient et s'amoncelaient incessamment sur moi; ils se tortillaient sur ma gorge; leurs lèvres froides cherchaient les miennes; j'étais à moitié suffoqué par leur poids multiplié; un dégoût, qui n'a pas de nom dans le monde, soulevait ma poitrine et glaçait mon cœur comme un pesant vomissement. Encore une minute, et je sentais

que l'horrible opération serait finie. Je sentais positivement le relâchement du bandage; je savais qu'il devait
être déjà coupé en plus d'un endroit. Avec une résolution
surhumaine, je restai *immobile*. Je ne m'étais pas trompé
dans mes calculs, — je n'avais pas souffert en vain. A la
longue, je sentis que j'étais *libre*. La sangle pendait en
lambeaux autour de mon corps; mais le mouvement du
pendule attaquai déjà ma poitrine; il avait fendu la serge
de ma robe; il avait coupé la chemise de dessous; il fit encore deux oscillations, — et une sensation de douleur
aiguë traversa tous mes nerfs. Mais l'instant du salut était
arrivé. A un geste de ma main, mes libérateurs s'enfuirent
tumultueusement. Avec un mouvement tranquille et résolu, — prudent et oblique, — lentement et en m'apla-
tissant, — je me glissai hors de l'étreinte du bandage et
des atteintes du cimeterre. Pour le moment du moins,
j'étais libre!

Libre! — et dans la griffe de l'Inquisition! J'étais à
peine sorti de mon grabat d'horreur, j'avais à peine fait
quelques pas sur le pavé de la prison, que le mouvement
de l'infernale machine cessa, et que je la vis attirée par
une force invisible à travers le plafond. Ce fut une leçon
qui me mit le désespoir dans le cœur. Tous mes mouvements étaient indubitablement épiés. Libre! — je n'avais
échappé à la mort sous une espèce d'agonie que pour être
livré à quelque chose de pire que la mort sous quelque
autre espèce. A cette pensée, je roulai mes yeux convulsivement sur les parois de fer qui m'enveloppaient. Quelque chose de singulier — un changement que d'abord je
ne pus apprécier distinctement — se produisit dans la
chambre, — c'était évident. Durant quelques minutes
d'une distraction pleine de rêves et de frissons, je me perdis dans de vaines et incohérentes conjectures. Pendant
ce temps, je m'aperçus pour la première fois de l'origine
de la lumière sulfureuse qui éclairait la cellule. Elle provenait d'une fissure large à peu près d'un demi-pouce, qui
s'étendait tout autour de la prison à la base des murs, qui
paraissaient ainsi et étaient en effet complétement séparés

du sol. Je tâchai, mais bien en vain, comme on le pense, de regarder par cette ouverture.

Comme je me relevais découragé, le mystère de l'altération de la chambre se dévoila tout d'un coup à mon intelligence. J'avais observé que, bien que les contours des figures murales fussent suffisamment distincts, les couleurs semblaient altérées et indécises. Ces couleurs venaient de prendre et prenaient à chaque instant un éclat saisissant et très-intense, qui donnait à ces images fantastiques et diaboliques un aspect dont auraient frémi des nerfs plus solides que les miens. Des yeux de démons, d'une vivacité féroce et sinistre, étaient dardés sur moi de mille endroits, où primitivement je n'en soupçonnais aucun, et brillaient de l'éclat lugubre d'un feu que je voulais absolument, mais en vain, regarder comme imaginaire.

Imaginaire! — Il me suffisait de respirer pour attirer dans mes narines la vapeur du fer chauffé! Une odeur suffocante se répandit dans la prison! Une ardeur plus profonde se fixait à chaque instant dans les yeux dardés sur mon agonie! Une teinte plus riche de rouge s'étalait sur ces horribles peintures de sang! J'étais haletant! Je respirais avec effort! Il n'y avait pas à douter du dessein de mes bourreaux. Oh! les plus impitoyables, oh! les plus démoniaques des hommes! Je reculai loin du métal ardent vers le centre du cachot. En face de cette destruction par le feu, l'idée de la fraîcheur du puits surprit mon âme comme un baume. Je me précipitai vers ses bords mortels. Je tendis mes regards vers le fond. L'éclat de la voûte enflammée illuminait ses plus secrètes cavités. Toutefois, pendant un instant d'égarement, mon esprit se refusa à comprendre la signification de ce que je voyais. A la fin, cela entra dans mon âme, — de force, victorieusement; cela s'imprima en feu sur ma raison frissonnante. Oh! une voix, une voix pour parler! — Oh! horreur! — Oh! toutes les horreurs, excepté celle-là! — Avec un cri, je me rejetai loin de la margelle, et, cachant mon visage dans mes mains, je pleurai amèrement.

La chaleur augmentait rapidement, et une fois encore

je levai les yeux, frissonnant comme dans un accès de
fièvre. Un second changement avait eu lieu dans la cellule, — et maintenant ce changement était évidemment
dans la forme. Comme la première fois, ce fut d'abord en
vain que je cherchai à apprécier ou à comprendre ce qui
se passait. Mais on ne me laissa pas longtemps dans le
doute. La vengeance de l'Inquisition marchait grand
train, déroutée deux fois par mon bonheur, et il n'y avait
pas à jouer plus longtemps avec le Roi des Epouvante-
ments. La chambre avait été carrée. Je m'apercevais que
deux de ses angles de fer étaient maintenant aigus, —
deux conséquemment obtus. Le terrible constraste augmentait rapidement, avec un grondement, un gémissement
sourd. En un instant, la chambre avait changé sa forme
en celle d'un losange. Mais la transformation ne s'arrêta
pas là. Je ne désirais pas, je n'espérais pas qu'elle s'arrêtât.
J'aurais appliqué les murs rouges contre ma poitrine,
comme un vêtement d'éternelle paix.

— La mort, — me dis-je, — n'importe quelle mort,
excepté celle du puits!

Insensé! comment n'avais-je pas compris qu'*il fallait le
puits*, que *ce puits seul* était la raison du fer brûlant qui
m'assiégeait? Pouvais-je résister à son ardeur? Et, même
en le supposant, pouvais-je me roidir contre sa pression?
Et maintenant, le losange s'aplatissait, s'aplatissait avec
une rapidité qui ne me laissait pas le temps de la réflexion.
Son centre, placé sur la ligne de sa plus grande largeur,
coïncidait juste avec le gouffre béant. J'essayai de reculer,
— mais les murs, en se resserrant, me pressaient irrésistiblement. Enfin, il vint un moment où mon corps brûlé et
contorsionné trouvait à peine sa place, où il y avait à
peine place pour mon pied sur le sol de la prison. Je
ne luttais plus, mais l'agonie de mon âme s'exhala dans
un grand et long cri suprême de désespoir. Je sentis que je
chancelais sur le bord, — je détournai les yeux...

Mais voilà comme un bruit discordant de voix humaines! Une explosion, un ouragan de trompettes! Un
puissant rugissement comme celui d'un millier de ton-

nerres! Les murs de feu reculèrent précipitamment! Un bras étendu saisit le mien comme je tombais, défaillant, dans l'abîme. C'était le bras du général Lassalle. L'armée française était entrée à Tolède. L'Inquisition était dans les mains de ses ennemis.

HOP-FROG

Je n'ai jamais connu personne qui eût plus d'entrain et qui fût plus porté à la facétie que ce brave roi. Il ne vivait que pour les farces. Raconter une bonne histoire dans le genre bouffon, et la bien raconter, c'était le plus sûr chemin pour arriver à sa faveur. C'est pourquoi ses sept ministres étaient tous gens distingués par leurs talents de farceurs. Ils étaient tous taillés d'après le patron royal, — vaste corpulence, adiposité, inimitable aptitude pour la bouffonnerie. Que les gens engraissent par la farce ou qu'il y ait dans la graisse quelque chose qui prédispose à la farce, c'est une question que je n'ai jamais pu décider; mais il est certain qu'un farceur maigre peut s'appeler *rara avis in terris.*

Quant aux raffinements, ou *ombres* de l'esprit, comme il les appelait lui-même, le roi s'en souciait médiocrement. Il avait une admiration spéciale pour la *largeur* dans la facétie, et il la digérait même en *longueur,* pour l'amour d'elle. Les délicatesses l'ennuyaient. Il aurait préféré le *Gargantua* de Rabelais au *Zadig* de Voltaire, et par-dessus tout les bouffonneries en action accommodaient son goût, bien mieux encore que les plaisanteries en paroles.

A l'époque où se passe cette histoire, les bouffons de profession n'étaient pas tout à fait passés de mode à la cour. Quelques-unes des grandes *puissances* continentales gardaient encore leurs *fous;* c'étaient des malheureux, bariolés, ornés de bonnets à sonnettes, et qui devaient être toujours prêts à livrer, à la minute, des bons mots subtils, en échange des miettes qui tombaient de la table royale.

Notre roi, naturellement, avait son fou. Le fait est qu'il *sentait le besoin* de quelque chose dans le sens de la folie, — ne fût-ce que pour contrebalancer la pesante sagesse des sept hommes sages qui lui servaient de ministres, — pour ne pas parler de lui.

Néanmoins, son fou, son bouffon de profession, n'était pas seulement un fou. Sa valeur était triplée aux yeux du roi par le fait qu'il était en même temps nain et boiteux. Dans ce temps-là, les nains étaient à la cour aussi communs que les fous; et plusieurs monarques auraient trouvé difficile de passer leur temps — le temps est plus long à la cour que partout ailleurs — sans un bouffon pour les faire rire, et un nain pour en rire. Mais, comme je l'ai déjà remarqué, tous ces bouffons, dans quatre-vingt-dix-neuf cas sur cent, sont gras, ronds et massifs, — de sorte que c'était pour notre roi une ample source d'orgueil de posséder dans Hop-Frog — c'était le nom du fou — un triple trésor en une seule personne.

Je crois que le nom de Hop-Frog n'était pas celui dont l'avaient baptisé ses parrains, mais qu'il lui avait été conféré par l'assentiment unanime des sept ministres, en raison de son impuissance à marcher comme les autres hommes[1]. Dans le fait, Hop-Frog ne pouvait se mouvoir qu'avec une sorte d'allure *interjectionnelle,* — quelque chose entre le saut et le tortillement, — une espèce de mouvement qui était pour le roi une récréation perpétuelle, et naturellement, une jouissance; car, nonobstant la proéminence de sa panse et une bouffissure constitutionnelle de la tête, le roi passait aux yeux de toute sa cour pour un fort bel homme.

Mais bien que Hop-Frog, grâce à la distorsion de ses jambes, ne pût se mouvoir que très-laborieusement dans un chemin ou sur un parquet, la prodigieuse puissance

1. *Hop,* sautiller, — *frog,* grenouille. (C.B.)

musculaire dont la nature avait doué ses bras, comme pour compenser l'imperfection de ses membres inférieurs, le rendait apte à accomplir maints traits d'une étonnante dextérité, quand il s'agissait d'arbres, de cordes, ou de quoi que ce soit où l'on pût grimper. Dans ces exercices-là, il avait plutôt l'air d'un écureuil ou d'un singe que d'une grenouille.

Je ne saurais dire précisément de quel pays Hop-Frog était originaire. Il venait sans doute de quelque région barbare, dont personne n'avait entendu parler, — à une vaste distance de la cour de notre roi. Hop-Frog et une jeune fille un peu moins naine que lui, — mais admirablement bien proportionnée et excellente danseuse, — avaient été enlevés à leurs foyers respectifs, dans des provinces limitrophes, et envoyés en présent au roi par un de ses généraux chéris de la victoire.

Dans de pareilles circonstances, il n'y avait rien d'étonnant à ce qu'une étroite intimité se fût établie entre les deux petits captifs. En réalité, ils devinrent bien vite deux amis jurés. Hop-Frog, qui, bien qu'il se mît en grands frais de bouffonnerie, n'était nullement populaire, ne pouvait pas rendre à Tripetta de grands services; mais elle, en raison de sa grâce et de son exquise beauté, — de naine, — elle était universellement admirée et choyée; elle possédait donc beaucoup d'influence et ne manquait jamais d'en user, en toute occasion, au profit de son cher Hop-Frog.

Dans une grande occasion solennelle, — je ne sais plus laquelle, — le roi résolut de donner un bal masqué; et, chaque fois qu'une mascarade ou toute autre fête de ce genre avait lieu à la cour, les talents de Hop-Frog et de Tripetta étaient à coup sûr mis en réquisition. Hop-Frog, particulièrement, était si inventif en matière de décorations, de types nouveaux, et de travestissements pour les bals masqués, qu'il semblait que rien ne pût se faire sans son assistance.

La nuit marquée pour la fête était arrivée. Une salle splendide avait été disposée, sous l'œil de Tripetta, avec

toute l'ingéniosité possible pour donner de l'éclat à une
mascarade. Toute la cour était dans la fièvre de l'attente.
Quant aux costumes et aux rôles, chacun, on le pense
bien, avait fait son choix en cette matière. Beaucoup de
personnes avaient déterminé les rôles qu'elles adopteraient,
une semaine ou même un mois d'avance; et, en somme, il
n'y avait incertitude ni indécision nulle part, — excepté
chez le roi et ses sept ministres. Pourquoi hésitaient-ils?
je ne saurais le dire, — à moins que ce ne fût encore
une manière de farce. Plus vraisemblablement, il leur
était difficile d'attraper leur idée, à cause qu'ils étaient si
gros! Quoi qu'il en soit, le temps fuyait, et, comme dernière ressource, ils envoyèrent chercher Tripetta et Hop-
Frog.

Quand les deux petits amis obéirent à l'ordre du roi,
ils le trouvèrent prenant royalement le vin avec les sept
membres de son conseil privé; mais le monarque semblait
de fort mauvaise humeur. Il savait que Hop-Frog crai-
gnait le vin; car cette boisson excitait le pauvre boiteux
jusqu'à la folie; et la folie n'est pas une manière de sentir
bien réjouissante. Mais le roi aimait ses propres charges
et prenait plaisir à forcer Hop-Frog à boire, et, — suivant l'expression royale, — à *être gai.*

— Viens ici, Hop-Frog, — dit-il, comme le bouffon et
son amie entraient dans la chambre; — avale-moi cette
rasade à la santé de vos amis absents (ici Hop-Frog soupira), et sers-nous de ton imaginative. Nous avons besoin
de types, — de *caractères,* mon brave! — de quelque
chose de nouveau, — d'extraordinaire. Nous sommes fa-
tigués de cette éternelle monotonie. Allons, bois! — le vin
allumera ton génie!

Hop-Frog s'efforça, comme d'habitude, de répondre par
un bon mot aux avances du roi; mais l'effort fut trop
grand. C'était justement le jour de naissance du pauvre
nain, et l'ordre de boire *à ses amis absents* fit jaillir les
larmes de ses yeux. Quelques larges gouttes amères tombèrent dans la coupe pendant qu'il la recevait humble-
ment de la main de son tyran.

— Ha! ha! ha! — rugit ce dernier, comme le nain
épuisait la coupe avec répugnance, — vois ce que peut
faire un verre de bon vin! Eh! tes yeux brillent déjà!

Pauvre garçon! Ses larges yeux étincelaient plutôt qu'ils
ne brillaient, car l'effet du vin sur son excitable cervelle
était aussi puissant qu'instantané. Il plaça nerveusement
le gobelet sur la table, et promena sur l'assistance un
regard fixe et presque fou. Ils semblaient tous s'amuser
prodigieusement du succès de la *farce* royale.

— Et maintenant, à l'ouvrage! — dit le premier mi-
nistre, un très-gros homme.

— Oui, — dit le roi, — allons! Hop-Frog, prête-nous
ton assistance. Des types, mon beau garçon! des caractères!
nous avons besoin de *caractère!* — nous en avons tous
besoin! — ah! ah! ah!

Et, comme ceci visait sérieusement au bon mot, ils
firent, tous sept, chorus au rire royal. Hop-Frog rit aussi,
mais faiblement et d'un rire distrait.

— Allons! allons! — dit le roi impatienté, — est-ce que
tu ne trouves rien?

— Je tâche de trouver quelque chose de *nouveau,* —
répéta le nain d'un air perdu; car il était tout à fait égaré
par le vin.

— Tu tâches! — cria le tyran, férocement. — Qu'en-
tends-tu par ce mot? Ah! je comprends. Vous boudez, et
il vous faut encore du vin. Tiens! avale ça! — Et il remplit une nouvelle coupe et la tendit toute pleine au boiteux, qui la regarda et respira comme essoufflé.

— Bois, te dis-je! — cria le monstre, — ou par les démons!...

Le nain hésitait. Le roi devint pourpre de rage. Les
courtisans souriaient cruellement. Tripetta, pâle comme
un cadavre, s'avança jusqu'au siège du monarque, et,
s'agenouillant devant lui, elle le supplia d'épargner son
ami.

Le tyran la regarda pendant quelques instants, évidemment stupéfait d'une pareille audace. Il semblait ne savoir que dire ni que faire, — ni comment exprimer son

indignation d'une manière suffisante. A la fin, sans prononcer une syllabe, il la repoussa violemment loin de lui,
et lui jeta à la face le contenu de la coupe pleine jusqu'aux bords.

La pauvre petite se releva du mieux qu'elle put, et,
n'osant pas même soupirer, elle reprit sa place au pied de
la table.

Il y eut pendant une demi-minute un silence de mort,
pendant lequel on aurait entendu tomber une feuille, une
plume. Ce silence fut interrompu par une espèce de grincement sourd, mais rauque et prolongé, qui sembla jaillir
tout d'un coup de tous les coins de la chambre.

— Pourquoi, — pourquoi, — pourquoi faites-vous ce
bruit? — demanda le roi, se retournant avec fureur vers
le nain.

Ce dernier semblait être revenu à peu près de son
ivresse, et, regardant fixement, mais avec tranquillité, le
tyran en face, il s'écria simplement :

— Moi, — moi? Comment pourrait-ce être moi?

— Le son m'a semblé venir du dehors, — observa l'un
des courtisans; — j'imagine que c'est le perroquet, à la
fenêtre, qui aiguise son bec aux barreaux de sa cage.

— C'est vrai, — répliqua le monarque, comme très-sou-
lagé par cette idée, — mais, sur mon honneur de cheva-
lier, j'aurais juré que c'était le grincement des dents de
ce misérable.

Là-dessus, le nain se mit à rire (le roi était un farceur
trop déterminé pour trouver à redire au rire de qui que
ce fût), et déploya une large, puissante et épouvantable
rangée de dents. Bien mieux, il déclara qu'il était tout
disposé à boire autant de vin qu'on voudrait. Le monarque s'apaisa, et Hop-Frog, ayant absorbé une nouvelle
rasade sans le moindre inconvénient, entra tout de suite,
et avec chaleur, dans le plan de la mascarade.

— Je ne puis expliquer, — observa-t-il fort tranquillement et comme s'il n'avait jamais goûté de vin de sa vie,
— comment s'est faite cette association d'idées; mais,
juste après que Votre Majesté eut frappé la petite et lui

eut jeté le vin à la face, — *juste après* que Votre Majesté
eut fait cela, et pendant que le perroquet faisait ce singulier bruit derrière la fenêtre, il m'est revenu à l'esprit un
merveilleux divertissement; — c'est un des jeux de mon
pays, et nous l'introduisons souvent dans nos mascarades;
mais ici il sera absolument nouveau. Malheureusement,
ceci demande une société de huit personnes, et...

— Eh! nous sommes huit! — s'écria le roi, riant de sa
subtile découverte; — huit, juste! — moi et mes sept
ministres. Voyons! quel est ce divertissement?

— Nous appelons cela, — dit le boiteux, — *les Huit
Orangs-Outangs Enchaînés,* et c'est vraiment un jeu charmant, quand il est bien exécuté.

— *Nous* l'exécuterons, — dit le roi, en se redressant
et abaissant les paupières.

— La beauté du jeu, — continua Hop-Frog, — consiste
dans l'effroi qu'il cause parmi les femmes.

— Excellent! — rugirent en chœur le monarque et son
ministère.

— *C'est moi* qui vous habillerai en orangs-outangs, —
continua le nain; — fiez-vous à moi pour tout cela. La
ressemblance sera si frappante, que tous les masques vous
prendront pour de véritables bêtes, — et, naturellement,
ils seront aussi terrifiés qu'étonnés.

— Oh! c'est ravissant! — s'écria le roi. — Hop-Frog!
nous ferons de toi un homme!

— Les chaînes ont pour but d'augmenter le désordre
par leur tintamarre. Vous êtes censés avoir échappé en
masse à vos gardiens. Votre Majesté ne peut se figurer
l'effet produit, dans un bal masqué, par huit orangs-
outangs enchaînés, que la plupart des assistants prennent
pour de véritables bêtes, se précipitent avec des cris sauvages à travers une foule d'hommes et de femmes coquet-
tement et somptueusement vêtus. Le contraste n'a pas
son pareil.

— Cela sera! — dit le roi; et le conseil se leva en toute
hâte, — car il se faisait tard, — pour mettre à exécution
le plan de Hop-Frog.

Sa manière d'arranger tout ce monde en orangs-outangs
était très-simple, mais très-suffisante pour son dessein. A
l'époque où se passe cette histoire, on voyait rarement
des animaux de cette espèce dans les différentes parties du
monde civilisé; et, comme les imitations faites pour le nain
étaient suffisamment bestiales et plus que suffisamment
hideuses, on crut pouvoir se fier à la ressemblance.

Le roi et ses ministres furent d'abord insinués dans des
chemises et des caleçons de tricot collants. Puis on les
enduisit de goudron. A cet endroit de l'opération, quelqu'un de la bande suggéra l'idée de plumes; mais elle
fut d'abord rejetée par le nain, qui convainquit bien vite
les huit personnages, par une démonstration oculaire, que
le poil d'un animal tel que l'orang-outang était bien
plus fidèlement représenté par du lin. En conséquence, on
en étala une couche épaisse par-dessus la couche de goudron. On se procura alors une longue chaîne. D'abord on
la passa autour de la taille du roi, *et on l'y assujettit;*
puis autour d'un autre individu de la bande, et on l'y
assujettit également; puis, successivement autour de chacun et de la même manière. Quand tout cet arrangement
de chaîne fut achevé, en s'écartant l'un de l'autre aussi
loin que possible, ils formèrent un cercle : et, pour ache-
ver la vraisemblance, Hop-Frog fit passer le reste de la
chaîne à travers le cercle, en deux diamètres à angles
droits, d'après la méthode adoptée aujourd'hui par les
chasseurs de Bornéo qui prennent des chimpanzés ou
d'autres grosses espèces.

La grande salle dans laquelle le bal devait avoir lieu
était une pièce circulaire, très-élevée, et recevant la lumière du soleil par une fenêtre unique, au plafond. La
nuit (c'était le temps où cette salle trouvait sa destination
spéciale), elle était principalement éclairée par un vaste
lustre, suspendu par une chaîne au centre du châssis, et
qui s'élevait ou s'abaissait au moyen d'un contre-poids
ordinaire; mais, pour ne pas nuire à l'élégance, ce dernier
passait en dehors de la coupole et par-dessus le toit.

La décoration de la salle avait été abandonnée à la

surveillance de Tripetta; mais dans quelques détails, elle
avait probablement été guidée par le calme jugement de
son ami le nain. C'était d'après son conseil que, pour cette
occasion, le lustre avait été enlevé. L'écoulement de la cire,
qu'il eût été impossible d'empêcher dans une atmosphère
aussi chaude, aurait causé un sérieux dommage aux riches
toilettes des invités, qui, vu l'encombrement de la salle,
n'auraient pas pu tous éviter le centre, c'est-à-dire la région du lustre. De nouveaux candélabres furent ajustés
dans différentes parties de la salle, hors de l'espace rempli
par la foule; et un flambeau, d'où s'échappait un parfum agréable, fut placé dans la main droite de chacune
des cariatides qui s'élevaient contre le mur, au nombre de
cinquante ou soixante en tout.

Les huit ourangs-outangs, prenant conseil de Hop-Frog,
attendirent patiemment, pour faire leur entrée, que la
salle fût complétement remplie de masques, c'est-à-dire
jusqu'à minuit. Mais l'horloge avait à peine cessé de
sonner, qu'ils se précipitèrent ou plutôt qu'ils roulèrent
tous en masse, — car, empêchés comme ils étaient dans
leurs chaînes, quelques-uns tombèrent et tous trébuchèrent en entrant.

La sensation parmi les masques fut prodigieuse et remplit de joie le cœur du roi. Comme on s'y attendait, le
nombre des invités fut grand, qui supposèrent que ces
êtres de mine féroce étaient de véritables bêtes d'une certaine espèce, sinon précisément des orangs-outangs. Plusieurs femmes s'évanouirent de frayeur; et, si le roi n'avait
pas pris la précaution d'interdire toutes les armes, lui et
sa bande auraient pu payer leur plaisanterie de leur sang.
Bref, ce fut une déroute générale vers les portes; mais le
roi avait donné l'ordre qu'on les fermât aussitôt après son
entrée, et, d'après le conseil du nain, les clefs avaient été
remises entre *ses* mains.

Pendant que le tumulte était à son comble et que
chaque masque ne pensait qu'à son propre salut, — car, en
somme, dans cette panique et cette cohue, il y avait un
danger réel, — on aurait pu voir la chaîne qui servait à

suspendre le lustre, et qui avait été également retirée, descendre jusqu'à ce que son extrémité recourbée en crochet fût arrivée à trois pieds du sol.

Peu d'instants après, le roi et ses sept amis, ayant roulé à travers la salle dans toutes les directions, se trouvèrent enfin au centre et en contact immédiat avec la chaîne. Pendant qu'ils étaient dans cette position, le nain, qui avait toujours marché sur leurs talons, les engageant à prendre garde à la commotion, se saisit de leur chaîne à l'intersection des deux parties diamétrales. Alors, avec la rapidité de la pensée, il y ajusta le crochet qui servait d'ordinaire à suspendre le lustre; et en un instant, retirée comme par un agent invisible, la chaîne remonta assez haut pour mettre le crochet hors de toute portée, et conséquemment enleva les orangs-outangs tous ensemble les uns contre les autres, et face à face.

Les masques, pendant ce temps, étaient à peu près revenus de leur alarme; et, comme ils commençaient à prendre tout cela pour une plaisanterie adroitement concertée, ils poussèrent un immense éclat de rire, en voyant la position des singes.

— Gardez-les-*moi!* — cria alors Hop-Frog; et sa voix perçante se faisait entendre à travers le tumulte, — gardez-les-*moi*, je crois que je les connais, *moi*. Si je peux seulement les bien voir, *moi*, je vous dirai tout de suite qui ils sont.

Alors, chevauchant des pieds et des mains sur les têtes de la foule, il manœuvra de manière à atteindre le mur; puis, arrachant un flambeau à l'une des cariatides, il retourna, comme il était venu, vers le centre de la salle, — bondit avec l'agilité d'un singe sur la tête du roi, — et grimpa de quelques pieds après la chaîne, — abaissant la torche pour examiner le groupe des orangs-outangs, et criant toujours : — Je découvrirai bien vite qui ils sont!

Et alors, pendant que toute l'assemblée — y compris les singes — se tordait de rire, le bouffon poussa soudainement un sifflement aigu; la chaîne remonta vivement de trente pieds environ, — tirant avec elle les orangs-outangs terrifiés qui se débattaient, et les laissant suspendus en l'air entre le châssis et le plancher. Hop-Frog, cramponné à la chaîne, était remonté avec elle et gardait toujours sa position relativement aux huit masques, rabattant toujours sa torche vers eux, comme s'il s'efforçait de découvrir qui ils pouvaient être.

Toute l'assistance fut tellement stupéfiée par cette ascension, qu'il en résulta un silence profond, d'une minute environ. Mais il fut interrompu par un bruit sourd, une espèce de grincement rauque, comme celui qui avait déjà attiré l'attention du roi et de ses conseillers, quand celui-ci avait jeté le vin à la face de Tripetta. Mais, dans le cas présent, il n'y avait pas lieu de chercher d'où partait le bruit. Il jaillissait des dents du nain, qui faisait grincer ses crocs, comme s'il les broyait dans l'écume de sa bouche, et dardait des yeux étincelant d'une rage folle vers le roi et ses sept compagnons, dont les figures étaient tournées vers lui.

— Ah! ah! — dit enfin le nain furibond, — ah! ah! je commence à voir qui sont ces gens-là, maintenant!

Alors sous prétexte d'examiner le roi de plus près, il approcha le flambeau du vêtement de lin dont celui-ci était revêtu, et qui se fondit instantanément en une nappe de flamme éclatante. En moins d'une demi-minute, les huit orangs-outangs flambaient furieusement, au milieu des cris d'une multitude qui les contemplait d'en bas, frappée d'horreur, et impuissante à leur porter le plus léger secours.

A la longue, les flammes, jaillissant soudainement avec plus de violence, contraignirent le bouffon à grimper plus haut sur sa chaîne, hors de leur atteinte, et, pendant qu'il accomplissait cette manœuvre, la foule retomba, pour un instant encore, dans le silence. Le nain saisit l'occasion, et prit de nouveau la parole :

— Maintenant, — dit-il, — je vois *distinctement* de quelle espèce sont ces masques. Je vois un grand roi et ses sept conseillers privés, un roi qui ne se fait pas scrupule de frapper une fille sans défense, et ses sept conseillers qui l'encouragent dans son atrocité. Quant à moi, je suis simplement Hop-Frog, le bouffon, — et *ceci est ma dernière bouffonnerie!*

Grâce à l'extrême combustibilité du chanvre et du goudron auquel il était collé, le nain avait à peine fini sa courte harangue que l'œuvre de vengeance était accomplie. Les huit cadavres se balançaient sur leurs chaînes, — masse confuse, fétide, fuligineuse, hideuse. Le boiteux lança sa torche sur eux, grimpa tout à loisir vers le plafond, et disparut à travers le châssis.

On suppose que Tripetta, en sentinelle sur le toit de la salle, avait servi de complice à son ami dans cette vengeance incendiaire, et qu'ils s'enfuirent ensemble vers leur pays; car on ne les a jamais revus.

LA BARRIQUE D'AMONTILLADO

J'AVAIS supporté du mieux que j'avais pu les mille injustices de Fortunato; mais, quand il en vint à l'insulte, je jurai de me venger. Vous cependant, qui connaissez bien la nature de mon âme, vous ne supposerez pas que j'aie articulé une seule menace. A la longue, je devais être vengé; c'était un point définitivement arrêté; — mais la perfection même de ma résolution excluait toute idée de péril. Je devais non-seulement punir, mais punir impunément. Une injure n'est pas redressée quand le châtiment atteint le redresseur; elle n'est pas non plus redressée quand le vengeur n'a pas soin de se faire connaître à celui qui a commis l'injure.

Il faut qu'on sache que je n'avais donné à Fortunato aucune raison de douter de ma bienveillance, ni par mes paroles, ni par mes actions. Je continuai, selon mon habitude, à lui sourire en face, et il ne devinait pas que mon sourire désormais ne traduisait que la pensée de son immolation.

Il avait un côté faible — ce Fortunato, — bien qu'il fût à tous autres égards un homme à respecter, et même à craindre. Il se faisait gloire d'être connaisseur en vins. Peu d'Italiens ont le véritable esprit de connaisseur; leur enthousiasme est la plupart du temps emprunté, accommodé au temps et à l'occasion; c'est un charlatanisme pour agir sur les millionnaires anglais et autrichiens. En fait de peintures et de pierres précieuses, Fortunato, comme ses compatriotes, était un charlatan; mais, en matière de vieux vins, il était sincère. A cet égard, je ne différais pas essentiellement de lui; j'étais moi-même très-entendu dans les crus italiens, et j'en achetais considérablement toutes les fois que je le pouvais.

Un soir, à la brune, au fort de la folie du carnaval, je rencontrai mon ami. Il m'accosta avec une très-chaude cordialité, car il avait beaucoup bu. Mon homme était déguisé. Il portait un vêtement collant et mi-parti, et sa tête était surmontée d'un bonnet conique avec des sonnettes. J'étais si heureux de le voir, que je crus que je ne finirais jamais de lui pétrir la main. Je lui dis :

— Mon cher Fortunato, je vous rencontre à propos. Quelle excellente mine vous avez aujourd'hui! — Mais j'ai reçu une pipe d'amontillado, ou du moins d'un vin qu'on me donne pour tel, et j'ai des doutes.

— Comment, — dit-il, — de l'amontillado? Une pipe? Pas possible! — Et au milieu du carnaval!

— J'ai des doutes, — répliquai-je, — et j'ai été assez bête pour payer le prix total de l'amontillado sans vous consulter. On n'a pas pu vous trouver, et je tremblais de manquer une occasion.

— De l'amontillado!

— J'ai des doutes.

— De l'amontillado!

— Et je veux les tirer au clair.

— De l'amontillado!

— Puisque vous êtes invité quelque part, je vais chercher Luchesi. Si quelqu'un a le sens critique, c'est lui. Il me dira...

— Luchesi est incapable de distinguer l'amontillado du xérès.

— Et cependant, il y a des imbéciles qui tiennent que son goût est égal au vôtre.

— Venez, allons!

— Où?

— A vos caves.

— Mon ami, non; je ne veux pas abuser de votre bonté. Je vois que vous êtes invité. Luchesi...

— Je ne suis pas invité; — partons!

— Mon ami, non. Ce n'est pas la question de l'invitation, mais c'est le cruel froid dont je m'aperçois que vous souffrez. Les caves sont insupportablement humides; elles sont tapissées de nitre.

— N'importe, allons! Le froid n'est absolument rien. De l'amontillado! On vous en a imposé. — Et, quant à Luchesi, il est incapable de distinguer le xérès de l'amontillado.

En parlant ainsi, Fortunato s'empara de mon bras. Je mis un masque de soie noire, et, m'enveloppant soigneusement d'un manteau, je me laissai traîner par lui jusqu'à mon palais.

Il n'y avait pas de domestiques à la maison; ils s'étaient cachés pour faire ripaille en l'honneur de la saison. Je leur avais dit que je ne rentrerais pas avant le matin, et je leur avais donné l'ordre formel de ne pas bouger de la maison. Cet ordre suffisait, je le savais bien, pour qu'ils décampassent en toute hâte, tous, jusqu'au dernier, aussitôt que j'aurais tourné le dos.

Je pris deux flambeaux à la glace, j'en donnai un à Fortunato, et je le dirigeai complaisamment, à travers une enfilade de pièces, jusqu'au vestibule qui conduisait aux caves. Je descendis devant lui un long et tortueux escalier, me retournant et lui recommandant de prendre bien garde. Nous atteignîmes enfin les derniers degrés, et nous nous trouvâmes ensemble sur le sol humide des catacombes des Montrésors.

La démarche de mon ami était chancelante, et les clochettes de son bonnet cliquetaient à chacune de ses enjambées.

— La pipe d'amontillado? — dit-il.

— C'est plus loin, — dis-je; — mais observez cette broderie blanche qui étincelle sur les murs de ce caveau.

Il se retourna vers moi et me regarda dans les yeux

avec deux globes vitreux qui distillaient les larmes de l'ivresse.

— Le nitre? — demanda-t-il à la fin.

— Le nitre, — répliquai-je. — Depuis combien de temps avez-vous attrapé cette toux?

— Euh! euh! euh! — euh! euh! euh! — euh! euh! euh! — euh!!!

Il fut impossible à mon pauvre ami de répondre avant quelques minutes.

— Ce n'est rien, — dit-il enfin.

— Venez, — dis-je avec fermeté, — allons-nous-en; votre santé est précieuse. Vous êtes riche, respecté, admiré, aimé; vous êtes heureux, comme je le fus autrefois; vous êtes un homme qui laisserait un vide. Pour moi, ce n'est pas la même chose. Allons-nous-en; vous vous rendrez malade. D'ailleurs, il y a Luchesi...

— Assez, — dit-il; — la toux, ce n'est rien. Cela ne me tuera pas. Je ne mourrai pas d'un rhume.

— C'est vrai, — c'est vrai, — répliquai-je, — et, en vérité, je n'avais pas l'intention de vous alarmer inutilement; — mais vous devriez prendre des précautions. Un coup de ce médoc vous défendra contre l'humidité.

Ici, j'enlevai une bouteille à une longue rangée de ses compagnes qui étaient couchées par terre, et je fis sauter le goulot.

— Buvez, — dis-je, en lui présentant le vin.

Il porta la bouteille à ses lèvres, en me regardant du coin de l'œil. Il fit une pause, me salua familièrement (les grelots sonnèrent), et dit :

— Je bois aux défunts qui reposent autour de nous!

— Et moi, à votre longue vie!

Il reprit mon bras, et nous nous remîmes en route.

— Ces caveaux, — dit-il, — sont très-vastes.

— Les Montrésors, — répliquai-je, — étaient une grande et nombreuse famille.

— J'ai oublié vos armes.

— Un grand pied d'or sur champ d'azur; le pied

écrase un serpent rampant dont les dents s'enfoncent dans le talon.

— Et la devise?

— *Nemo me impune lacessit.*

— Fort beau! — dit-il.

Le vin étincelait dans ses yeux, et les sonnettes tintaient. Le médoc m'avait aussi échauffé les idées. Nous étions arrivés, à travers des murailles d'ossements empilés, entremêlés de barriques et de pièces de vin, aux dernières profondeurs des catacombes. Je m'arrêtai de nouveau, et, cette fois, je pris la liberté de saisir Fortunato par un bras, au-desssus du coude.

— Le nitre! — dis-je; — voyez, cela augmente. Il pend comme de la mousse le long des voûtes. Nous sommes sous le lit de la rivière. Les gouttes d'humidité filtrent à travers les ossements. Venez, partons, avant qu'il soit trop tard. Votre toux...

— Ce n'est rien, — dit-il, — continuons. Mais, d'abord, encore un coup de ce médoc.

Je cassai un flacon de vin de Grave, et je le lui tendis. Il le vida d'un trait. Ses yeux brillèrent d'un feu ardent. Il se mit à rire, et jeta la bouteille en l'air avec un geste que je ne pus pas comprendre.

Je le regardai avec surprise. Il répéta le mouvement, un mouvement grotesque.

— Vous ne comprenez pas? — dit-il.

— Non, — répliquai-je.

— Alors, — vous n'êtes pas de la loge?

— Comment?

— Vous n'êtes pas maçon?

— Si! si! — dis-je, — si! si!

— Vous? impossible! vous maçon?

— Oui, maçon, — répondis-je.

— Un signe! — dit-il.

— Voici, — répliquai-je en tirant une truelle de dessous les plis de mon manteau.

— Vous voulez rire, — s'écria-t-il, — en reculant de quelques pas. Mais allons à l'amontillado.

— Soit, — dis-je en replaçant l'outil sous ma roque-laure et lui offrant de nouveau mon bras.

Il s'appuya lourdement dessus. Nous continuâmes notre route à la recherche de l'amontillado. Nous passâmes sous une rangée d'arceaux fort bas; nous descendîmes, nous fîmes quelques pas, et, descendant encore, nous arrivâmes à une crypte profonde, où l'impureté de l'air faisait rougir plutôt que briller nos flambeaux.

Tout au fond de cette crypte, on en découvrait une autre moins spacieuse. Ses murs avaient été revêtus avec les débris humains empilés dans les caves au-dessus de nous, à la manière des grandes catacombes de Paris. Trois côtés de cette seconde crypte étaient encore décorés de cette façon. Du quatrième, les os avaient été arrachés et gisaient confusément sur le sol, formant en un point un rempart d'une certaine hauteur. Dans le mur, ainsi mis à nu par le déplacement des os, nous apercevions encore une autre niche, profonde de quatre pieds environ, large de trois, haute de six ou sept. Elle ne semblait pas avoir été construite pour un usage spécial, mais formait sim-plement l'intervalle entre des piliers énormes qui sup-portaient la voûte des catacombes, et s'appuyait à l'un des murs de granit massif qui délimitaient l'ensemble.

Ce fut en vain que Fortunato, élevant sa torche ma-lade, s'efforça de scruter la profondeur de la niche. La lumière affaiblie ne nous permettait pas d'en apercevoir l'extrémité.

— Avancez, — dis-je, — c'est là qu'est l'amontillado. Quant à Luchesi...

— C'est un être ignare! — interrompit mon ami, pre-nant les devants et marchant tout de travers, pendant que je suivais sur ses talons.

En un instant, il avait atteint l'extrémité de la niche, et, trouvant sa marche arrêtée par le roc, il s'arrêta stupidement ébahi. Un moment après, je l'avais enchaîné au granit. Sur la paroi il y avait deux crampons de fer, à la distance d'environ deux pieds l'un de l'autre dans le sens horizontal. A l'un des deux était suspendue une

courte chaîne, à l'autre un cadenas. Ayant jeté la chaîne
autour de sa taille, l'assujettir fut une besogne de quelques
secondes. Il était trop étonné pour résister. Je retirai la
clef, et reculai de quelques pas hors de la niche.

— Passez votre main sur le mur, — dis-je; — vous
ne pouvez pas ne pas sentir le nitre. Vraiment, il est
très-humide. Laissez-moi vous *supplier* une fois encore
de vous en aller. — Non? — Alors, il faut positivement
que je vous quitte. Mais je vous rendrai d'abord tous
les petits soins qui sont en mon pouvoir.

— L'amontillado! — s'écria mon ami, qui n'était pas
encore revenu de son étonnement.

— C'est vrai, — répliquai-je, l'amontillado.

Tout en prononçant ces mots, j'attaquais la pile d'ossements dont j'ai déjà parlé. Je les jetai de côté, et je
découvris bientôt une bonne quantité de moellons et de
mortier. Avec ces matériaux, et à l'aide de ma truelle,
je commençai activement à murer l'entrée de la niche.

J'avais à peine établi la première assise de ma maçonnerie, que je découvris que l'ivresse de Fortunato était
en grande partie dissipée. Le premier indice que j'en
eus fut un cri sourd, un gémissement, qui sortit du fond
de la niche. *Ce n'était pas le cri d'un homme ivre!* Puis
il y eut un long et obstiné silence. Je posai la seconde
rangée, puis la troisième, puis la quatrième; et alors j'entendis les furieuses vibrations de la chaîne. Le bruit dura
quelques minutes, pendant lesquelles, pour m'en délecter
plus à l'aise, j'interrompis ma besogne et m'accroupis
sur les ossements. A la fin, quand le tapage s'apaisa, je
repris ma truelle et j'achevai sans interruption la cinquième, la sixième et la septième rangée. Le mur était
alors presque à la hauteur de ma poitrine. Je fis une
nouvelle pause, et, élevant les flambeaux au-dessus de la
maçonnerie, je jetai quelques faibles rayons sur le personnage inclus.

Une suite de grands cris, de cris aigus, fit soudainement explosion du gosier de la figure enchaînée, et me
rejeta pour ainsi dire violemment en arrière. Pendant

un instant, j'hésitai, — je tremblai. Je tirai mon épée, et je commençai à fourrager à travers la niche; mais un instant de réflexion suffit à me tranquilliser. Je posai la main sur la maçonnerie massive du caveau, et je fus tout à fait rassuré. Je me rapprochai du mur. Je répondis aux hurlements de mon homme. Je leur fis écho et accompagnement, — je les surpassai en volume et en force. Voilà comme je fis, et le braillard se tint tranquille.

Il était alors minuit, et ma tâche tirait à sa fin. J'avais complété ma huitième, ma neuvième et ma dixième rangée. J'avais achevé une partie de la onzième et dernière; il ne restait plus qu'une seule pierre à ajuster et à plâtrer. Je la remuai avec effort; je la plaçai à peu près dans la position voulue. Mais alors s'échappa de la niche un rire étouffé qui me fit dresser les cheveux sur la tête. A ce rire succéda une voix triste que je reconnus difficilement pour celle du noble Fortunato. La voix disait :

— Ha! ha! ha! — Hé! hé! — Une très-bonne plaisanterie, en vérité! — une excellente farce! Nous en rirons de bon cœur au palais, — hé! hé! — de notre bon vin! — hé! hé! hé!

— De l'amontillado? — dis-je.

— Hé! hé! — hé! hé! — oui, de l'amontillado. Mais ne se fait-il pas tard? Ne nous attendront-ils pas au palais, la signora Fortunato et les autres? Allons-nous-en.

— Oui, — dis-je, — allons-nous-en.

— *Pour l'amour de Dieu, Montrésor!*

— Oui, — dis-je, — pour l'amour de Dieu!

Mais à ces mots point de réponse; je tendis l'oreille en vain. Je m'impatientai. J'appelai très-haut :

— Fortunato!

Pas de réponse. J'appelai de nouveau :

— Fortunato!

Rien. — J'introduisis une torche à travers l'ouverture qui restait et la laissai tomber en dedans. Je ne reçus en manière de réplique qu'un cliquetis de sonnettes. Je me sentis mal au cœur, — sans doute par suite de l'humidité des catacombes. Je me hâtai de mettre fin à ma besogne. Je fis un effort, et j'ajustai la dernière pierre; je la recouvris de mortier. Contre la nouvelle maçonnerie je rétablis l'ancien rempart d'ossements. Depuis un demi-siècle aucun mortel ne les a dérangés. *In pace requiescat!*

LE MASQUE
DE LA MORT ROUGE

La *Mort Rouge* avait pendant longtemps dépeuplé la contrée. Jamais peste ne fut si fatale, si horrible. Son avatar, c'était le sang, — la rougeur et la hideur du sang. C'étaient des douleurs aiguës, un vertige soudain, et puis un suintement abondant par les pores, et la dissolution de l'être. Des taches pourpres sur le corps, et spécialement sur le visage de la victime, la mettaient au ban de l'humanité, et lui fermaient tout secours et toute sympathie. L'invasion, le progrès, le résultat de la maladie, tout cela était l'affaire d'une demi-heure.

Mais le prince Prospero était heureux, et intrépide, et sagace. Quand ses domaines furent à moitié dépeuplés, il convoqua un millier d'amis vigoureux et allègres de cœur, choisis parmi les chevaliers et les dames de sa cour, et se fit avec eux une retraite profonde dans une de ses abbayes fortifiées. C'était un vaste et magnifique bâtiment, une création du prince, d'un goût excentrique et cependant grandiose. Un mur épais et haut lui faisait une ceinture. Ce mur avait des portes de fer. Les courtisans, une fois entrés, se servirent de fourneaux et de solides marteaux pour souder les verrous. Ils résolurent de se barricader contre les impulsions soudaines du désespoir extérieur et de fermer toute issue aux frénésies du dedans. L'abbaye fut largement approvisionnée. Grâce à

ces précautions, les courtisans pouvaient jeter le défi à
la contagion. Le monde extérieur s'arrangerait comme il
pourrait. En attendant, c'était folie de s'affliger ou
de penser. Le prince avait pourvu à tous les moyens de
plaisir. Il y avait des bouffons, il y avait des improvisa-
teurs, des danseurs, des musiciens, il y avait le beau sous
toutes ses formes, il y avait le vin. En dedans, il y avait
toutes ces belles choses et la sécurité. Au dehors, la *Mort
Rouge*.

Ce fut vers la fin du cinquième ou sixième mois de
sa retraite, et pendant que le fléau sévissait au dehors
avec le plus de rage, que le prince Prospero gratifia
ses mille amis d'un bal masqué de la plus insolite magnificence.

Tableau voluptueux que cette mascarade! Mais d'abord
laissez-moi vous décrire les salles où elle eut lieu. Il
y en avait sept, — une enfilade impériale. Dans beaucoup de palais, ces séries de salons forment de longues
perspectives en ligne droite, quand les battants des portes
sont rabattus sur les murs de chaque côté, de sorte que
le regard s'enfonce jusqu'au bout sans obstacle. Ici, le
cas était fort différent, comme on pouvait s'y attendre
de la part du duc et de son goût très-vif pour le bizarre.
Les salles étaient si irrégulièrement disposées, que l'œil
n'en pouvait guère embrasser plus d'une à la fois. Au
bout d'un espace de vingt à trente yards, il y avait un
brusque détour, et à chaque coude un nouvel aspect. A
droite et à gauche, au milieu de chaque mur, une haute
et étroite fenêtre gothique donnait sur un corridor fermé
qui suivait les sinuosités de l'appartement. Chaque fenêtre
était faite de verres coloriés en harmonie avec le ton
dominant dans les décorations de la salle sur laquelle
elle s'ouvrait. Celle qui occupait l'extrémité orientale,
par exemple, était tendue de bleu, — et les fenêtres
étaient d'un bleu profond. La seconde pièce était ornée
et tendue de pourpre, et les carreaux étaient pourpres.
La troisième, entièrement verte, et vertes les fenêtres.
La quatrième, décorée d'orange, était éclairée par une

fenêtre orangée, — la cinquième, blanche, — la sixième, violette.

La septième salle était rigoureusement ensevelie de tentures de velours noir qui revêtaient tout le plafond et les murs, et retombaient en lourdes nappes sur un tapis de même étoffe et de même couleur. Mais, dans cette chambre seulement, la couleur des fenêtres ne correspondait pas à la décoration. Les carreaux étaient écarlates, — d'une couleur intense de sang.

Or, dans aucune des sept salles, à travers les ornements d'or éparpillés à profusion çà et là ou suspendus aux lambris, on ne voyait de lampe ni de candélabre. Ni lampes, ni bougies; aucune lumière de cette sorte dans cette longue suite de pièces. Mais, dans les corridors qui leur servaient de ceinture, juste en face de chaque fenêtre, se dressait un énorme trépied, avec un brasier éclatant, qui projetait ses rayons à travers les carreaux de couleur et illuminait la salle d'une manière éblouissante. Ainsi se produisaient une multitude d'aspects chatoyants et fantastiques. Mais, dans la chambre de l'ouest, la chambre noire, la lumière du brasier qui ruisselait sur les tentures noires à travers les carreaux sanglants était épouvantablement sinistre, et donnait aux physionomies des imprudents qui y entraient un aspect tellement étrange, que bien peu de danseurs se sentaient le courage de mettre les pieds dans son enceinte magique.

C'était aussi dans cette salle que s'élevait, contre le mur de l'ouest, une gigantesque horloge d'ébène. Son pendule se balançait avec un tic-tac sourd, lourd, monotone; et quand l'aiguille des minutes avait fait le circuit du cadran et que l'heure allait sonner, il s'élevait des poumons d'airain de la machine un son clair, éclatant, profond et excessivement musical, mais d'une note si particulière et d'une énergie telle, que d'heure en heure, les musiciens de l'orchestre étaient contraints d'interrompre un instant leurs accords pour écouter la musique de l'heure; les valseurs alors cessaient forcément leurs évolutions; un trouble momentané courait dans toute la joyeuse compagnie; et, tant que vibrait le carillon, on remarquait que les plus fous devenaient pâles, et que les plus âgés et les plus rassis passaient leurs mains sur leurs fronts, comme dans une méditation ou une rêverie délirante. Mais, quand l'écho s'était tout à fait évanoui, une légère hilarité circulait par toute l'assemblée; les musiciens s'entre-regardaient et souriaient de leurs nerfs et de leur folie, et se juraient tout bas, les uns aux autres, que la prochaine sonnerie ne produirait pas en eux la même émotion; et puis, après la fuite des soixante minutes qui comprennent les trois mille six cents secondes de l'heure disparue, arrivait une nouvelle sonnerie de la fatale horloge, et c'était le même trouble, le même frisson, les mêmes rêveries.

Mais, en dépit de tout cela, c'était une joyeuse et magnifique orgie. Le goût du duc était tout particulier. Il avait un œil sûr à l'endroit des couleurs et des effets. Il méprisait le *décorum* de la mode. Ses plans étaient téméraires et sauvages, et ses conceptions brillaient d'une splendeur barbare. Il y a des gens qui l'auraient jugé fou. Ses courtisans sentaient bien qu'il ne l'était pas. Mais il fallait l'entendre, le voir, le toucher, pour être sûr qu'il ne l'était pas.

Il avait, à l'occasion de cette grande fête, présidé en grande partie à la décoration mobilière des sept salons, et c'était son goût personnel qui avait commandé le style des travestissements. A coup sûr, c'étaient des conceptions grotesques. C'était éblouissant, étincelant; il y avait du piquant et du fantastique, — beaucoup de ce qu'on a vu dans *Hernani*. Il y avait des figures vraiment arabesques, absurdement équipées, incongrûment bâties; des fantaisies monstrueuses comme la folie; il y avait du beau, du licencieux, du bizarre en quantité, tant soit peu du terrible, et du dégoûtant à foison. Bref, c'était comme une multitude de rêves qui se pavanaient çà et là dans les sept salons. Et ces rêves se contorsionnaient en tout sens, prenant la couleur des chambres; et l'on eût dit qu'ils exécutaient la musique avec leurs pieds, et que

les airs étranges de l'orchestre étaient l'écho de leurs
pas.

Et, de temps en temps, on entend sonner l'horloge
d'ébène de la salle de velours. Et alors, pour un moment,
tout s'arrête, tout se tait, excepté la voix de l'horloge.
Les rêves sont glacés, paralysés dans leurs postures. Mais
les échos de la sonnerie s'évanouissent. — ils n'ont duré
qu'un instant, — et à peine ont-ils fui, qu'une hilarité
légère et mal contenue circule partout. Et la musique
s'enfle de nouveau, et les rêves revivent, et ils se tordent
çà et là plus joyeusement que jamais, reflétant la couleur
des fenêtres à travers lesquelles ruisselle le rayonnement
des trépieds. Mais, dans la chambre qui est là-bas tout à
l'ouest, aucun masque n'ose maintenant s'aventurer; car
la nuit avance, et une lumière plus rouge afflue à travers
les carreaux couleur de sang et la noirceur des draperies
funèbres est effrayante; et à l'étourdi qui met le pied
sur le tapis funèbre l'horloge d'ébène envoie un carillon
plus lourd, plus solennellement énergique que celui qui
frappe les oreilles des masques tourbillonnant dans l'insou-
ciance lointaine des autres salles.

Quant à ces pièces-là, elles fourmillaient de monde, et
le cœur de la vie y battait fiévreusement. Et la fête tour-
billonnait toujours lorsque s'éleva enfin le son de minuit
de l'horloge. Alors, comme je l'ai dit, la musique s'arrêta;
le tournoiement des valseurs fut suspendu; il se fit partout, comme naguère, une anxieuse immobilité. Mais le
timbre de l'horloge avait cette fois douze coups à sonner;
aussi, il se peut bien que plus de pensée se soit glissée
dans les méditations de ceux qui pensaient parmi cette
foule festoyante. Et ce fut peut-être aussi pour cela que
plusieurs personnes parmi cette foule seule, avant que les derniers échos du dernier coup fussent noyés dans le silence,
avaient eu le temps de s'apercevoir de la présence d'un
masque qui jusque-là n'avait aucunement attiré l'attention. Et, la nouvelle de cette intrusion s'étant répandue
en un chuchotement à la ronde, il s'éleva de toute l'assemblée un bourdonnement, un murmure significatif

d'étonnement et de désapprobation, — puis, finalement, de terreur, d'horreur et de dégoût.

Dans une réunion de fantômes telle que je l'ai décrite, il fallait sans doute une apparition bien extraordinaire pour causer une telle sensation. La licence carnavalesque de cette nuit était, il est vrai, à peu près illimitée; mais le personnage en question avait dépassé l'extravagance d'un Hérode, et franchi les bornes — cependant complaisantes — du décorum imposé par le prince. Il y a dans les cœurs des plus insouciants des cordes qui ne se laissent pas toucher sans émotion. Même chez les dépravés, chez ceux pour qui la vie et la mort sont également un jeu, il y a des choses avec lesquelles on ne peut pas jouer. Toute l'assemblée parut alors sentir profondément le mauvais goût et l'inconvenance de la conduite et du costume de l'étranger. Le personnage était grand et décharné, et enveloppé d'un suaire de la tête aux pieds. Le masque qui cachait le visage représentait si bien la physionomie d'un cadavre raidi, que l'analyse la plus minutieuse aurait difficilement découvert l'artifice. Et cependant, tous ces fous joyeux auraient peut-être supporté, sinon approuvé, cette laide plaisanterie. Mais le masque avait été jusqu'à adopter le type de la *Mort Rouge*. Son vêtement était barbouillé de sang, — et son large front, ainsi que tous les traits de sa face, étaient aspergés de l'épouvantable écarlate.

Quand les yeux du prince Prospero tombèrent sur cette figure de spectre, — qui, d'un mouvement lent, solennel, emphatique, comme pour mieux soutenir son rôle, se promenait çà et là à travers les danseurs, — on le vit d'abord convulsé par un violent frisson de terreur ou de dégoût; mais, une seconde après, son front s'empourpra de rage.

— Qui ose, — demanda-t-il, d'une voix enrouée, aux courtisans debout près de lui, — qui ose nous insulter par cette ironie blasphématoire? Emparez-vous de lui, et démasquez-le — que nous sachions qui nous aurons à pendre aux créneaux, au lever du soleil!

C'était dans la chambre de l'est ou chambre bleue, que se trouvait le prince Prospero, quand il prononça ces paroles. Elles retentirent fortement et clairement à travers les sept salons, — car le prince était un homme impérieux et robuste, et la musique s'était tue à un signe de sa main.

C'était dans la chambre bleue que se tenait le prince, avec un groupe de pâles courtisans à ses côtés. D'abord, pendant qu'il parlait, il y eut parmi le groupe un léger mouvement en avant dans la direction de l'intrus, qui fut un instant presque à leur portée, et qui maintenant, d'un pas délibéré et majestueux, se rapprochait de plus en plus du prince. Mais, par suite d'une certaine terreur indéfinissable que l'audace insensée du masque avait inspirée à toute la société, il ne se trouva personne pour lui mettre la main dessus; si bien que, ne trouvant aucun obstacle, il passa à deux pas de la personne du prince; et pendant que l'immense assemblée, comme obéissant à un seul mouvement, reculait du centre de la salle vers les murs, il continua sa route sans interruption, de ce même pas solennel et mesuré qui l'avait tout d'abord caractérisé, de la chambre bleue à la chambre pourpre, — de la chambre pourpre à la chambre verte, — de la verte à l'orange, — de celle-ci à la blanche, — et de celle-là à la violette, avant qu'on eût fait un mouvement décisif pour l'arrêter.

Ce fut alors, toutefois, que le prince Prospero, exaspéré par la rage et la honte de sa lâcheté d'une minute, s'élança précipitamment à travers les six chambres, où nul ne le suivit; car une terreur mortelle s'était emparée de toute le monde. Il brandissait un poignard nu, et s'était approché impétueusement à une distance de trois ou quatre pieds du fantôme qui battait en retraite, quand ce dernier, arrivé à l'extrémité de la salle de velours, se retourna brusquement et fit face à celui qui le poursuivait. Un cri aigu partit, — et le poignard glissa avec un éclair sur le tapis funèbre où le prince Prospero tombait mort une seconde après.

Alors, invoquant le courage violent du désespoir, une foule de masques se précipita à la fois dans la chambre noire; et, saisissant l'inconnu, qui se tenait, comme une grande statue, droit et immobile dans l'ombre de l'horloge d'ébène, ils se sentirent suffoqués par une terreur sans nom, en voyant que sous le linceul et le masque cadavéreux, qu'ils avaient empoignés avec une si violente énergie, ne logeait aucune forme palpable.

On reconnut alors la présence de la *Mort Rouge*. Elle était venue comme un voleur de nuit. Et tous les convives tombèrent un à un dans les salles de l'orgie inondées d'une rosée sanglante, et chacun mourut dans la posture désespérée de sa chute.

Et la vie de l'horloge d'ébène disparut avec celle du dernier de ces êtres joyeux. Et les flammes des trépieds expirèrent. Et les Ténèbres, et la Ruine, et la *Mort Rouge*, établirent sur toutes choses leur empire illimité.

LE ROI PESTE

HISTOIRE CONTENANT UNE ALLÉGORIE

> Les dieux souffrent et autorisent
> fort bien chez les rois les choses qui
> leur font horreur dans les chemins de
> la canaille.
>
> BUCKHURST. — *Ferrex et Porrex.*

VERS minuit environ, pendant une nuit du mois d'octobre, sous le règne chevaleresque d'Edouard III, deux matelots appartenant à l'équipage du *Free-and-Easy*, goëlette de commerce faisant le service entre l'Ecluse (Belgique) et la Tamise, et qui était alors à l'ancre dans cette rivière, furent très-émerveillés de se trouver assis dans la salle d'une taverne de la paroisse Saint-André, à Londres, — laquelle taverne portait pour enseigne la portraiture du *Joyeux Loup de mer*.

La salle, quoique mal construite, noircie par la fumée, basse de plafond, et ressemblant d'ailleurs à tous les cabarets de cette époque, était néanmoins, dans l'opinion des groupes grotesques de buveurs disséminés çà et là, suffisamment bien appropriée à sa destination.

De ces groupes, nos deux matelots formaient, je crois, le plus intéressant, sinon le plus remarquable.

Celui qui paraissait être l'aîné, et que son compagnon

appelait du nom caractéristique de *Legs* (jambes), était aussi de beaucoup le plus grand des deux. Il pouvait bien avoir six pieds et demi, et une courbure habituelle des épaules semblait la conséquence nécessaire d'une aussi prodigieuse stature. — Son superflu en hauteur était néanmoins plus que compensé par des déficits à d'autres égards. Il était excessivement maigre, et il aurait pu, comme l'affirmaient ses camarades, remplacer, quand il était ivre, une flamme de tête de mât, et à jeun le bout-dehors du foc. Mais évidemment ces plaisanteries et d'autres analogues n'avaient jamais produit aucun effet sur les muscles cachinnatoires du loup de mer. Avec ses pommettes saillantes, son grand nez de faucon, son menton fuyant, sa mâchoire inférieure déprimée et ses énormes yeux blancs protubérants, l'expression de sa physionomie, quoique empreinte d'une espèce d'indifférence bourrue pour toutes choses, n'en était pas moins solennelle et sérieuse au-delà de toute imagination et de toute description.

Le plus jeune matelot était, dans toute son apparence extérieure, l'inverse et la *réciproque* de son camarade. Une paire de jambes arquées et trapues supportait sa personne lourde et ramassée, et ses bras singulièrement courts et épais, terminés par des poings plus qu'ordinaires, pendillaient et se balançaient à ses côtés comme les ailerons d'une tortue de mer. De petits yeux, d'une couleur non précise, scintillaient, profondément enfoncés dans sa tête. Son nez restait enfoui dans la masse de chair qui enveloppait sa face ronde, pleine et pourprée, et sa grosse lèvre supérieure se reposait complaisamment sur l'inférieure, encore plus grosse, avec un air de satisfaction personnelle, augmenté par l'habitude qu'avait le propriétaire des dites lèvres de les lécher de temps à autre. Il regardait évidemment son grand camarade de bord avec un sentiment moitié d'ébahissement, moitié de raillerie; et parfois, quand il le contemplait en face, il avait l'air du soleil empourpré contemplant, avant de se coucher, le haut des rochers de Ben-Nevis.

Cependant, les pégrégrinations du digne couple dans les différentes tavernes du voisinage pendant les premières heures de la nuit avaient été variées et pleines d'événements. Mais les fonds, même les plus vastes, ne sont pas éternels, et c'était avec des poches vides que nos amis s'étaient aventurés dans le cabaret en question.

Au moment précis où commence proprement cette histoire, Legs et son compagnon Hugh Tarpaulin étaient assis, chacun avec les deux coudes appuyés sur la vaste table de chêne, au milieu de la salle; et les joues entre les mains. A l'abri d'un vaste flacon de *humming-stuff* non payé, ils lorgnaient les mots sinistres : — *Pas de craie* [1], — qui, non sans étonnement et sans indignation de leur part, étaient écrits sur la porte en caractères de craie, — cette impudente craie qui osait se déclarer absente! Non que la faculté de déchiffrer les caractères écrits — faculté considérée parmi le peuple de ce temps comme un peu moins cabalistique que l'art de les tracer — eût pu, en stricte justice, être imputée aux deux disciples de la mer; mais il y avait, pour dire la vérité, un certain tortillement dans la tournure des lettres, — et dans l'ensemble je ne sais quelle indescriptible embardée, — qui présageaient, dans l'opinion des deux marins, une sacrée secousse et un sale temps, et qui les décidèrent tout d'un coup, suivant le langage métaphorique de Legs, à veiller aux pompes, à serrer toute la toile et à fuir devant le vent. En conséquence, ayant consommé ce qui restait d'ale, et solidement agrafé leurs courts pourpoints, finalement ils prirent leur élan vers la rue. Tarpaulin, il est vrai, entra deux fois dans la cheminée, la prenant pour la porte, mais enfin leur fuite s'effectua heureusement, et, une demi-heure après minuit, nos deux héros avaient paré au grain et filaient rondement à travers une ruelle sombre dans la direction de l'escalier Saint-André, chaudement poursuivis par la tavernière du *Joyeux Loup de mer*.

1. Pas de crédit (C.B.)

Bien des années avant et après l'époque où se passe cette dramatique histoire, toute l'Angleterre. mais plus particulièrement la métropole, retentissait périodiquement du cri sinistre : « La Peste! » La Cité était en grande partie dépeuplée, — et, dans ces horribles quartiers avoisinant la Tamise, parmi ces ruelles et ces passages noirs, étroits et immondes, que le Démon de la Peste avait choisis, supposait-on alors, pour le lieu de sa nativité, on ne pouvait rencontrer, se pavanant à l'aise, que l'Effroi, la Terreur et la Superstition.

Par ordre du roi, ces quartiers étaient condamnés, et il était défendu à toute personne, sous peine de mort, de pénétrer dans leurs affreuses solitudes. Cependant, ni le décret du monarque, ni les énormes barrières élevées à l'entrée des rues, ni la perspective de cette hideuse mort, qui, presque à coup sûr, engloutissait le misérable qu'aucun péril ne pouvait détourner de l'aventure, n'empêchaient les habitations démeublées et inhabitées d'être dépouillées, par la main d'une rapine nocturne, du fer, du cuivre, des plombages, enfin de tout article pouvant devenir l'objet d'un lucre quelconque.

Il fut particulièrement constaté, à chaque hiver, à l'ouverture annuelle des barrières, que les serrures, les verrous et les caves secrètes n'avaient protégé que médiocrement ces amples provisions de vins et liqueurs, que, vu les risques et les embarras du déplacement, plusieurs des nombreux marchands ayant boutique dans le voisinage s'étaient résignés, durant la période de l'exil, à confier à une aussi insuffisante garantie.

Mais, parmi le peuple frappé de terreur, bien peu de gens attribuaient ces faits à l'action des mains humaines. Les Esprits et les Gobelins de la peste, les Démons de la fièvre, tels étaient pour le populaire les vrais suppôts de malheur; et il se débitait sans cesse là-dessus des contes à glacer le sang, si bien que toute la masse des bâtiments condamnés fut à la longue enveloppée de terreur comme d'un suaire, et que le voleur lui-même, souvent épouvanté par l'horreur superstitieuse qu'avaient créée ses propres déprédations, laissait le vaste circuit du quartier maudit aux ténèbres, au silence, à la peste et à la mort.

Ce fut par l'une des redoutables barrières dont il a été parlé, et qui indiquaient que la région située au-delà était condamnée, que Legs et le digne Hugh Tarpaulin, qui dégringolaient à travers une ruelle, trouvèrent leur course soudainement arrêtée. Il ne pouvait pas être question de revenir sur leurs pas, et il n'y avait pas de temps à perdre; car ceux qui leur donnaient la chasse étaient presque sur leurs talons. Pour des matelots pur sang, grimper sur la charpente grossièrement façonnée n'était qu'un jeu; et, exaspérés par la double excitation de la course et des liqueurs, ils sautèrent résolument de l'autre côté, puis, reprenant leur course ivre avec des cris et des hurlements, s'égarèrent bientôt dans ces profondeurs compliquées et malsaines.

S'ils n'avaient pas été ivres au point d'avoir perdu le sens moral, leurs pas vacillants eussent été paralysés par les horreurs de leur situation. L'air était froid et brumeux. Parmi le gazon haut et vigoureux qui leur montait jusqu'aux chevilles, les pavés déchaussés gisaient dans un affreux désordre. Des maisons tombées bouchaient les rues. Les miasmes les plus fétides et les plus délétères régnaient partout; — et, grâce à cette pâle lumière qui, même à minuit, émane toujours d'une atmosphère vaporeuse et pestilentielle, on aurait pu discerner, gisant dans les allées et les ruelles, ou pourrissant dans les habitations sans fenêtres, la charogne de maint voleur nocturne arrêté par la main de la peste dans la perpétration de son exploit.

Mais il n'était pas au pouvoir d'images, de sensations et d'obstacles de cette nature d'arrêter la course de deux hommes qui, naturellement braves, et, cette nuit-là surtout, pleins jusqu'aux bords de courage et de *humming-stuff,* auraient intrépidement roulé, aussi droit que l'aurait permis leur état, dans la gueule même de la Mort. En avant, — toujours en avant allait le sinistre Legs, faisant retentir les échos de ce désert solennel de cris semblables

au terrible hurlement de guerre des Indiens; et avec lui
toujours, toujours roulait le trapu Tarpaulin, accroché
au pourpoint de son camarade plus agile, et surpassant
encore les plus valeureux efforts de ce dernier dans la
musique vocale par des mugissements de *basse* tirés des
profondeurs de ses poumons stentoriens.

Evidemment, ils avaient atteint la place forte de la
peste. A chaque pas ou à chaque culbute, leur route devenait plus horrible et plus infecte, les chemins plus
étroits et plus embrouillés. De grosses pierres et des
poutres tombant de temps en temps des toits délabrés
rendaient témoignage, par leurs chutes lourdes et funestes,
de la prodigieuse hauteur des maisons environnantes;
et, quand il leur fallait faire un effort énergique pour
se pratiquer un passage à travers les fréquents monceaux
de gravats, il n'était pas rare que leur main tombât sur
un squelette ou s'empêtrât dans des chairs décomposées.

Tout à coup les marins trébuchèrent contre l'entrée
d'un vaste bâtiment d'apparence sinistre; un cri plus
aigu que de coutume jaillit du gosier de l'exaspéré Legs,
et il fut répondu de l'intérieur par une explosion rapide,
successive, de cris sauvages, démoniaques, presque des
éclats de rire. Sans s'effrayer de ces sons, qui, par leur
nature, dans un pareil lieu, dans un pareil moment, auraient figé le sang dans des poitrines moins irréparable-
ment incendiées, nos deux ivrognes piquèrent tête baissée
dans la porte, l'enfoncèrent, et s'abattirent au milieu des
choses avec une volée d'imprécations.

La salle dans laquelle ils tombèrent se trouva être le
magasin d'un entrepreneur des pompes funèbres; mais
une trappe ouverte dans un coin du plancher, près de la
porte, donnait sur une enfilade de caves, dont les profondeurs, comme le proclama un son de bouteilles qui
se brisent, étaient bien aprovisionnées de leur contenu
traditionnel. Dans le milieu de la salle, une table était
dressée, — au milieu de la table, un gigantesque bol
plein de punch, à ce qu'il semblait. Des bouteilles de vins
et de liqueurs, concurremment avec des pots, des cruches

et des flacons de toute forme et de toute espèce, étaient éparpillées à profusion sur la table. Tout autour, sur des tréteaux funèbres, siégeait une société de six personnes. Je vais essayer de vous les décrire une à une.

En face de la porte d'entrée, et un peu plus haut que ses compagnons, était assis un personnage qui semblait être le président de la fête. C'était un être décharné, d'une grande taille, et Legs fut stupéfié de se trouver en face d'un plus maigre que lui. Sa figure était aussi jaune que du safran; — mais aucun trait, à l'exception d'un seul, n'était assez marqué pour mériter une description particulière. Ce trait unique consistait dans un front si anormalement et si hideusement haut, qu'on eût dit un bonnet ou une couronne de chair ajoutée à sa tête naturelle. Sa bouche grimaçante était plissée par une expression d'affabilité spectrale, et ses yeux, comme les yeux de toutes les personnes attablées, brillaient du singulier vernis que font les fumées de l'ivresse. Ce gentleman était vêtu des pieds à la tête d'un manteau de velours de soie noir, richement brodé, qui flottait négligemment autour de sa taille à la manière d'une cape espagnole. Sa tête était abondamment hérissée de plumes de corbillard, qu'il balançait de-çi de-là avec un air d'afféterie consommée; et, dans sa main droite, il tenait un grand fémur humain, avec lequel il venait de frapper, à ce qu'il semblait, un des membres de la compagnie pour lui commander une chanson.

En face de lui, et le dos tourné à la porte, était une dame dont la physionomie extraordinaire ne lui cédait en rien. Quoique aussi grande que le personnage que nous venons de décrire, celle-ci n'avait aucun droit de se plaindre d'une maigreur anormale. Elle en était évidemment au dernier période de l'hydropisie, et sa tournure ressemblait beaucoup à celle de l'énorme pièce de *bière d'Octobre* qui se dressait, défoncée par le haut, juste à côté d'elle, dans un coin de la chambre. Sa figure était singulièrement ronde, rouge et pleine; et la même particularité, ou plutôt l'absence de particularité que j'ai déjà mentionnée dans le cas du président, marquait sa physionomie, — c'est-à-dire qu'un seul trait de sa face méritait une caractérisation spéciale; le fait est que le clairvoyant Tarpaulin vit tout de suite que la même remarque pouvait s'appliquer à toutes les personnes de la société; chacune semblait avoir accaparé pour elle seule un morceau de physionomie. Dans la dame en question, ce morceau, c'était la bouche : — une bouche qui commençait à l'oreille droite, et courait jusqu'à la gauche en dessinant un abîme terrifique, — ses très-courts pendants d'oreilles trempant à chaque instant dans le gouffre. La dame néanmoins faisait tous ses efforts pour garder cette bouche fermée et se donner un air de dignité; sa toilette consistait en un suaire fraîchement empesé et repassé, qui lui montait jusque sous le menton, avec une collerette plissée en mousseline de batiste.

A sa droite était assise une jeune dame minuscule qu'elle semblait patronner. Cette délicate petite créature laissait voir dans le tremblement de ses doigts émaciés, dans le ton livide de ses lèvres et dans la légère tache hectique plaquée sur son teint d'ailleurs plombé, des symptômes évidents d'une phthisie effrénée. Un air de haute distinction, néanmoins, était répandu sur toute sa personne; elle portait d'une manière gracieuse et tout à fait dégagée un vaste et beau linceul en très-fin linon des Indes; ses cheveux tombaient en boucles sur son cou; un doux sourire se jouait sur sa bouche; mais son nez, extrêmement long, mince, sinueux, flexible, et pustuleux, pendait beaucoup plus bas que sa lèvre inférieure; et cette trompe, malgré la façon délicate dont elle la déplaçait de temps à autre et la mouvait à droite et à gauche avec sa langue, donnait à sa physionomie une expression tant soit peu équivoque.

De l'autre côté, à la gauche de la dame hydropique, était assis un vieux petit homme, enflé, asthmatique et goutteux. Ses joues reposaient sur ses épaules comme deux énormes outres de vin d'Oporto. Avec ses bras croisés et l'une de ses jambes entourée de bandages et reposant

sur la table, il semblait se regarder comme ayant droit
à quelque considération. Il tirait évidemment beaucoup
d'orgueil de chaque pouce de son enveloppe personnelle,
mais prenait un plaisir plus spécial à attirer les yeux
par son surtout de couleur voyante. Il est vrai que ce
surtout n'avait pas dû lui coûter peu d'argent, et qu'il
était de nature à lui aller parfaitement bien; — il était
fait d'une de ces housses de soie curieusement brodées,
appartenant à ces glorieux écussons qu'on suspend, en
Angleterre et ailleurs, dans un endroit bien visible, au-
dessus des maisons des grandes familles absentes.

A côté de lui, à la droite du président, était un gentleman avec de grands bas blancs et un caleçon de coton.
Tout son être était secoué d'une manière risible par un
tic nerveux que Tarpaulin appelait *les affres* de l'ivresse.
Ses mâchoires, fraîchement rasées, étaient étroitement ser-
rées dans un bandage de mousseline, et ses bras, liés
de la même manière par les poignets, ne lui permettaient
pas de se servir lui-même trop librement des liqueurs de
la table; précaution rendue nécessaire, dans l'opinion de
Legs, par le caractère singulièrement abruti de sa face de
biberon. Toutefois, une paire d'oreilles prodigieuses,
qu'il était sans doute impossible d'enfermer, surgissaient
dans l'espace, et étaient de temps en temps comme piquées
d'un spasme au son de chaque bouchon qu'on faisait
sauter.

Sixième et dernier, et lui faisant face, était placé un
personnage qui avait l'air singulièrement raide, et qui,
étant affligé de paralysie, devait se sentir, pour parler
sérieusement, fort peu à l'aise dans ses très-incommodes
vêtements. Il était habillé (habillement peut-être unique
dans son genre) d'une belle bière d'acajou toute neuve.
Le haut du couvercle portait sur le crâne de l'homme
comme un armet, et l'enveloppait comme un capuchon,
donnant à toute la face une physionomie d'un intérêt
indescriptible. Des emmanchures avaient été pratiquées
des deux côtés, autant pour la commodité que pour l'élégance; mais cette toilette toutefois empêchait le mal-

heureux qui en était paré de se tenir droit sur son siège,
comme ses camarades; et, comme il était déposé contre
son tréteau, et incliné suivant un angle de quarante-cinq
degrés, ses deux gros yeux à fleur de tête roulaient et
dardaient vers le plafond leurs terribles globes blan-
châtres, comme dans un absolu étonnement de leur propre
énormité.

Devant chaque convive était placée une moitié de crâne,
dont il se servait en guise de coupe. Au-dessus de leurs
têtes pendait un squelette humain, au moyen d'une corde
nouée autour d'une des jambes et fixée à un anneau
du plafond. L'autre jambe, qui n'était pas retenue par
un lien semblable, jaillissait du corps à angle droit, faisant danser et pirouetter toute la carcasse éparse et fré-
missante, chaque fois qu'une bouffée de vent se frayait
un passage dans la salle. Le crâne de l'affreuse chose
contenait une certaine quantité de charbon enflammé
qui jetait sur toute la scène une lueur vacillante mais
vive; et les bières et tout le matériel d'un entrepreneur
de sépultures, empilés à une grande hauteur autour de
la chambre et contre les fenêtres, empêchaient tout rayon
de lumière de se glisser dans la rue.

A la vue de cette extraordinaire assemblée et de son
attirail encore plus extraordinaire, nos deux marins ne se
conduisirent pas avec tout le décorum qu'on aurait eu
le droit d'attendre d'eux. Legs, s'appuyant contre le mur
auprès duquel il se trouvait, laissa tomber sa mâchoire
inférieure encore plus bas que de coutume, et déploya
ses vastes yeux dans toute leur étendue; pendant que
Hugh Tarpaulin, se baissant au point de mettre son nez
de niveau avec la table, et posant ses mains, sur ses genoux, éclata en un rire immodéré et intempestif, c'est-
à-dire en un long, bruyant, étourdissant rugissement.

Cependant, sans prendre ombrage d'une conduite si
prodigieusement grossière, le grand président sourit très-
gracieusement à nos intrus, — leur fit, avec sa tête de
plumes noires, un signe plein de dignité, — et, se levant,
prit chacun par un bras, et le conduisit vers un siège

que les autres personnes de la compagnie venaient d'ins-
taller à son intention. Legs ne fit pas à tout cela la plus
légère résistance, et s'assit où on le conduisit; pendant que
le galant Hugh, enlevant son tréteau du haut bout de
la table, porta son installation dans le voisinage de la
petite dame phthisique au linceul, s'abattit à côté d'elle
en grande joie, et, se versant un crâne de vin rouge,
l'avala en l'honneur d'une plus intime connaissance. Mais,
à cette présomption, le raide gentleman à la bière parut
singulièrement exaspéré; et cela aurait pu donner lieu à
de sérieuses conséquences, si le président n'avait pas, en
frappant sur la table avec son sceptre, ramené l'attention
de tous les assistants au discours suivant :

— L'heureuse occasion qui se présente nous fait un
devoir...

— Tiens bon là! — interrompit Legs, avec un air de
grand sérieux, — tiens bon, un bout de temps, que je
dis, et dis-nous qui diable vous êtes tous, et quelle besogne
vous faites ici, équipés comme de sales démons, et avalant
le bon petit *tord-boyaux* de notre honnête camarade,
Will Wimble le croque-mort, et toutes ses provisions
arrimées pour l'hiver!

A cet impardonnable échantillon de mauvaise éducation,
toute l'étrange société se dressa à moitié sur ses pieds,
et proféra rapidement une foule de cris diaboliques,
semblables à ceux qui avaient d'abord attiré l'attention
des matelots. Le président, néanmoins, fut le premier à
recouvrer son sang-froid, et, à la longue, se tournant
vers Legs avec une grande dignité, il reprit :

— C'est avec un parfait bon vouloir que nous satisferons
toute curiosité raisonnable de la part d'hôtes aussi illustres, bien qu'ils n'aient pas été invités. Sachez donc
que je suis le monarque de cet empire, et que je règne
ici sans partage, sous ce titre : le Roi Peste Ier.

» Cette salle, que vous supposez très-injurieusement être
la boutique de Will Wimble, l'entrepreneur de pompes
funèbres, — un homme que nous ne connaissons pas, et
dont l'appellation plébéienne n'avait jamais, avant cette

nuit, écorché nos oreilles royales, — cette salle, dis-je, est
la Salle du Trône de notre Palais, consacrée aux conseils
de notre royaume et à d'autres destinations d'un ordre
sacré et supérieur.

» La noble dame assise en face de nous est la Reine
Peste, notre Sérénissime Epouse. Les autres personnages
illustres que vous contemplez sont tous de notre famille,
et portent la marque de l'origine royale dans leurs noms
respectifs : Sa Grâce l'Archiduc Pest-Ifère, — Sa Grâce
le Duc Pest-Ilentiel, — Sa Grâce le Duc Tem-Pestueux,
— et Son Altesse Sérénissime l'Archiduchesse Ana-Peste.

» En ce qui regarde, — ajouta-t-il, — votre question,
relativement aux affaires que nous traitons ici en conseil,
il nous serait loisible de répondre qu'elles concernent
notre intérêt royal et privé, et, ne concernant que lui,
n'ont absolument d'importance que pour nous-même. Mais,
en considération de ces égards que vous pourriez reven-
diquer en votre qualité d'hôtes et d'étrangers, nous dai-
gnerons encore vous expliquer que nous sommes ici cette
nuit, — préparés par de profondes recherches et de soigneuses investigations, — pour examiner, analyser et
déterminer péremptoirement l'esprit indéfinissable, les incompréhensibles qualités et la nature de ces inestimables
trésors de la bouche, vins, ales et liqueurs de cette excellente métropole; pour, en agissant ainsi, non-seulement
atteindre notre but, mais aussi augmenter la véritable
prospérité de ce souverain qui n'est pas de ce monde, qui
règne sur nous tous, dont les domaines sont sans limites,
et dont le nom est : la Mort!

— Dont le nom est Davy Jones — s'écria Tarpaulin,
servant à la dame à côté de lui un plein crâne de liqueur,
et s'en versant un second à lui-même.

— Profane coquin! — dit le président, tournant alors
son attention vers le digne Hugh, — profane et exé-
crable drôle! — Nous avons dit qu'en considération de ces
droits que nous ne nous sentons nullement enclin à violer, même dans ta sale personne, nous condescendions à
répondre à tes grossières et intempestives questions. Néan-

moins, nous croyons que, vu votre profane intrusion
dans nos conseils, il est de notre devoir de vous
condamner, toi et ton compagnon, chacun à un gallon de
black-strap, — que vous boirez à la prospérité de notre
royaume, — d'un seul trait, — et à genoux; — aussitôt
après, vous serez libres l'un et l'autre de continuer votre
route, ou de rester et de partager les privilèges de notre
table, selon votre goût personnel et respectif.

— Ce serait une chose d'une absolue impossibilité,
— répliqua Legs, à qui les grands airs et la dignité du
roi Peste Ier avaient évidemment inspiré quelques sentiments de respect, et qui s'était levé et appuyé contre la
table pendant que celui-ci parlait; — ce serait, s'il plaît
à Votre Majesté, une chose d'une absolue impossibilité
d'arrimer dans ma cale le quart seulement de cette liqueur
dont vient de parler Votre Majesté. Pour ne rien dire de
toutes les marchandises que nous avons chargées à notre
bord dans la matinée en manière de lest, et sans mentionner les diverses ales et liqueurs que nous avons em-
barquées ce soir dans différents ports, j'ai, pour le moment, une forte cargaison de *humming-stuff,* prise et
dûment payée à l'enseigne du *Joyeux Loup de mer.* Votre
Majesté voudra donc être assez gracieuse pour prendre la
bonne volonté pour le fait; — car je ne puis ni ne veux
en aucune façon avaler une goutte de plus; — encore
moins une goutte de cette vilaine eau de cale qui répond
au salut de *black-strap.*

— Amarre ça! — interrompit Tarpaulin, non moins
étonné de la longueur du speech de son camarade que
de la nature de son refus. — Amarre ça, matelot d'eau
douce! — Lâcheras-tu bientôt le crachoir, que je dis, Legs!
Ma coque est encore légère, bien que toi, je le confesse,
tu me paraisses un peu trop chargé par le haut; et, quant
à ta part de cargaison, eh bien! plutôt que de faire lever
un grain, je trouverai pour elle de la place à mon bord,
mais...

— Cet arrangement, interrompit le président, est en
complet désaccord avec les termes de la sentence, ou

condamnation, qui de sa nature est médique, incommu-
table et sans appel. Les conditions que nous avons im-
posées seront remplies à la lettre, et cela sans une minute
d'hésitation; — faute de quoi, nous décrétons que vous
serez attachés ensemble par le cou et les talons, et dûment
noyés comme rebelles dans la pièce de *bière d'Octobre*
que voilà!

— Voilà une sentence! — Quelle sentence! — Equitable,
judicieuse sentence! — Un glorieux décret! — Une très-
digne, très-irréprochable et très-sainte condamnation! —
crièrent à la fois tous les membres de la famille Peste.
Le roi fit jouer son front en innombrables rides; le vieux
petit homme goutteux souffla comme un soufflet; la dame
au linceul de linon fit onduler son nez à droite et à
gauche; le gentleman au caleçon convulsa ses oreilles; la
dame au suaire ouvrit la gueule comme un poisson à
l'agonie; et l'homme à la bière d'acajou parut encore
plus raide et roula ses yeux vers le plafond.

— Hou! hou! — fit Tarpaulin, s'épanouissant de rire,
sans prendre garde à l'agitation générale. — Hou! hou!
hou! — Hou! hou! hou! — Je disais, quand M. le Roi
Peste est venu fourrer son épissoir, que, pour quant à la
question de deux ou trois gallons de *black-strap* de plus
ou de moins, c'était une bagatelle pour un bon et solide
bateau comme moi, quand il n'était pas trop chargé; —
mais, quand il s'agit de boire à la santé du Diable (que
Dieu puisse absoudre!) et de me mettre à genoux devant
la vilaine Majesté que voilà, que je sais, aussi bien que je
me connais pour un pécheur, n'être pas autre que Tim
Hurlygurly le paillasse! — oh! pour cela, c'est une tout
autre affaire, et qui dépasse absolument mes moyens et
mon intelligence.

Il ne lui fut pas accordé de finir tranquillement son
discours. Au nom de Tim Hurlygurly, tous les convives
bondirent sur leurs sièges.

— Trahison! — hurla Sa Majesté le Roi Peste Ier.
— Trahison! — dit le petit homme à la goutte.
— Trahison! — glapit l'Archiduchesse Ana-Peste.

— Trahison! — marmotta le gentleman aux mâchoires attachées.

— Trahison! — grogna l'homme à la bière.

— Trahison! trahison! — cria Sa Majesté, la femme à la gueule; et, saisissant par la partie postérieure de ses culottes l'infortuné Tarpaulin, qui commençait justement à remplir pour lui-même un crâne de liqueur, elle le souleva vivement en l'air et le fit tomber sans cérémonie dans le vaste tonneau défoncé plein de son ale favorite. Ballotté çà et là pendant quelques secondes, comme une pomme dans un bol de toddy, il disparut finalement dans le tourbillon d'écume que ses efforts avaient naturellement soulevé dans le liquide déjà fort mousseux par sa nature.

Toutefois, le grand matelot ne vit pas avec résignation la déconfiture de son camarade. Précipitant le Roi Peste à travers la trappe ouverte, le vaillant Legs ferma violemment la porte sur lui avec un juron, et courut vers le centre de la salle. Là, arrachant le squelette suspendu au-dessus de la table, il le tira à lui avec tant d'énergie et de bon vouloir, qu'il réussit, en même temps que les derniers rayons de lumière s'éteignaient dans la salle, à briser la cervelle du petit homme à la goutte. Se précipitant alors de toute sa force sur le fatal tonneau plein d'*ale d'Octobre* et de Hugh Tarpaulin, il le culbuta en un instant et le fit rouler sur lui-même. Il en jaillit un déluge de liqueur si furieux, — si impétueux, — si envahissant, — que la chambre fut inondée d'un mur à l'autre, — la table renversée avec tout ce qu'elle portait, — les tréteaux jetés sens dessus dessous, — le baquet de punch dans la cheminée, — et les dames dans des attaques de nerfs. Des piles d'articles funèbres se débattaient çà et là. Les pots, les cruches, les grosses bouteilles habillées de jonc se confondaient dans une affreuse mêlée, et les flacons d'osier se heurtaient désespérément contre les gourdes cuirassées de corde. L'homme aux *affres* fut noyé sur place, — le petit gentleman paralytique naviguait au large dans sa bière, — et le victorieux Legs, saisissant par la taille la grosse dame au suaire, se précipita avec elle dans la rue, et mit le cap tout droit dans la direction du *Free-and-Easy*, prenant bien le vent et remorquant le redoutable Tarpaulin, qui, ayant éternué trois ou quatre fois, haletait et soufflait derrière lui en compagnie de l'Archiduchesse Ana-Peste.

LE DIABLE
DANS LE BEFFROI

Quelle heure est-il?
Vieille locution.

CHACUN sait d'une manière vague que le plus bel endroit du monde est — ou *était*, hélas! — le bourg hollandais de Vondervotteimittiss. Cependant, comme il est à quelque distance de toutes les grandes routes, dans une situation pour ainsi dire extraordinaire, il n'y a peut-être qu'un petit nombre de mes lecteurs qui lui aient rendu visite. Pour l'agrément de ceux qui n'ont pu le faire, je juge donc à propos d'entrer dans quelques détails à son sujet. Et c'est en vérité d'autant plus nécessaire que, si je me propose de donner un récit des événements calamiteux qui ont fondu tout récemment sur son territoire, c'est avec l'espoir de conquérir à ses habitants la sympathie publique. Aucun de ceux qui me connaissent ne doutera que le devoir que je m'impose ne soit exécuté avec tout ce que j'y peux mettre d'habileté, avec cette impartialité rigoureuse, cette scrupuleuse vérification des faits et cette laborieuse collation des autorités qui doivent toujours distinguer celui qui aspire au titre d'historien.

Par le secours réuni des médailles, manuscrits et inscriptions, je suis autorisé à affirmer positivement que le

174 NOUVELLES HISTOIRES EXTRAORDINAIRES

bourg de Vondervotteimittiss a toujours existé dès son
origine précisément dans la même condition où on le voit
encore aujourd'hui. Mais, quant à la date de cette origine,
il m'est pénible de n'en pouvoir parler qu'avec cette *précision indéfinie* dont les mathématiciens sont quelquefois
obligés de s'accommoder dans certaines formules algé-
briques. La date, il m'est permis de m'exprimer ainsi, en
égard à sa prodigieuse antiquité, ne peut pas être moindre
qu'une quantité déterminable quelconque.

Relativement à l'étymologie du nom Vondervotteimittiss, je me confesse, non sans peine, également en défaut.
Parmi une multitude d'opinions sur ce point délicat, —
quelques-unes très-subtiles, quelques-unes très-érudites,
quelques-unes suffisamment inverses, — je n'en trouve aucune qui puisse être considérée comme satisfaisante. Peut-
être l'idée de Grogswigg, — qui coïncide presque avec celle
de Kroutaplenttey, — doit-elle être *prudemment* préférée.
Elle est ainsi conçue : — *Vondervotteimittiss,* — *Vonder,
lege Donder,* — *Votteimittiss, quasi und Bleitziz,* —
Bleitziz, obsoletum pro Blitzen. Cette étymologie, pour dire
la vérité, se trouve assez bien confirmée par quelques
traces de fluide électrique, qui sont encore visibles au sommet du clocher de la Maison-de-Ville. Toutefois, je ne
me soucie pas de me comprendre dans une thèse d'une
pareille importance, et je prierai le lecteur curieux d'informations, d'en référer aux *Oratiunculæ de Rebus Prœ-
ter-Veteris,* de Dundergutz. Voyez aussi Blunderbuzzard,
De Derivationibus, de la page 27 à la page 5 010, in-folio,
édition gothique, caractères rouges et noirs, avec réclames
et sans signatures; — consultez aussi dans cet ouvrage les
notes marginales autographes de Stuffundpuff, avec les
sous-commentaires de Gruntundguzzell.

Malgré l'obscurité qui enveloppe ainsi la date de la fon-
dation de Vondervotteimittiss et l'étymologie de son nom,
on ne peut douter, comme je l'ai déjà dit, qu'il n'ait toujours existé tel que nous le voyons présentement. L'homme
le plus vieux du bourg ne se rappelle pas la plus légère
différence dans l'aspect d'une partie quelconque de sa

patrie, et en vérité la simple suggestion d'une telle possibilité y serait considérée comme une insulte. Le village
est situé dans une vallée parfaitement circulaire, dont la
circonférence est d'un quart de mille à peu près, et complétement environnée par de jolies collines dont les habitants ne se sont jamais avisés de franchir les sommets. Ils
donnent d'ailleurs une excellente raison de leur conduite,
c'est qu'ils ne croient pas qu'il y ait quoi que ce soit de
l'autre côté.

Autour de la lisière de la vallée (qui est tout à fait
unie et pavée dans toute son étendue de tuiles plates)
s'étend un rang continu de soixante petites maisons. Elles
sont appuyées par derrière sur les collines, et naturellement elles regardent toutes le centre de la plaine, qui est
juste à soixante yards de la porte de face de chaque habitation. Chaque maison a devant elle un petit jardin, avec
une allée circulaire, un cadran solaire et vingt-quatre
choux. Les constructions elles-mêmes sont si parfaitement
semblables, qu'il est impossible de distinguer l'une de
l'autre. A cause de son extrême antiquité, le style de l'architecture est quelque peu bizarre; mais, pour cette raison
même, il n'est que plus remarquablement pittoresque.
Elles sont faites de petites briques bien durcies au feu,
rouges, avec des coins noirs, de sorte que les murs ressemblent à un échiquier dans de vastes proportions. Les
pignons sont tournés du côté de la façade, et il y a des
corniches, aussi grosses que le reste de la maison, aux re-
bords des toits et aux portes principales. Les fenêtres sont
étroites et profondes, avec de tout petits carreaux et force
châssis. Le toit est recouvert d'une multitude de tuiles
à oreillettes roulées. La charpente est partout d'une couleur sombre, très-ouvragée, mais avec peu de variété
dans les dessins; car, de temps immémorial, les sculpteurs
en bois de Vondervotteimittiss n'ont jamais su tailler
plus de deux objets, — une horloge et un chou. Mais ils
les font admirablement bien, et ils les prodiguent avec
une singulière ingéniosité, partout où ils trouvent une
place pour le ciseau.

Les habitations se ressemblent autant à l'intérieur qu'au dehors, et l'ameublement est façonné d'après un seul modèle. Le sol est pavé de tuiles carrées, les chaises et les tables sont en bois noir, avec des pieds tors, grêles, et amincis par le bas. Les cheminées sont larges et hautes, et n'ont pas seulement des horloges et des choux sculptés sur la face de leurs chambranles, mais elles supportent au milieu de la tablette une véritable horloge qui fait un prodigieux tic-tac, avec deux pots à fleurs contenant chacun un chou, qui se tient ainsi à chaque bout en manière de chasseur ou de piqueur. Entre chaque chou et l'horloge, il y a encore un petit magot chinois à grosse panse avec un grand trou au milieu, à travers lequel apparaît le cadran d'une montre.

Les foyers sont vastes et profonds, avec des chenets farouches et contournés. Il y a constamment un grand feu et une énorme marmite dessus, pleine de choucroute et de porc, que la bonne femme de la maison surveille incessamment. C'est une grosse et vieille petite dame, aux yeux bleus et à la face rouge, qui porte un immense bonnet, semblable à un pain de sucre, agrémenté de rubans de couleur pourpre et jaune. Sa robe est de tiretaine orangée, très-ample par derrière et très-courte de taille, — et fort courte en vérité sous d'autres rapports, car elle ne descend pas à mi-jambe. Ces jambes sont quelque peu épaisses, ainsi que les chevilles, mais elles sont revêtues d'une belle paire de bas verts. Ses souliers — de cuir rose — sont attachés par un nœud de rubans jaunes épanouis et fripés en forme de chou. Dans sa main gauche, elle tient une lourde petite montre hollandaise; de la droite, elle manie une grande cuiller pour la choucroute et le porc. A côté d'elle se tient un gros chat moucheté, qui porte à sa queue une montre-joujou en cuivre doré, à répétition, que les *garçons* lui ont ainsi attachée en manière de farce.

Quant aux garçons eux-mêmes, ils sont tous trois dans le jardin, et veillent au cochon. Ils ont chacun deux pieds de haut. Ils portent des chapeaux à trois cornes, des gilets pourpres qui leur tombent presque sur les cuisses, des culottes en peau de daim, des bas rouges drapés, de lourds souliers avec de grosses boucles d'argent, et de longues vestes avec de larges boutons de nacre. Chacun porte aussi une pipe à la bouche, et une petite montre ventrue dans la main droite. Une bouffée de fumée, un coup d'œil à la montre, — un coup d'œil à la montre, une bouffée de fumée, — ils vont ainsi. Le cochon, — qui est corpulent et fainéant, — s'occupe tantôt à glaner les feuilles épaves qui sont tombées des choux, tantôt à ruer contre la montre dorée que ces petits polissons ont aussi attachée à la queue de ce personnage, dans le but de le faire aussi beau que le chat.

Juste devant la porte d'entrée, dans un fauteuil à grand dossier, à fond de cuir, aux pieds tors et grêles comme ceux des tables, est installé le vieux propriétaire de la maison lui-même. C'est un vieux petit monsieur excessivement bouffi, avec de gros yeux ronds et un vaste menton double. Sa tenue ressemble à celle des petits garçons, — et je n'ai pas besoin d'en dire davantage. Toute la différence est que sa pipe est quelque peu plus grosse que les leurs, et qu'il peut faire plus de fumée. Comme eux, il a une montre, mais il porte sa montre dans sa poche. Pour dire la vérité, il a quelque chose de plus important à faire qu'une montre à surveiller, — et, ce que c'est, je vais l'expliquer. Il est assis, la jambe droite sur le genou gauche, la physionomie grave, et tient toujours au moins un de ses yeux résolument braqué sur un certain objet fort intéressant au centre de la plaine.

Cet objet est situé dans le clocher de la Maison-de-Ville. Les membres du conseil sont tous hommes très-petits, très-ronds, très-adipeux, très-intelligents, avec des yeux gros comme des saucières et de vastes mentons doubles, et ils ont des habits beaucoup plus longs et des boucles de souliers beaucoup plus grosses que les vulgaires habitants de Vondervotteimittiss. Depuis que j'habite le bourg, ils ont tenu plusieurs séances extraordinaires, et ont adopté ces trois importantes décisions :

I

C'est un crime de changer le bon vieux train des choses.

II

Il n'existe rien de tolérable en dehors de Vondervotteimittiss.

III

Nous jurons fidélité éternelle à nos horloges et à nos choux.

Au-dessus de la chambre des séances est le clocher, et dans le clocher ou beffroi est et a été de temps immémorial l'orgueil et la merveille du village, — la grande horloge du bourg de Vondervotteimittiss. Et c'est là l'objet vers lequel sont tournés les yeux des vieux messieurs qui sont assis dans les fauteuils à fond de cuir.

La grande horloge a sept cadrans, — un sur chacun des sept pans du clocher, — de sorte qu'on peut l'apercevoir aisément de tous les quartiers. Les cadrans sont vastes et blancs, les aiguilles lourdes et noires. Au beffroi est attaché un homme dont l'unique fonction est d'en avoir soin; mais cette fonction est la plus parfaite des sinécures, — car, de mémoire d'homme, l'horloge de Vondervotteimittiss n'avait jamais réclamé son secours. Jusqu'à ces derniers jours, la simple supposition d'une pareille chose était considérée comme une hérésie. Depuis l'époque la plus ancienne dont fassent mention les archives, les heures avaient été régulièrement sonnées par la grosse cloche. Et, en vérité, il en était de même pour toutes les autres horloges et montres du bourg. Jamais il n'y eut pareil endroit pour bien marquer l'heure, et en mesure. Quand le gros battant jugeait le moment venu de dire : Midi! tous les obéissants serviteurs ouvraient simultanément leurs gosiers et répondaient comme un même écho. Bref, les bons bourgeois raffolaient de leur choucroute, mais ils étaient fiers de leurs horloges.

Tous les gens qui tiennent des sinécures sont tenus en plus ou moins grande vénération; et, comme l'homme du

beffroi de Vondervotteimittiss a la plus parfaite des sinécures, il est le plus parfaitement respecté de tous les mortels. Il est le principal dignitaire du bourg, et les cochons
eux-mêmes le considèrent avec un sentiment de révérence.
La queue de son habit est *beaucoup* plus longue, — sa
pipe, ses boucles de souliers, ses yeux et son estomac sont
beaucoup plus gros que ceux d'aucun autre vieux monsieur du village; et, quant à son menton, il n'est pas
seulement double, il est triple.

J'ai peint l'état heureux de Vondervotteimittiss; hélas!
quelle grande pitié qu'un si ravissant tableau fût
condamné à subir un jour un cruel changement!

C'est depuis bien longtemps un dicton accrédité parmi
les plus sages habitants, que *rien de bon ne peut venir
d'au-delà des collines,* et vraiment il faut croire que ces
mots contenaient en eux quelque chose de prophétique.
Il était midi moins cinq, — avant-hier, — quand apparut
un objet d'un aspect bizarre au sommet de la crête, — du
côté de l'est. Un tel événement devait attirer l'attention
universelle, et chaque vieux petit monsieur assis dans son
fauteuil à fond de cuir tourna l'un de ses yeux, avec
l'ébahissement de l'effroi, sur le phénomène, gardant toujours l'autre œil fixé sur l'horloge du clocher.

Il était midi moins trois minutes, quand on s'aperçut
que le singulier objet en question était un jeune homme
tout petit, et qui avait l'air étranger. Il descendait la colline avec une très-grande rapidité, de sorte que chacun
put bientôt le voir tout à son aise. C'était bien le plus
précieux petit personnage qui se fût jamais fait voir dans
Vondervotteimittiss. Il avait la face d'un noir de tabac,
un long nez crochu, des yeux comme des pois, une grande
bouche et une magnifique rangée de dents qu'il semblait
jaloux de montrer en ricanant d'une oreille à l'autre.
Ajoutez à cela des favoris et des moustaches, il n'y avait,
je crois, plus rien à voir de sa figure. Il avait la tête nue,
et sa chevelure avait été soigneusement arrangée avec des
papillotes. Sa toilette se composait d'un habit noir collant terminé en queue d'hirondelle, laissant pendiller par

l'une de ses poches un long bout de mouchoir blanc, — de culottes de casimir noir, de bas noirs, et d'escarpins qui ressemblaient à des moitiés de souliers, avec d'énormes bouffettes de ruban de satin noir pour cordons. Sous l'un de ses bras, il portait un vaste claque, et sous l'autre, un violon presque cinq fois gros comme lui. Dans sa main gauche était une tabatière en or, où il puisait incessamment du tabac de l'air le plus glorieux du monde, pendant qu'il cabriolait en descendant la colline, et dessinait toutes sortes de pas fantastiques. Bonté divine! — c'était là un spectacle pour les honnêtes bourgeois de Vondervotteimittiss!

Pour parler nettement, le gredin avait, en dépit de son ricanement, un audacieux et sinistre caractère dans la physionomie; et, pendant qu'il galopait tout droit vers le village, l'aspect bizarrement tronqué de ses escarpins suffit pour éveiller maints soupçons; et plus d'un bourgeois qui le contempla ce jour-là aurait donné quelque chose pour jeter un coup d'œil sous le mouchoir de batiste blanche qui pendait d'une façon si irritante de la poche de son habit à queue d'hirondelle. Mais ce qui occasionna principalement une juste indignation fut que ce misérable freluquet, tout en brodant tantôt un fandango, tantôt une pirouette, n'était nullement *réglé* dans sa danse, et ne possédait pas la plus vague notion de ce qu'on appelle aller en mesure [1].

Cependant, le bon peuple du bourg n'avait pas encore eu le temps d'ouvrir ses yeux tout grands, quand, juste une demi-minute avant midi, le gueux s'élança, comme je vous le dis, droit au milieu de ces braves gens, fit ici un chassé, là un balancé; puis, après une pirouette et un pas de zéphyr, partit comme à pigeon-vole vers le beffroi de la Maison-de-Ville, où le gardien de l'horloge stupéfait fumait dans une attitude de dignité et d'effroi. Mais le petit garnement l'empoigna tout d'abord par le nez, le lui

[1]. La même expression signifie *être à l'heure* et *aller en mesure*. Il n'y a donc qu'un mot, et le mot explique l'indignation de Vondervotteimittiss, — pays où l'on est toujours à l'heure (C.B.)

secoua et le lui tira, lui flanqua son gros claque sur la tête, le lui enfonça par-dessus les yeux et la bouche; puis, levant son gros violon, le battit avec, si longtemps et si vigoureusement que, — vu que le gardien était si ballonné, et le violon si vaste et si creux, — vous auriez juré que tout un régiment de grosses caisses battait le rantamplan du diable dans le beffroi du clocher de Vondervotteimittiss.

On ne sait pas à quel acte désespéré de vengeance cette attaque révoltante aurait pu pousser les habitants, n'était ce fait très-important qu'il manquait une demi-seconde pour qu'il fût midi. La cloche allait sonner, et c'était une affaire d'absolue et supérieure nécessité que chacun eût l'œil à sa montre. Il était évident toutefois que, juste en ce moment, le gaillard fourré dans le clocher en avait à la cloche, et se mêlait de ce qui ne le regardait pas. Mais, comme elle commençait à sonner, personne n'avait le temps de surveiller les manœuvres du traître, car chacun était tout oreilles pour compter les coups.

— Un! — dit la cloche.

— Hine! — répliqua chaque vieux petit monsieur de Vondervotteimittiss dans chaque fauteuil à fond de cuir. — Hine! — dit sa montre; hine! — dit la montre de sa *phâme,* et — hine! — dirent les montres des garçons et les petits joujoux dorés pendus aux queues du chat et du cochon.

— Deux! — continua la grosse cloche; et

— Teusse! — répétèrent tous les échos mécaniques.

— Trois! quatre! cinq! six! sept! huit! neuf! dix! — dit la cloche.

— Droisse! gâdre! zingue! zisse! zedde! vitte! neff! tisse! — répondirent les autres.

— Onze! — dit la grosse.

— Honsse! — approuva tout le petit personnel de l'horlogerie inférieure.

— Douze! — dit la cloche.

— Tousse! — répondirent-ils, tous parfaitement édifiés et laissant tomber leurs voix en cadence.

— Et il aître miti, tonc! — dirent tous les vieux petits messieurs, rempochant leurs montres. Mais la grosse cloche n'en avait pas encore fini avec eux.

— TREIZE! — dit-elle.

— Tarteifle, — anhélèrent tous les vieux petits messieurs, devenant pâles et laissant tomber leurs pipes de leurs bouches et leurs jambes droites de dessus leurs genoux gauches.

— Tarteifle! — gémirent-ils. — Draisse! — draisse!! — Mein Gott, il aître draisse heires!!!

Dois-je essayer de décrire la terrible scène qui s'ensuivit? Tout Vondervotteimittiss éclata d'un seul coup en un lamentable tumulte.

— Qu'arrife-d-il tonc à mon phandre? — glapirent tous les petits garçons, — ch'ai vaim tébouis hine heire.

— Qu'arrife-d-il tonc à mes joux? — crièrent toutes les *phâmes;* — ils toiffent aître en pouillie tébouis hine heire!

— Qu'arrife-d-il tonc à mon bibe? — jurèrent tous les vieux petits messieurs, — donnerre et églairs! il toit aître édeint tébouis hine heire!

Et ils rebourrèrent leurs pipes en grande rage, et, s'enfonçant dans leurs fauteuils, ils soufflèrent si vite et si férocement, que toute la vallée fut immédiatement encombrée d'un impénétrable nuage.

Cependant, les choux tournaient tous au rouge pourpre et il semblait que le vieux Diable lui-même avait pris possession de tout ce qui avait forme d'horloge. Les pendules sculptées sur les meubles se prenaient à danser comme si elles étaient ensorcelées, pendant que celles qui étaient sur les cheminées pouvaient à peine se contenir dans leur fureur, et s'acharnaient dans une si opiniâtre sonnerie de « Draisse! — Draisse! — Draisse! » — et dans un tel trémoussement et remuement de leurs balanciers, que c'était réellement épouvantable à voir. — Mais, — pire que tout, — les chats et les cochons ne pouvaient plus endurer l'inconduite des petites montres à répétition attachées à leurs queues, et ils le faisaient bien voir en détalant tous vers la place, — égratignant et farfouillant,

— criant et hurlant, — affreux sabbat de miaulements et de grognements! — et s'élançant à la figure des gens, et se fourrant sous les cotillons, et créant le plus épouvantable charivari et la plus hideuse confusion qu'il soit possible à une personne raisonnable d'imaginer. Et le misérable petit vaurien installé dans le clocher faisait évidemment tout son possible pour rendre les choses encore plus navrantes. On a pu de temps à autre apercevoir le scélérat à travers la fumée. Il était toujours là, dans le beffroi, assis sur l'homme du beffroi, qui gisait à plat sur le dos. Dans ses dents, l'infâme tenait la corde de la cloche, qu'il secouait incessamment, de droite et de gauche avec sa tête, faisant un tel vacarme que mes oreilles en tintent encore, rien que d'y penser. Sur ses genoux reposait l'énorme violon qu'il raclait sans accord ni mesure, avec les deux mains, faisant affreusement semblant — l'infâme paillasse! — de jouer l'air de Judy O'Flannagan et Paddy O'Rafferty!

Les affaires étant dans ce misérable état, de dégoût je quittai la place, et maintenant je fais un appel à tous les amants de l'heure exacte et de la fine choucroute. Marchons en masse sur le bourg, et restaurons l'ancien ordre de choses à Vondervotteimittiss en précipitant ce petit drôle du clocher.

LIONNERIE

Tout le populaire se dressa
Sur ses dix doigts de pied dans un étrange ébahissement.

L'ÉVÊQUE HALL. — *Satires*.

JE suis, — c'est-à-dire j'*étais* un grand homme; mais je ne suis ni l'auteur du *Junius*, ni l'homme au masque de fer; car mon nom est, je crois, Robert Jones, et je suis né quelque part dans la cité de Fum-Fudge.

La première action de ma vie fut d'empoigner mon nez à deux mains. Ma mère vit cela et m'appela un génie; — mon père pleura de joie et me fit cadeau d'un traité de nosologie. Je le possédais à fond avant de porter des culottes.

Je commençai dès lors à pressentir ma voie dans la science, et je compris bientôt que tout homme, pourvu qu'il ait un nez suffisamment marquant, peut, en se laissant conduire par lui, arriver à la dignité de Lion. Mais mon attention ne se confina pas dans les pures théories. Chaque matin, je tirais deux fois ma trompe, et j'avalais une demi-douzaine de petits verres.

Quand je fus arrivé à ma majorité, mon père me demanda un jour si je voulais le suivre dans son cabinet.

— Mon fils, — dit-il quand nous fûmes assis, — quel est le but principal de votre existence?

— Mon père, — répondis-je, — c'est l'étude de la nosologie.

— Et qu'est-ce que la nosologie, Robert?

— Monsieur, — dis-je, — c'est la science des nez[1].

— Et pouvez-vous me dire, — demanda-t-il, — quel est le sens du mot *nez?*

— Un nez, mon père, — répliquai-je en baissant le ton, — a été défini diversement par un millier d'auteurs. (Ici, je tirai ma montre.) Il est maintenant midi, ou peu s'en faut, — nous avons donc le temps, d'ici à minuit, de les passer tous en revue. Je commence donc : — Le nez, suivant Bartholinus, est cette protubérance, — cette bosse, — cette excroissance, — cette...

— Cela va bien, Robert, — interrompit le bon vieux gentleman. — Je suis foudroyé par l'immensité de vos connaissances, — positivement je le suis, — oui, sur mon âme! (Ici, il ferma les yeux et posa la main sur son cœur.) Approchez! (Puis il me prit par le bras.) Votre éducation peut être considérée maintenant comme achevée, — il est grandement temps que vous vous poussiez dans le monde, — et vous n'avez rien de mieux à faire que de suivre simplement votre nez. — Ainsi — ainsi... (alors, il me conduisit à coups de pied tout le long des escaliers jusqu'à la porte), ainsi sortez de chez moi, et que Dieu vous assiste!

Comme je sentais en moi l'*affatus* divin, je considérai cet accident presque comme un bonheur. Je jugeai que l'avis paternel était bon. Je résolus de suivre mon nez. Je le tirai tout d'abord deux ou trois fois, et j'écrivis incontinent une brochure sur la nosologie.

Tout Fum-Fudge fut sens dessus dessous.

— Etonnant génie! — dit le *Quarterly.*

— Admirable physiologiste! — dit le *Westminster.*

— Habile gaillard! — dit le *Foreign.*

— Bel écrivain! — dit l'*Edinburgh.*

— Profond penseur! — dit le *Dublin.*

---

1. *Nose*, nez, — *Naseaulogie*, nosologie (C.B.)

— Grand homme! — dit *Bentley*.

— Ame divine! — dit *Fraser*.

— Un des nôtres !— dit *Blackwood*.

— Qui peut-il être? — dit mistress Bas-Bleu.

— Que peut-il être? — dit la grosse miss Bas-Bleu.

— Où peut-il être? — dit la petite miss Bas-Bleu.

Mais je n'accordai aucune attention à toute cette populace, — j'allai tout droit à l'atelier d'un artiste.

La duchesse de Dieu-me-Bénisse posait pour son portrait; le marquis de Tel-et-Tel tenait le caniche de la duchesse; le comte de Choses-et-d'Autres jouait avec le flacon de sels de la dame, et Son Altesse Royale de *Noli-me-Tangere* se penchait sur le dos de son fauteuil.

Je m'approchai de l'artiste, et je dressai mon nez.

— Oh! très-beau — soupira Sa Grâce.

— Oh! au secours! — bégaya le marquis.

— Oh! choquant! — murmura le comte.

— Oh! abominable! — grogna Son Altesse Royale.

— Combien en voulez-vous? — demanda l'artiste.

— De son *nez?* — s'écria Sa Grâce.

— Mille livres, — dis-je, en m'asseyant.

— Mille livres? — demanda l'artiste, d'un air rêveur.

— Mille livres, — dis-je.

— C'est très-beau! — dit-il, en extase.

— C'est mille livres, — dis-je.

— Le garantissez-vous? — demanda-t-il, en tournant le nez vers le jour.

— Je le garantis, — dis-je en le mouchant vigoureusement.

— Est-ce bien un original? — demanda-t-il, en le touchant avec respect.

— Hein? — dis-je, en le tortillant de côté.

— Il n'en a pas été fait de copie? — demanda-t-il, en l'étudiant au microscope.

— Jamais! — dis-je, en le redressant.

— Admirable! — s'écria-t-il, tout étourdi par la beauté de la manœuvre.

— Mille livres, — dis-je.

— *Mille* livres? — dit-il.

— Précisément, — dis-je.

— Mille *livres?* — dit-il.

— Juste, — dis-je.

— Vous les aurez, — dit-il; — quel morceau capital!!

Il me fit immédiatement un billet, et prit un croquis de mon nez. Je louai un appartement dans *Jermyn street,* et j'adressai à Sa Majesté la quatre-vingt-dix-neuvième édition de ma *Nosologie,* avec un portrait de la trompe.

Le prince de Galles, ce mauvais petit libertin, m'invita à dîner.

Nous étions tous Lions et gens du meilleur ton.

Il y avait là un néoplatonicien. Il cita Porphyre, Jamblique, Plotin, Proclus, Hiéroclès, Maxime de Tyr, et Syrianus.

Il y avait un professeur de perfectibilité humaine. Il cita Turgot, Price, Priestley, Condorcet, de Staël, et l'*Ambitious Student in Ill Health.*

Il y avait sir Positif Paradoxe. Il remarqua que tous les fous étaient philosophes, et que tous les philosophes étaient fous.

Il y avait Æsthéticus Ethix. Il parla de feu, d'unité et d'atomes; d'âme double et préexistante; d'affinité et d'antipathie; d'intelligence primitive et d'homœomérie.

Il y avait Théologos Théologie. Il bavarda sur Eusèbe et Arius; sur l'hérésie et le Concile de Nicée; sur le Puseyisme et le Consubstantialisme; sur Homoousios et Homoiousios.

Il y avait Fricassée, du Rocher de Cancale. Il parla de langue *à l'écarlate,* de choux-fleurs à la sauce *veloutée,* de veau à la Sainte-Ménehould, de marinade à la Saint-Florentin, et de gelées d'orange *en mosaïque.*

Il y avait Bibulus O'Bumper. Il dit son mot sur le latour et le markbrünnen, sur le champagne mousseux et le chambertin, sur le richebourg et le saint-georges, sur le haut-brion, le léoville et le médoc, sur le barsac et le preignac, sur le grave, sur le sauterne, sur le laffitte et sur le saint-péray. Il hocha la tête à l'endroit du clos-vougeot, et se vanta de distinguer, les yeux fermés, le xérès de l'amontillado.

Il y avait il signor Tintotintino de Florence. Il expliqua Cimabuë, Arpino, Carpaccio et Agostino; il parla des ténèbres du Caravage, de la suavité de l'Albane, du coloris du Titien, des vastes commères de Rubéns et des polissonneries de Jean Steen.

Il y avait le recteur de l'Université de Fum-Fudge. Il émit cette opinion, que la lune s'appelait Bendis en Thrace, Bubastis en Egypte, Diane à Rome, et Artémis en Grèce.

Il y avait un Grand Turc de Stamboul. Il ne pouvait s'empêcher de croire que les anges étaient des chevaux, des coqs et des taureaux; qu'il existait dans le sixième ciel quelqu'un qui avait soixante et dix mille têtes, et que la terre était supportée par une vache bleu de ciel ornée d'un nombre incalculable de cornes vertes.

Il y avait Delphinus Polyglotte. Il nous dit ce qu'étaient devenus les quatre-vingt-trois tragédies perdues d'Eschyle, les cinquante-quatre oraisons d'Isæus, les trois cent quatre-vingt-onze discours de Lysias, les cent quatre-vingts traités de Théophraste, le huitième livre des sections coniques d'Apollonius, les hymnes et dithyrambes de Pindare et les quarante-cinq tragédies d'Homère le Jeune.

Il y avait Ferdinand Fitz-Fossillus Feldspar. Il nous renseigna sur les feux souterrains et les couches tertiaires; sur les aériformes, les fluidiformes et les solidiformes; sur le quartz et la marne; sur le schiste et le schorl; sur le gypse et le trapp; sur le talc et le calcaire; sur la blende et la horn-blende; sur le micaschiste et le poudingue; sur le cyanite et le lépidolithe; sur l'hæmatite et la trémolite; sur l'antimoine et la calcédoine, sur le manganèse et sur tout ce qu'il vous plaira.

Il y avait MOI. Je parlai de moi, — de moi, de moi, et de moi; — de nosologie, de ma brochure et de moi. Je dressai mon nez, et je parlai de moi.

— Heureux homme! homme miraculeux! — dit le Prince.

— Superbe! — dirent les convives; et, le matin qui suivit, Sa Grâce de Dieu-me-Bénisse me fit une visite.

— Viendrez-vous à Almack, mignonne créature? — dit-elle, en me donnant une petit tape sous le menton.

— Oui, sur mon honneur! — dis-je.

— Avec tout votre nez, sans exception? — demanda-t-elle.

— Aussi vrai que je vis, — répliquai-je.

— Voici donc une carte d'invitation, bel ange. Dirai-je que vous viendrez?

— Chère duchesse, de tout mon cœur!

— Qui vous parle de votre cœur! — mais avec votre nez, avec tout votre nez, n'est-ce pas?

— Pas un brin de moins, mon amour, — dis-je. — Je le tortillai donc une ou deux fois, et je me rendis à Almack.

Les salons étaient pleins à étouffer.

— Il arrive! — dit quelqu'un sur l'escalier.

— Il arrive! — dit un autre un peu plus haut.

— Il arrive! — dit un autre encore un peu plus haut.

— Il est arrivé! — s'écria la duchesse; — il est arrivé, le petit amour! — Et, s'emparant fortement de moi avec ses deux mains, elle me baisa trois fois sur le nez.

Une sensation marquée parcourut immédiatement l'assemblée.

— *Diavolo!* — cria le comte de Capricornutti.

— *Dios guarda!* — murmura don Stiletto.

— *Mille tonnerres!* — jura le prince de Grenouille.

— *Mille tiaples!* — grogna l'électeur de Bluddennuff.

Cela ne pouvait pas passer ainsi. Je me fâchai. Je me tournai brusquement vers Bluddennuff.

— Monsieur! — lui dis-je, — vous êtes un babouin.

— Monsieur! — répliqua-t-il après une pause, — *Donnerre et églairs!*

Je n'en demandais pas davantage. Nous échangeâmes nos cartes. A Chalk-Farm, le lendemain matin, je lui abattis le nez, — et puis je me présentai chez mes amis.

— Bête! — dit le premier.

— Sot! — dit le second.

— Butor! — dit le troisième.

— Ane! — dit le quatrième.

— Benêt! — dit le cinquième.

— Nigaud! — dit le sixième.

— Sortez! — dit le septième.

Je me sentis très-mortifié de tout cela, et j'allai voir mon père.

— Mon père, — lui demandai-je, — quel est le but principal de mon existence?

— Mon fils, — répliqua-t-il, — c'est toujours l'étude de la nosologie; mais, en frappant l'électeur au nez, vous avez dépassé votre but. Vous avez un fort beau nez, c'est vrai; mais Bluddennuff n'en a plus. Vous êtes sifflé, et il est devenu le héros du jour. Je vous accorde que, dans Fum-Fudge, la grandeur d'un lion est proportionnée à la dimension de sa trompe; — mais, bonté divine! il n'y a pas de rivalité possible avec un lion qui n'en a pas du tout.

QUATRE BÊTES EN UNE
L'HOMME-CAMÉLÉOPARD

> Chacun a ses vertus.
>
> CRÉBILLON. — *Xerxès*.

ANTIOCHUS Epiphanes est généralement considéré comme
le Gog du prophète Ezéchiel. Cet honneur toutefois revient
plus naturellement à Cambyse, le fils de Cyrus. Et, d'ailleurs, le caractère du monarque syrien n'a vraiment aucun
besoin d'enjolivures supplémentaires. Son avénement au
trône, ou plutôt son usurpation de la souveraineté, cent
soixante onze ans avant la venue du Christ; sa tentative
pour piller le temple de Diane à Ephèse; son implacable
inimitié contre les Juifs; la violation du saint des saints,
et sa mort misérable à Taba, après un règne tumultueux
de onze ans, sont des circonstances d'une nature saillante,
et qui ont dû généralement attirer l'attention des his-
toriens de son temps, plus que les impies, lâches, cruels,
absurdes et fantasques exploits qu'il faut ajouter pour
faire le total de sa vie privée et de sa réputation.

. . . .

Supposons, gracieux lecteur, que nous sommes en l'an
du monde trois mil huit cent trente, et, pour quelques
minutes, transportés dans le plus fantastique des habi-
tacles humains, dans la remarquable cité d'Antioche. Il
est certain qu'il y avait en Syrie et dans d'autres contrées

seize villes de ce nom, sans compter celle dont nous
avons spécialement à nous occuper. Mais *la nôtre* est celle
qu'on appelait Antiochia Epidaphné, à cause qu'elle était
tout proche du petit village de Daphné, où s'élevait un
temple consacré à cette divinité. Elle fut bâtie (bien que
la chose soit controversée) par Séleucus Nicator, le premier roi du pays après Alexandre le Grand, en mémoire
de son père Antiochus, et devint immédiatement la capi-
tale de la monarchie syrienne. Dans les temps prospères
de l'empire romain, elle était la résidence ordinaire du
préfet des provinces orientales; et plusieurs empereurs
de la cité reine (parmi lesquels peuvent être mentionnés
spécialement Vérus et Valens), y passèrent la plus grande
partie de leur vie. Mais je m'aperçois que nous sommes
arrivés à la ville. Montons sur cette plate-forme et jetons
nos yeux sur la ville et le pays circonvoisin.

— Quelle est cette large et rapide rivière qui se fraye
un passage accidenté d'innombrables cascades à travers
le chaos des montagnes, et enfin à travers le chaos des
constructions?

— C'est l'Oronte, et c'est la seule eau qu'on aperçoive,
à l'exception de la Méditerranée, qui s'étend comme un
vaste miroir jusqu'à douze milles environ vers le sud.
Tout le monde a vu la Méditerranée; mais, permettez-
moi de vous le dire, très-peu de gens ont joui du coup
d'œil d'Antioche; — très-peu de ceux-là, veux-je dire,
qui, comme vous et moi, ont eu en même temps le bénéfice
d'une éducation moderne. Ainsi laissez là la mer, et
portez toute votre attention sur cette masse de maisons
qui s'étend à nos pieds. Vous vous rappellerez que nous
sommes en l'an du monde trois mil huit cent trente.
Si c'était plus tard, — si c'était, par exemple, en l'an de
Notre-Seigneur mil huit cent quarante-cinq, nous serions
privés de cet extraordinaire spectacle. Au dix-neuvième
siècle, Antioche est — c'est-à-dire Antioche *sera* dans un
lamentable état de délabrement. D'ici là, Antioche aura
été complètement détruite à trois époques différentes par
trois tremblements de terre successifs. A vrai dire, le

peu qui restera de sa première condition se trouvera dans
un tel état de désolation et de ruine, que le patriarche
aura transporté alors sa résidence, à Damas. C'est bien.
Je vois que vous suivez mon conseil, et que vous mettez
votre temps à profit pour inspecter les lieux, pour

>   ..... rassasier vos yeux
>   Des   souvenirs   et   des   objets   fameux
>   Qui   font   la   grande   gloire   de   cette   cité.

Je vous demande pardon; j'avais oublié que Shakespeare
ne fleurira pas avant dix-sept cent cinquante ans. Mais
l'aspect d'Epidaphné ne justifie-t-il pas cette épithète de
fantastique que je lui ai donnée?

— Elle est bien fortifiée; à cet égard, elle doit autant
à la nature qu'à l'art.

— Très-juste.

— Il y a une quantité prodigieuse d'imposants palais.

— En effet.

— Et les temples nombreux, somptueux, magnifiques,
peuvent soutenir la comparaison avec les plus célèbres
de l'antiquité.

— Je dois reconnaître tout cela. Cependant, il y a
une infinité de huttes de bousillage et d'abominables ba-
raques. Il nous faut bien constater une merveilleuse abondance d'ordures dans tous les ruisseaux; et, n'était la
toute-puissante fumée de l'encens idolâtre, à coup sûr
nous trouverions une intolérable puanteur. Vîtes-vous
jamais des rues si insupportablement étroites, ou des
maisons si miraculeusement hautes? Quelle noirceur leurs
ombres jettent sur le sol! Il est heureux que les lampes
suspendues dans ces interminables colonnades restent al-
lumées toute la journée; autrement, nous aurions ici les
ténèbres de l'Egypte au temps de sa désolation.

— C'est certainement un étrange lieu! Que signifie ce
singulier bâtiment, là-bas? Regardez! il domine tous les
autres et s'étend au loin à l'est de celui que je crois être
le palais du roi!

— C'est le nouveau temple du Soleil, qui est adoré
en Syrie sous le nom d'Elah Gabalah. Plus tard, un très-
fameux empereur romain instituera ce culte dans Rome
et en tirera son surnom, Heliogabalus. J'ose vous affirmer
que la vue de la divinité de ce temple vous plairait fort.
Vous n'avez pas besoin de regarder au ciel; Sa majesté
le Soleil n'est pas là, — du moins le Soleil adoré par les
Syriens. Cette déité se trouve dans l'intérieur du bâtiment
situé là-bas. Elle est adorée sous la forme d'un large pilier
de pierre, dont le sommet se termine en un cône ou
pyramide, par quoi est signifié le *pyr,* le Feu.

— Ecoutez! — regardez! — Quels peuvent être ces
ridicules êtres, à moitié nus, à faces peintes, qui s'adressent
à la canaille avec force gestes et vociférations?

— Quelques-uns, en petit nombre, sont des saltim-
banques; d'autres appartiennent plus particulièrement à
la race des philosophes. La plupart, toutefois, — spécialement ceux qui travaillent la populace à coups de bâton,
— sont les principaux courtisans du palais, qui exécutent,
comme c'est leur devoir, quelque excellente drôlerie de
l'invention du Roi.

— Mais voilà du nouveau! Ciel! la ville fourmille de
bêtes féroces. Quel terrible spectacle! — quelle dangereuse
singularité!

— Terrible, si vous voulez, mais pas le moins du
monde dangereuse. Chaque animal, si vous voulez vous
donner la peine d'observer, marche tranquillement derrière son maître. Quelques-uns, sans doute, sont menés
avec une corde autour du cou, mais ce sont principalement
les espèces plus petites ou plus timides. Le lion, le tigre
et le léopard sont entièrement libres. Ils ont été formés
à leur présente profession sans aucune difficulté, et suivent
leurs propriétaires respectifs en manière de *valets de
chambre.* Il est vrai qu'il y a des cas où la Nature re-
vendique son empire usurpé; — mais un héraut d'armes
dévoré, un taureau sacré étranglé, sont des circonstances
beaucoup trop vulgaires pour faire sensation dans Epidaphné.

— Mais quel extraordinaire tumulte entends-je? A coup sûr, voilà un grand bruit, même pour Antioche! Cela dénote quelque incident d'un intérêt inusité.

— Oui, indubitablement. Le Roi a ordonné quelque nouveau spectacle, — quelque exhibition de gladiateurs à l'Hippodrome, — ou peut-être le massacre des prisonniers Scythes, — ou l'incendie de son nouveau palais — ou la démolition de quelque temple superbe, — ou bien, ma foi, un beau feu de joie de quelques Juifs. Le vacarme augmente. Des éclats d'hilarité montent vers le ciel. L'air est déchiré par les instruments à vent et par la clameur d'un million de gosiers. Descendons, pour l'amour de la joie, et voyons ce qui se passe. Par ici, — prenez garde! Nous sommes ici dans la rue principale, qu'on appelle la rue de Timarchus. Cette mer de populace arrive de ce côté, et il nous sera difficile de remonter le courant. Elle se répand à travers l'avenue d'Héraclides, qui part directement du palais; — ainsi, le Roi fait très-probablement partie de la bande. Oui, — j'entends les cris du héraut qui proclame sa venue dans la pompeuse phraséologie de l'Orient. Nous aurons le coup d'œil de sa personne quand il passera devant le temple d'Ashimah. Mettons-nous à l'abri dans le vestibule du sanctuaire; il sera ici tout à l'heure. Pendant ce temps-là, considérons cette figure. Qu'est-ce? Oh! c'est le dieu Ashimah en personne. Vous voyez bien que ce n'est ni un agneau, ni un bouc, ni un satyre; il n'a guère plus de ressemblance avec le Pan des Arcadiens. Et cependant, tous ces caractères ont été, — pardon! — seront attribués par les érudits des siècles futurs à l'Ashimah des Syriens. Mettez vos lunettes, et dites-moi ce que c'est. Qu'est-ce?

— Dieu me pardonne! c'est un singe!

— Oui, vraiment! — un babouin, — mais pas le moins du monde une déité. Son nom est une dérivation du grec Simia; — quels terribles sots que les antiquaires! Mais voyez là-bas courir ce petit polisson en guenilles. Où va-t-il? que braille-t-il? que dit-il? Oh! il dit que le Roi arrive en triomphe; qu'il est dans son costume des grands jours; qu'il vient, à l'instant même, de mettre à mort, de sa main, mille prisonniers israélites enchaînés! Pour cet exploit, le petit misérable le porte aux nues! Attention! voici venir une troupe de gens tous semblablement attifés. Ils ont fait un hymne latin sur la vaillance du roi, et le chantent en marchant :

> Mille, mille, mille,
> Mille, mille, mille
> Decollavimus, unus homo!
> Mille, mille, mille, mille decollavimus!
> Mille, mille, mille!
> Vivat qui mille, mille occidit!
> Tantum vini habet nemo
> Quantum sanguinis effudit [1].

Ce qui peut être ainsi paraphrasé :

> Mille, mille, mille,
> Mille, mille, mille,
> Avec un seul guerrier, nous en avons égorgé mille!
> Mille, mille, mille, mille,
> Chantons mille à jamais!
> Hurrah! — Chantons
> Longue vie à notre Roi,
> Qui a abattu mille hommes si joliment!

> > Hurrah! Crions à tue-tête
> > Qu'il nous a donné une plus copieuse
> > Vendange de sang
> > Que tout le vin que peut fournir la Syrie!

— Entendez-vous cette fanfare de trompettes?
— Oui, — le Roi arrive! voyez! le peuple est pantelant d'admiration et lève les yeux au ciel dans son respectueux attendrissement! Il arrive! — il arrive! — le voilà!

1. Flavius Vopiscus dit que l'hymne intercalé ici fut chanté par la populace lors de la guerre des Sarmates, en l'honneur d'Aurélien, qui avait tué de sa propre main neuf cent cinquante hommes à l'ennemi.

— Qui? — où? — le Roi? — Je ne le vois pas; — je vous jure que je ne l'aperçois pas.

— Il faut que vous soyez aveugle.

— C'est bien possible. Toujours est-il que je ne vois qu'une foule tumultueuse d'idiots et de fous qui s'empressent de se prosterner devant un gigantesque caméléopard, et qui s'évertuent à déposer un baiser sur le sabot de l'animal. Voyez! la bête vient justement de cogner rudement quelqu'un de la populace, — ah! encore un autre, — et un autre, — et un autre. En vérité, je ne puis m'empêcher d'admirer l'animal pour l'excellent usage qu'il fait de ses pieds.

— Populace, en vérité! — mais ce sont les nobles et libres citoyens d'Epidaphné! *La bête*, avez-vous dit? prenez bien garde! si quelqu'un vous entendait! Ne voyez-vous pas que l'animal a une face d'homme? Mais, mon cher monsieur, ce caméléopard n'est autre qu'Antiochus Epiphanes, — Antiochus l'Illustre, Roi de Syrie, et le plus puissant de tous les autocrates de l'Orient! Il est vrai qu'on le décore quelquefois du nom d'Antiochus Epimanes, — Antiochus le Fou, — mais c'est à cause que tout le monde n'est pas capable d'apprécier ses mérites. Il est bien certain que, pour le moment, il est enfermé dans la peau d'une bête, et qu'il fait de son mieux pour jouer le rôle d'un caméléopard; mais c'est à dessein de mieux soutenir sa dignité comme Roi. D'ailleurs, le monarque est d'une stature gigantesque, et l'habit, conséquemment, ne lui va pas mal et n'est pas trop grand. Nous pouvons toutefois supposer que, n'était une circonstance solennelle, il ne s'en serait pas revêtu. Ainsi, voici un cas, — convenez-en — le massacre d'un millier de Juifs! Avec quelle prodigieuse dignité le monarque se promène sur ses quatre pattes! Sa queue, comme vous voyez, est tenue en l'air par ses deux principales concubines, Elliné et Argélaïs; et tout son extérieur serait excessivement prévenant, n'était la protubérance de ses yeux, qui lui sortiront certainement de la tête, et la couleur étrange de sa face, qui est devenue quelque chose d'in-

nommable par suite de la quantité de vin qu'il a engloutie. Suivons-le à l'Hippodrome, où il se dirige, et
écoutons le chant de triomphe qu'il commence à entonner
lui-même :

> Qui est roi, si ce n'est Epiphanes?
>> Dites, — le savez-vous?
> Qui est roi, si ce n'est Epiphane?
>> Bravo! — bravo!
> Il n'y a pas d'autre roi qu'Epiphanes,
>> Non, — pas d'autre!
> Ainsi jetez à bas les temples
>> Et éteignez le soleil!

Bien et bravement chanté! La populace le salue *Prince
des Poëtes* et *Gloire de l'Orient,* puis *Délices de l'Univers*
enfin *le plus Etonnant des Caméléopards.* Ils lui font
bisser son chef-d'œuvre, et — entendez-vous? — il le re-
commence. Quand il arrivera à l'Hippodrome, il recevra
la couronne poétique, comme avant-goût de sa victoire
aux prochains Jeux Olympiques.

— Mais, bon Jupiter! que se passe-t-il dans la foule
derrière nous?

— Derrière nous, avez-vous dit? — Oh! oh! — je comprends. Mon ami, il est heureux que vous ayez parlé à
temps. Mettons-nous en lieu sûr, et le plus vite possible.
Ici! — réfugions-nous sous l'arche de cet aqueduc, et je
vous expliquerai l'origine de cette agitation. Cela a mal
tourné, comme je l'avais pressenti. Le singulier aspect de
ce caméléopard avec sa tête d'homme a, il faut croire,
choqué les idées de logique et d'harmonie acceptées par
les animaux sauvages domestiqués dans la ville. Il en est
résulté une émeute; et, comme il arrive toujours en pareil
cas, tous les efforts humains pour réprimer le mouvement
seront impuissants. Quelques Syriens ont déjà été dévorés;
mais les patriotes à quatre pattes semblent être d'un
accord unanime pour manger le caméléopard. Le *Prince
des Poëtes* s'est donc dressé sur ses pattes de derrière,

car il s'agit de sa vie. Ses courtisans l'ont laissé en plan, et ses concubines ont suivi un si excellent exemple. — *Délices de l'Univers,* tu es dans une triste passe! *Gloire de l'Orient,* tu es en danger d'être croqué! Ainsi, ne regarde pas si piteusement ta queue; elle traînera indubitablement dans la crotte; à cela il n'y a pas de remède. Ne regarde donc pas derrière toi, et ne t'occupe pas de son inévitable déshonneur; mais prends courage, joue vigoureusement des jambes, et file vers l'Hippodrome! Souviens-toi que tu es Antiochus Epiphanes, Antiochus l'Illustre! et aussi le *Prince des Poëtes*, la *Gloire de l'Orient*, les *Délices de l'Univers* et *le plus Etonnant des Caméléopards!* Juste ciel! quelle puissance de vélocité tu déploies! La caution des jambes, la meilleure, tu la possèdes, celle-là! Cours, Prince! — Bravo! Epiphanes! — Tu vas bien, Caméléopard! — Glorieux Antiochus! Il court! — il bondit! — il vole! Comme un trait détaché par une catapulte, il se rapproche de l'Hippodrome! Il bondit! — il crie! — il y est! — C'est heureux; car, ô *Gloire de l'Orient,* si tu avais mis une demi-seconde de plus à atteindre les portes de l'amphithéâtre, il n'y aurait pas eu dans Ephidaphné un seul petit ours qui n'eût grignoté sur ta carcasse. — Allons-nous-en, — partons, — car nos oreilles modernes sont trop délicates pour supporter l'immense vacarme qui va commencer en l'honneur de la délivrance du Roi! — Ecoutez! il a déjà commencé. — Voyez! — toute la ville est sens dessus dessous.

— Voilà certainement la plus pompeuse cité de l'Orient! Quel fourmillement de peuple! quel pêle-mêle de tous les rangs et de tous les âges! quelle multiplicité de sectes et de nations! quelle variété de costumes! quelle Babel de langues! quels cris de bêtes! quel tintamarre d'instruments! quel tas de philosophes!

— Venez, sauvons-nous!

— Encore un moment; je vois un vaste remue-ménage dans l'Hippodrome; dites-moi, je vous en supplie, ce que cela signifie!

— Cela? — oh! rien. Les nobles et libres citoyens d'Epi-

daphné étant, comme ils le déclarent, parfaitement satisfaits de la loyauté, de la bravoure, de la sagesse et de
la divinité de leur Roi, et, de plus, ayant été témoins de
sa récente agilité surhumaine, pensent qu'ils ne font que
leur devoir en déposant sur son front (en surcroît du
laurier poétique) une nouvelle couronne, prix de la course
à pied, — couronne qu'il *faudra* bien qu'il obtienne aux
fêtes de la prochaine Olympiade, et que naturellement ils
lui décernent aujourd'hui par avance.

PETITE DISCUSSION
AVEC UNE MOMIE

Le *symposium* de la soirée précédente avait un peu fatigué mes nerfs. J'avais une déplorable migraine et je tombais de sommeil. Au lieu de passer la soirée dehors, comme j'en avais le dessein, il me vint donc à l'esprit que je n'avais rien de plus sage à faire que de souper d'une bouchée, et de me mettre immédiatement au lit.

Un léger souper, naturellement. J'adore les rôties au fromage. En manger plus d'une livre à la fois, cela peut n'être pas toujours raisonnable. Toutefois, il ne peut pas y avoir d'objection matérielle au chiffre deux. Et, en réalité, entre deux et trois, il n'y a que la différence d'une simple unité. Je m'aventurai peut-être jusqu'à quatre. Ma femme tient pour cinq; — mais évidemment elle a confondu deux choses bien distinctes. Le nombre abstrait cinq, je suis disposé à l'admettre; mais, au point de vue concret, il se rapporte aux bouteilles de *Brown Stout*, sans l'assaisonnement duquel la rôtie au fromage est une chose à éviter.

Ayant ainsi achevé un frugal repas, et mis mon bonnet de nuit avec la sereine espérance d'en jouir jusqu'au lendemain midi au moins, je plaçai ma tête sur l'oreiller, et grâce une excellente conscience, je tombai immédiatement dans un profond sommeil.

Mais quand les espérances de l'homme furent-elles remplies? Je n'avais peut-être pas achevé mon troisième

ronflement, quand une furieuse sonnerie retentit à la
porte de la rue, et puis d'impatients coups de marteau
me réveillèrent en sursaut. Une minute après, et comme
je me frottais encore les yeux, ma femme me fourra sous
le nez un billet de mon vieil ami le docteur Ponnonner.
Il me disait :

« Venez me trouver et laissez tout, mon cher ami,
aussitôt que vous aurez reçu ceci. Venez partager notre
joie. A la fin, grâce à une opiniâtre diplomatie, j'ai ar-
raché l'assentiment des directeurs du *City Museum* pour
l'examen de ma momie, — vous savez de laquelle je veux
parler. J'ai la permission de la démailloter, et même de
l'ouvrir, si je le juge à propos. Quelques amis seulement,
seront présents; — vous en êtes, cela va sans dire. La
momie est présentement chez moi, et nous commencerons
à la dérouler à onze heures de la nuit.

» Tout à vous,

« PONNONNER. »

Avant d'arriver à la signature, je m'aperçus que j'étais
aussi éveillé qu'un homme peut désirer de l'être. Je sautai
de mon lit dans un état de délire, bousculant tout ce
qui me tombait sous la main; je m'habillai avec une
prestesse vraiment miraculeuse, et je me dirigeai de toute
ma vitesse vers la maison du docteur.

Là, je trouvai réunie une société très-animée. On m'avait
attendu avec beaucoup d'impatience; la momie était
étendue sur la table à manger, et, au moment où j'entrai,
l'examen était commencé.

Cette momie était une des deux qui furent rapportées,
il y a quelques années, par le capitaine Arthur Sabretash,
un cousin de Ponnonner. Il les avait prises dans une
tombe prés d'Eleithias, dans les montagnes de la Libye,
à une distance considérable au-dessus de Thèbes sur le
Nil. Sur ce point, les caveaux, quoique moins magnifiques
que les sépultures de Thèbes, sont d'un plus haut intérêt,
en ce qu'ils offrent de plus nombreuses *illustrations* de
la vie privée des Egyptiens. La salle d'où avait été tiré

notre échantillon passait pour très-riche en documents de cette nature; — les murs étaient complétement recouverts de peintures à fresque et de bas-reliefs; des statues, des vases et une mosaïque d'un dessin très-riche témoignaient de la puissante fortune des défunts.

Cette rareté avait été déposée au *Museum* exactement dans le même état où le capitaine Sabretash l'avait trouvée, c'est-à-dire qu'on avait laissé la bière intacte. Pendant huit ans, elle était restée ainsi exposée à la curiosité publique, quant à l'extérieur seulement. Nous avions donc la momie complète à notre disposition, et ceux qui savent combien il est rare de voir des antiquités arriver dans nos contrées sans être saccagées jugeront que nous avions de fortes raisons de nous féliciter de notre bonne fortune.

En approchant de la table, je vis une grande boîte, ou caisse, longue d'environ sept pieds, large de trois pieds peut-être, et d'une profondeur de deux pieds et demi. Elle était oblongue, — mais pas en forme de bière. Nous supposâmes d'abord que la matière était du bois de sycomore; mais en l'entamant nous reconnûmes que c'était du carton, ou plus proprement, une pâte dure faite de papyrus. Elle était grossièrement décorée de peintures représentant des scènes funèbres et divers sujets lugubres, parmi lesquels serpentait un semis de caractères hiéroglyphiques, disposés en tous sens, qui signifiaient évidemment le nom du défunt. Par bonheur, M. Gliddon était de la partie, et il nous traduisit sans peine les signes, qui étaient simplement phonétiques et composaient le mot *Allamistakeo*.

Nous eûmes quelque peine à ouvrir cette boîte sans l'endommager; mais, quand enfin nous y eûmes réussi, nous en trouvâmes une seconde, celle-ci en forme de bière, et d'une dimension beaucoup moins considérable que la caisse extérieure, mais lui ressemblant exactement sous tout autre rapport. L'intervalle entre les deux était comblé de résine, qui avait jusqu'à un certain point détérioré les couleurs de la boîte intérieure.

Après avoir ouvert celle-ci, — ce que nous fîmes très-

aisément, — nous arrivâmes à une troisième, également
en forme de bière, et ne différant en rien de la seconde,
si ce n'est par la matière, qui était du cèdre et exhalait
l'odeur fortement aromatique qui caractérise ce bois.
Entre la seconde et la troisième caisse, il n'y avait pas
d'intervalle, — celle-ci s'adaptant exactement à celle-là.

En défaisant la troisième caisse, nous découvrîmes enfin
le corps, et nous l'enlevâmes. Nous nous attendions à
le trouver enveloppé comme d'habitude de nombreux
rubans, ou bandelettes de lin; mais, au lieu de cela, nous
trouvâmes une espèce de gaine, faite de papyrus, et re-
vêtue d'une couche de plâtre grossièrement peinte et
dorée. Les peintures représentaient des sujets ayant trait
aux divers devoirs supposés de l'âme et à sa présentation
à différentes divinités, puis de nombreuses figures humaines identiques, — sans doute des portraits des personnes embaumées. De la tête aux pieds s'étendait une
inscription columnaire, ou verticale, en *hiéroglyphes phonétiques,* donnant de nouveau le nom et les titres du
défunt et les noms et les titres de ses parents.

Autour du cou, que nous débarrassâmes du fourreau,
était un collier de grains de verre cylindriques, de couleurs différentes, et disposés de manière à figurer des
images de divinités, l'image du Scarabée, et d'autres, avec
le globe ailé. La taille, dans sa partie la plus mince, était
cerclée d'un collier ou ceinture semblable.

Ayant enlevé le papyrus, nous trouvâmes les chairs parfaitement conservées, et sans aucune odeur sensible. La
couleur était rougeâtre; la peau, ferme, lisse et brillante.
Les dents et les cheveux paraissaient en bon état. Les
yeux, à ce qu'il semblait, avaient été enlevés, et on leur
avait substitué des yeux de verre, fort beaux et simulant
merveilleusement la vie, sauf leur fixité un peu trop
prononcée. Les doigts et les ongles étaient brillamment
dorés.

De la couleur rougeâtre de l'épiderme, M. Gliddon
inféra que l'embaumement avait été pratiqué uniquement
par l'asphalte; mais, ayant gratté la surface avec un

instrument d'acier et jeté dans le feu les grains de poudre ainsi obtenus, nous sentîmes se dégager un parfum de camphre et d'autres gommes aromatiques.

Nous visitâmes soigneusement le corps pour trouver les incisions habituelles par où on extrait les entrailles; mais, à notre grande surprise, nous n'en pûmes découvrir la trace. Aucune personne de la société ne savait alors qu'il n'est pas rare de trouver des momies entières et non incisées. Ordinairement, la cervelle se vidait par le nez; les instestins, par une incision dans le flanc; le corps était alors rasé, lavé et salé; on le laissait ainsi reposer quelques semaines, puis commençait, à proprement parler, l'opération de l'embaumement.

Comme on ne pouvait trouver aucune trace d'ouverture, le docteur Ponnonner préparait ses instruments de dissection, quand je fis remarquer qu'il était déjà deux heures passées. Là-dessus, on s'accorda à renvoyer l'examen interne à la nuit suivante; et nous étions au moment de nous séparer, quand quelqu'un lança l'idée d'une ou deux expériences avec la pile de Volta.

L'application de l'électricité à une momie vieille au moins de trois ou quatre mille ans était une idée, sinon très-sensée, du moins suffisamment originale, et nous la saisîmes au vol. Pour ce beau projet, dans lequel il entrait un dixième de sérieux et neuf bons dixièmes de plaisanterie, nous disposâmes une batterie dans le cabinet du docteur, et nous y transportâmes l'Egyptien.

Ce ne fut pas sans beaucoup de peine que nous réussîmes à mettre à nu une partie du muscle temporal, qui semblait être d'une rigidité moins marmoréenne que le reste du corps, mais qui naturellement, comme nous nous y attendions bien, ne donna aucun indice de susceptibilité galvanique quand on le mit en contact avec le fil. Ce premier essai nous parut décisif; et, tout en riant de bon cœur de notre propre absurdité, nous nous souhaitions réciproquement une bonne nuit, quand mes yeux, tombant par hasard sur ceux de la momie, y restèrent immédiatement cloués d'étonnement. De fait, le premier coup

d'œil m'avait suffi pour m'assurer que les globes, que
nous avions tous supposé être de verre, et qui primitivement se distinguaient par une certaine fixité singulière,
étaient maintenant si bien recouverts par les paupières,
qu'une petite portion de la *tunica albuginea* restait seule
visible.

Je poussai un cri, et j'attirai l'attention sur ce fait,
qui devint immédiatement évident pour tout le monde.

Je ne dirai pas que j'étais *alarmé* par le phénomène,
parce que le mot alarmé, dans mon cas, ne serait pas précisément le mot propre. Il aurait pu se faire toutefois
que, sans ma provision de *Brown Stout,* je me sentisse
légèrement ému. Quant aux autres personnes de la société, elles ne firent vraiment aucun effort pour cacher
leur naïve terreur. Le docteur Ponnonner était un homme
à faire pitié. M. Gliddon, par je ne sais quel procédé particulier, s'était rendu invisible. Je présume que M. Silk
Buckingham n'aura pas l'audace de nier qu'il ne se soit
fourré à quatre pattes sous la table.

Après le premier choc de l'étonnement, nous résolûmes,
cela va sans dire, de tenter tout de suite une nouvelle
expérience. Nos opérations furent alors dirigées contre
le gros orteil du pied droit. Nous fîmes une incision au-
dessus de la région de l'*os sesamoideum pollicis pedis,*
et nous arrivâmes ainsi à la naissance du muscle *abductor.*
Rajustant la batterie, nous appliquâmes de nouveau le
fluide aux nerfs mis à nu, — quand, avec un mouvement
plus vif que la vie elle-même, la momie retira son genou
droit comme pour le rapprocher le plus possible de
l'abdomen, puis, redressant le membre avec une force
inconcevable, allongea au docteur Ponnonner une ruade
qui eut pour effet de décocher ce gentleman, comme le
projectile d'une catapulte, et de l'envoyer dans la rue à
travers une fenêtre.

Nous nous précipitâmes en masse pour rapporter les
débris mutilés de l'infortuné; mais nous eûmes le bonheur
de le rencontrer sur l'escalier, remontant avec une inconcevable diligence, bouillant de la plus grande ardeur

philosophique, et plus que jamais frappé de la nécessité de poursuivre nos expériences avec rigueur et avec zèle.

Ce fut donc d'après son conseil que nous fîmes sur-le-champ une incision profonde dans le bout du nez du sujet; et le docteur, y jetant des mains impétueuses, le fourra violemment en contact avec le fil métallique.

Moralement et physiquement, — métaphoriquement et littéralement, — l'effet fut *électrique*. D'abord le cadavre ouvrit les yeux et les cligna très-rapidement pendant quelques minutes, comme M. Barnes dans la pantomime; puis il éternua; en troisième lieu, il se dressa sur son séant; en quatrième lieu, il mit son poing sous le nez du docteur Ponnonner; enfin, se tournant vers MM. Gliddon et Buckingham, il leur adressa, dans l'égyptien le plus pur, le discours suivant :

— Je dois vous dire, gentlemen, que je suis aussi surpris que mortifié de votre conduite. Du docteur Ponnonner, je n'avais rien de mieux à attendre : c'est un pauvre petit gros sot qui ne sait rien de rien. J'ai pitié de lui et je lui pardonne. Mais vous, monsieur Gliddon, — et vous, Silk, qui avez voyagé et résidé en Egypte, à ce point qu'on pourrait croire que vous êtes né sur nos terres, — vous, dis-je, qui avez tant vécu parmi nous, que vous parlez l'égyptien aussi bien, je crois, que vous écrivez votre langue maternelle, — vous que je m'étais accoutumé à regarder comme le plus ferme ami des momies, — j'attendais de vous une conduite plus courtoise. Que dois-je penser de votre impassible neutralité quand je suis traité aussi brutalement? Que dois-je supposer, quand vous permettez à Pierre et à Paul de me dépouiller de mes bières et de mes vêtements sous cet affreux climat de glace? A quel point de vue, pour en finir, dois-je considérer votre fait d'aider et d'encourager ce misérable petit drôle, ce docteur Ponnonner, à me tirer par le nez?

On croira généralement, sans aucun doute, qu'en entendant un pareil discours, dans de telles circonstances, nous avons tous filé vers la porte, ou que nous sommes tombés dans de violentes attaques de nerfs, ou dans un

évanouissement unanime. L'une de ces trois choses, dis-je,
était probable. En vérité, chacune de ces trois lignes de
conduite et toutes les trois étaient des plus légitimes. Et,
sur ma parole, je ne puis comprendre comment il se fit
que nous n'en suivîmes aucune. Mais, peut-être, la vraie
raison doit-elle être cherchée dans l'esprit de ce siècle,
qui procède entièrement par la loi des contraires, considérée aujourd'hui comme solution de toutes les anti-
nomies et fusion de toutes les contradictions. Ou peut-
être, après tout, était-ce seulement l'air excessivement
naturel et familier de la momie qui enlevait à ses paroles
toute puissance terrifique. Quoi qu'il en soit, les faits sont
positifs, et pas un membre de la société ne trahit d'effroi
bien caractérisé et ne parut croire qu'il ne se fût passé
quelque chose de particulièrement irrégulier.

Pour ma part, j'étais convaincu que tout cela était
fort naturel, et je me rangeai simplement de côté, hors
de la portée du poing de l'Égyptien. Le docteur Ponnonner fourra ses mains dans les poches de sa culotte,
regarda la momie d'un air bourru, et devint excessivement rouge. M. Gliddon caressait ses favoris et redressait
le col de sa chemise. M. Buckingham baissa la tête et
mit son pouce droit dans le coin gauche de sa bouche.

L'Égyptien le regarda avec une physionomie sévère pendant quelques minutes, et à la longue lui dit avec un ricanement :

— Pourquoi ne parlez-vous pas, monsieur Buckingham? Avez-vous entendu, oui ou non, ce que je vous
ai demandé? Voulez-vous bien ôter votre pouce de votre
bouche!

Là-dessus, M. Buckingham fit un léger soubresaut, ôta
son pouce droit du coin gauche de sa bouche, et, en
manière de compensation, inséra son pouce gauche dans
le coin droit de l'ouverture susdite.

Ne pouvant pas tirer une réponse de M. Buckingham,
la momie se tourna avec humeur vers M. Gliddon, et
lui demanda d'un ton péremptoire d'expliquer en gros
ce que nous voulions tous.

M. Gliddon répliqua tout au long, en phonétique; et, n'était l'absence de caractères *hiéroglyphiques* dans les imprimeries américaines, c'eût été pour moi un grand plaisir de transcrire intégralement et en langue originale son excellent speech.

Je saisirai cette occasion pour faire remarquer que toute la conversation subséquente à laquelle prit part la momie eut lieu en égyptien primitif, — MM. Gliddon et Buckingham servant d'interprètes pour moi et les autres personnes de la société qui n'avaient pas voyagé. Ces messieurs parlaient la langue maternelle de la momie avec une grâce et une abondance inimitables; mais je ne pouvais pas m'empêcher de remarquer que les deux voyageurs, — sans doute à cause de l'introduction d'images entièrement modernes, et naturellement, tout à fait nouvelles pour l'étranger, — étaient quelquefois réduits à employer des formes sensibles pour traduire à cet esprit d'un autre âge un sens particulier. Il y eut un moment, par exemple, où M. Gliddon, ne pouvant pas faire comprendre à l'Egyptien le mot : *la Politique,* s'avisa heureusement de dessiner sur le mur, avec un morceau de charbon, un petit monsieur au nez bourgeonné, aux coudes troués, grimpé sur un piédestal, la jambe gauche tendue en arrière, le bras droit projeté en avant, le poing fermé, les yeux convulsés vers le ciel, et la bouche ouverte sous un angle de 90 degrés.

De même, M. Buckingham n'aurait jamais réussi à lui traduire l'idée absolument moderne de *Whig* (perruque), si, à une suggestion du docteur Ponnonner, il n'était devenu très-pâle et n'avait consenti à ôter la sienne.

Il était tout naturel que le discours de M. Gliddon roulât principalement sur les immenses bénéfices que la science pouvait tirer du démaillottement et du déboyautement des momies; moyen subtil de nous justifier de tous les dérangements que nous avions pu lui causer, à elle en particulier, momie nommée Allamistakeo; il conclut en insinuant — car ce ne fut qu'une insinuation — que, puisque toutes ces petites questions étaient maintenant éclaircies, on pouvait aussi bien procéder à l'examen projeté. Ici, le docteur Ponnonner apprêta ses instruments.

Relativement aux dernières suggestions de l'orateur, il paraît qu'Allamistakeo avait certains scrupules de conscience, sur la nature desquels je n'ai pas été clairement renseigné; mais il se montra satisfait de notre justification et, descendant de la table, donna à toute la compagnie des poignées de main à la ronde.

Quand cette cérémonie fut terminée, nous nous occupâmes immédiatement de réparer les dommages que le scalpel avait fait éprouver au sujet. Nous recousîmes la blessure de sa tempe, nous bandâmes son pied, et nous lui appliquâmes un pouce carré de taffetas noir sur le bout du nez.

On remarqua alors que le comte — tel était, à ce qu'il paraît, le titre d'Allamistakeo — éprouvait quelques légers frissons, — à cause du climat, sans aucun doute. Le docteur alla immédiatement à sa garde-robe, et revint bientôt avec un habit noir, de la meilleure coupe de Jennings, un pantalon de tartan bleu de ciel à sous-pieds, une chemise rose de guingamp, un gilet de brocart à revers, un paletot-sac blanc, une canne à bec de corbin, un chapeau sans bords, des bottes en cuir breveté, des gants de chevreau couleur paille, un lorgnon, une paire de favoris et une cravate cascade. La différence de taille entre le comte et le docteur — la proportion étant comme deux à un — fut cause que nous eûmes quelque peu de mal à ajuster ces habillements à la personne de l'Égyptien; mais, quand tout fut arrangé, au moins pouvait-il dire qu'il était bien mis. M. Gliddon lui donna donc le bras et le conduisit vers un bon fauteuil, en face du feu; pendant ce temps-là, le docteur sonnait et demandait le vin et les cigares.

La conversation s'anima bientôt. On exprima, cela va sans dire, une grande curiosité relativement au fait quelque peu singulier d'Allamistakeo resté vivant.

— J'aurais pensé, — dit M. Buckingham, — qu'il y avait déjà beau temps que vous étiez mort.

— Comment! — répliqua le comte très-étonné, je n'ai guère plus de sept cents ans! Mon père en a vécu mille, et il ne radotait pas le moins du monde quand il est mort.

Il s'ensuivit une série étourdissante de questions et de calculs par lesquels on découvrit que l'antiquité de la momie avait été très-grossièrement estimée. Il y avait cinq mille cinquante ans et quelques mois qu'elle avait été déposée dans les catacombes d'Éleithias.

— Mais ma remarque, — reprit M. Buckingham, — n'avait pas trait à votre âge à l'époque de votre ensevelissement (je ne demande pas mieux que d'accorder que vous êtes encore un jeune homme), et j'entendais parler de l'immensité de temps pendant lequel, d'après votre propre explication, vous êtes resté confit dans l'asphalte.

— Dans quoi? — dit le comte.

— Dans l'asphalte, — persista M. Buckingham.

— Ah! oui; j'ai comme une idée vague de ce que vous voulez dire; — en effet, cela pourrait réussir, — mais, de mon temps, nous n'employions guère autre chose que le bichlorure de mercure.

— Mais ce qu'il nous est particulièrement impossible de comprendre, — dit le docteur Ponnonner, — c'est comment il se fait qu'étant mort et ayant été enseveli en Egypte, il y a cinq mille ans, vous soyez aujourd'hui parfaitement vivant, et avec un air de santé admirable.

— Si à cette époque j'étais *mort*, comme vous dites — répliqua le comte, — il est plus que probable que mort je serais resté; car je m'aperçois que vous en êtes encore à l'enfance du galvanisme, et que vous ne pouvez pas accomplir par cet agent ce qui dans le vieux temps était chez nous chose vulgaire. Mais le fait est que j'étais tombé en catalepsie, et que mes meilleurs amis jugèrent que j'étais mort, ou que je devais être mort; c'est pourquoi ils m'embaumèrent tout de suite. — Je présume que vous connaissez le principe capital de l'embaumement?

— Mais pas le moins du monde.

— Ah! je conçois; — déplorable condition de l'ignorance! Je ne puis donc pour le moment entrer dans aucun détail à ce sujet; mais il est indispensable que je vous explique qu'en Egypte embaumer, à proprement parler, était suspendre indéfiniment toutes les fonctions animales soumises au procédé. Je me sers du terme *animal* dans son sens le plus large, comme impliquant l'être moral et vital aussi bien que l'être physique. Je répète que le premier principe de l'embaumement consistait, chez nous, à arrêter immédiatement et à tenir perpétuellement en suspens toutes les fonctions animales soumises au procédé. Enfin, pour être bref, dans quelque état que se trouvât l'individu à l'époque de l'embaumement, il restait dans cet état. Maintenant, comme j'ai le bonheur d'être du sang du Scarabée, je fus embaumé vivant, tel que vous me voyez présentement.

— Le sang du Scarabée! — s'écria le docteur Ponnonner.

— Oui. Le Scarabée était l'emblème, les armes d'une famille patricienne très-distinguée et peu nombreuse. Etre du sang du Scarabée, c'est simplement être de la famille dont le Scarabée est l'emblème. Je parle figurativement.

— Mais qu'a cela de commun avec le fait de votre existence actuelle?

— Eh bien, c'était la coutume générale en Egypte, avant d'embaumer un cadavre, de lui enlever les intestins et la cervelle; la race des Scarabées seule n'était pas sujette à cette coutume. Si donc je n'avais pas été un Scarabée, j'eusse été privé de mes boyaux et de ma cervelle, et sans ces deux viscères vivre n'est pas chose commode.

— Je comprends cela, — dit M. Buckingham, — et je présume que toutes les momies qui nous parviennent *entières* sont de la race des Scarabées.

— Sans aucun doute.

— Je croyais, — dit M. Gliddon très-timidement, — que le Scarabée était un des Dieux Egyptiens.

— Un des *quoi* Egyptiens? — s'écria la momie, sautant sur ses pieds.

— Un des Dieux, — répéta le voyageur.

— Monsieur Gliddon, je suis réellement étonné de vous entendre parler de la sorte, — dit le comte en se rasseyant. — Aucune nation sur la face de la terre n'a jamais reconnu plus d'*un* Dieu. Le Scarabée, l'Ibis, etc., étaient pour nous (ce que d'autres créatures ont été pour d'autres nations) les symboles, les intermédiaires par lesquels nous offrions le culte au Créateur, trop auguste pour être approché directement.

Ici, il se fit une pause. A la longue, l'entretien fut repris par le docteur Ponnonner.

— Il n'est donc pas improbable, d'après vos explications, — dit-il, — qu'il puisse exister, dans les catacombes qui sont près du Nil, d'autres momies de la race du Scarabée dans de semblables conditions de vitalité?

— Cela ne peut pas faire l'objet d'une question, — répliqua le comte; — tous les Scarabées qui par accident ont été embaumés vivants sont vivants. Quelques-uns même de ceux qui ont été ainsi embaumés *à dessein* peuvent avoir été oubliés par leurs exécuteurs testamentaires et encore sont encore dans leurs tombes.

— Seriez-vous assez bon, — dis-je, — pour expliquer ce que vous entendez par *embaumés ainsi à dessein?*

— Avec le plus grand plaisir, — répliqua la momie, après m'avoir considéré à loisir à travers son lorgnon; car c'était la première fois que je me hasardais à lui adresser directement une question.

— Avec le plus grand plaisir, — dit-elle. — La durée ordinaire de la vie humaine, de mon temps, était de huit cents ans environ. Peu d'hommes mouraient, sauf par suite d'accidents très-extraordinaires, avant l'âge de six cents; très-peu vivaient plus de dix siècles; mais huit siècles étaient considérés comme le terme naturel. Après la découverte du principe de l'embaumement, tel que je vous l'ai expliqué, il vint à l'esprit de nos philosophes qu'on pourrait satisfaire une louable curiosité, et en même temps servir considérablement les intérêts de la science, en morcelant la durée moyenne et en vivant cette vie naturelle par à-comptes. Relativement à la science histo-

rique, l'expérience a démontré qu'il y avait quelque chose
à faire dans ce sens, quelque chose d'indispensable. Un
historien, par exemple, ayant atteint l'âge de cinq cents
ans, écrivait un livre avec le plus grand soin; puis il se
faisait soigneusement embaumer, laissant commission à
ses exécuteurs testamentaires *pro tempore* de le ressusciter
après un certain laps de temps, — mettons cinq ou six
cents ans. Rentrant dans la vie à l'expiration de cette
époque, il trouvait invariablement son grand ouvrage
converti en une espèce de cahier de notes accumulées au
hasard, — c'est-à-dire en une sorte d'arène littéraire ouverte aux conjectures contradictoires, aux énigmes et aux
chamailleries personnelles de toutes les bandes de commentateurs exaspérés. Ces conjectures, ces énigmes qui passaient sous le nom d'annotations ou corrections, avaient si
complétement enveloppé, torturé, écrasé le texte, que
l'auteur était réduit à fureter partout dans ce fouillis avec
une lanterne pour découvrir son propre livre. Mais, une
fois retrouvé, ce pauvre livre ne valait jamais les peines
que l'auteur avait prises pour le ravoir. Après l'avoir ré-
crit d'un bout à l'autre, il restait encore une besogne
pour l'historien, un devoir impérieux : c'était de corriger,
d'après sa science et son expérience personnelles, les traditions du jour concernant l'époque dans laquelle il avait
primitivement vécu. Or, ce procédé de recomposition et de
rectification personnelle, poursuivi de temps à autre par
différents sages, avait pour résultat d'empêcher notre histoire de dégénérer en une pure fable.

— Je vous demande pardon, — dit alors le docteur
Ponnonner, — posant doucement sa main sur le bras de
l'Egyptien, je vous demande pardon, monsieur, mais puis-
je me permettre de vous interrompre pour un moment?

— Parfaitement, *monsieur,* — répliqua le comte en
s'écartant un peu.

— Je désirais simplement vous faire une question, —
dit le docteur. — Vous avez parlé de corrections personnelles de l'auteur relativement aux traditions qui concer-
naient son époque. En moyenne, monsieur, je vous prie,

dans quelle proportion la vérité se trouvait-elle généralement mêlée à ce grimoire?

— On trouva généralement que ce grimoire — pour
me servir de votre excellente définition, monsieur, —
était exactement au pair avec les faits rapportés dans
l'histoire elle-même non récrite, — c'est-à-dire qu'on ne
vit jamais dans aucune circonstance un simple iota de
l'un ou de l'autre qui ne fût absolument et radicalement
faux.

— Mais, puisqu'il est parfaitement clair, — reprit le
docteur, que cinq mille ans au moins se sont écoulés depuis votre enterrement, je tiens pour sûr que vos annales
à cette époque, sinon vos traditions, étaient suffisamment
explicites sur un sujet d'un intérêt universel, la Création,
qui eut lieu, comme vous le savez sans doute, seulement
dix siècles auparavant, ou peu s'en faut.

— Monsieur! — fit le comte Allamistakeo.

Le docteur répéta son observation, mais ce ne fut
qu'après mainte explication additionnelle qu'il parvint à
se faire comprendre de l'étranger. A la fin, celui-ci dit,
non sans hésitation :

— Les idées que vous soulevez sont, je le confesse, entièrement nouvelles pour moi. De mon temps, je n'ai
jamais connu personne qui eût été frappé d'une si singulière idée, que l'univers (ou ce monde, si vous l'aimez
mieux) pouvait avoir eu un commencement. Je me rappelle qu'une fois, mais rien qu'une fois, un homme de
grande science me parla d'une tradition vague concernant
la race humaine; et cet homme se servait comme vous du
mot *Adam*, ou *terre rouge*. Mais il l'employait dans un
sens générique, comme ayant trait à la germination spontanée par le limon, — juste comme un millier d'animalcules, — à la germination spontanée, dis-je, de cinq vastes
hordes d'hommes, poussant simultanément dans cinq
parties distinctes du globe presque égales entre elles.

Ici, la société haussa généralement les épaules, et une
ou deux personnes se touchèrent le front avec un air
très-significatif. M. Silk Buckingham, jetant un léger coup

d'œil d'abord sur l'occiput, puis sur le sinciput d'Allamistakeo, prit ainsi la parole :

— La longévité humaine dans votre temps, unie à cette
pratique fréquente que vous nous avez expliquée, consis-
tant à vivre sa vie par à-comptes, aurait dû, en vérité,
contribuer puissamment au développement général et à
l'accumulation des connaissances. Je présume donc que
nous devons attribuer l'infériorité marquée des anciens
Egyptiens dans toutes les parties de la science, quand on
les compare avec les modernes et plus spécialement avec
les Yankees, uniquement à l'épaisseur plus considérable du
crâne égyptien.

— Je confesse de nouveau, — répliqua le comte avec
une parfaite urbanité, — que je suis quelque peu en
peine de vous comprendre; dites-moi, je vous prie, de
quelles parties de la science voulez-vous parler?

Ici toute la compagnie, d'une voix unanime, cita les
affirmations de la phrénologie et les merveilles du magné-
tisme animal.

Nous ayant écoutés jusqu'au bout, le comte se mit à
raconter quelques anecdotes qui nous prouvèrent clairement que les prototypes de Gall et de Spurzheim avaient
fleuri et dépéri en Egypte, mais dans une époque si ancienne, qu'on en avait presque perdu le souvenir, — et
que les procédés de Mesmer étaient des tours misérables
en comparaison des miracles positifs opérés par les savants
de Thèbes, qui créaient des poux et une foule d'autres
êtres semblables.

Je demandai alors au comte si ses compatriotes étaient
capables de calculer les éclipses. Il sourit avec une nuance
de dédain et m'affirma que oui.

Ceci me troubla un peu; cependant, je commençais à
lui faire d'autres questions relativement à leurs connaissances astronomiques, quand quelqu'un de la société, qui
n'avait pas encore ouvert la bouche, me souffla à l'oreille
que, si j'avais besoin de renseignements sur ce chapitre, je
ferais mieux de consulter un certain monsieur Ptolémée aussi
bien qu'un nommé Plutarque, à l'article *De facie lunæ.*

Je questionnai alors la momie sur les verres ardents et lenticulaires, et généralement sur la fabrication du verre; mais je n'avais pas encore fini mes questions que le camarade silencieux me poussait doucement par le coude, et me priait, pour l'amour de Dieu, de jeter un coup d'œil sur Diodore de Sicile. Quant au comte, il me demanda simplement, en manière de réplique, si, nous autres modernes, nous possédions des microscopes qui nous permissent de graver des onyx avec la perfection des Egyptiens. Pendant que je cherchais la réponse à faire à cette question, le petit docteur Ponnonner s'aventura dans une voie très-extraordinaire.

— Voyez notre architecture! — s'écria-t-il, — à la grande indignation des deux voyageurs qui le pinçaient jusqu'au bleu, mais sans réussir à le faire taire.

— Allez voir, — criait-il avec enthousiasme, la fontaine du Jeu de boule à New York! ou, si c'est une trop écrasante contemplation, regardez un instant le Capitole à Washington, D. C.!

Et le bon petit homme médical alla jusqu'à détailler minutieusement les proportions du bâtiment en question. Il expliqua que le portique seul n'était pas orné de moins de vingt-quatre colonnes, de cinq pieds de diamètre, et situées à dix pieds de distance l'une de l'autre.

Le comte dit qu'il regrettait de ne pouvoir se rappeler pour le moment la dimension précise d'aucune des principales constructions de la cité d'Aznac, dont les fondations plongeaient dans la nuit du temps, mais dont les ruines étaient encore debout, à l'époque de son enterrement, dans une vaste plaine de sable à l'ouest de Thèbes. Il se souvenait néanmoins, à propos de portiques, qu'il y en avait un, appliqué à un palais secondaire, dans une espèce de faubourg appelé Carnac, et formé de cent quarante-quatre colonnes de trente-sept pieds de circonférence chacune, et distantes de vingt-cinq pieds l'une de l'autre. On arrivait du Nil à ce portique par une avenue de deux milles de long, formée par des sphinx, des statues, des obélisques de vingt, de soixante et de cent pieds

de haut. Le palais lui-même, autant qu'il pouvait se rappeler, avait, dans un sens seulement, deux milles de long,
et pouvait bien avoir en tout sept milles de circuit. Ses
murs étaient richement décorés en dedans et en dehors
de peintures hiéroglyphiques. Il ne prétendait pas *affirmer*
qu'on aurait pu bâtir entre ses murs cinquante ou soixante
des Capitoles du docteur; mais il ne lui était pas démontré que deux ou trois cents n'eussent pas pu y être
empilés sans trop d'embarras. Ce palais de Carnac était
une insignifiante petite bâtisse, après tout. Le comte,
néanmoins, ne pouvait pas, en stricte conscience, se refuser à reconnaître le style ingénieux, la magnificence et
la supériorité de la fontaine du Jeu de boule, telle que le
docteur l'avait décrite. Rien de semblable, il était forcé
de l'avouer, n'avait jamais été vu en Egypte ni ailleurs.

Je demandai alors au comte ce qu'il pensait de nos
chemins de fer.

— Rien de particulier, — dit-il. — Ils sont un peu
faibles, assez mal conçus et grossièrement assemblés. Ils
ne peuvent donc pas être comparés aux vastes chaussées
à rainures de fer, horizontales et directes, sur lesquelles
les Egyptiens transportaient des temples entiers et des
obélisques massifs de cent cinquante pieds de haut.

Je lui parlai de nos gigantesques forces mécaniques. Il
convint que nous savions faire quelque chose dans ce
genre, mais il me demanda comment nous nous y serions
pris pour dresser les impostes sur les linteaux du plus
petit palais de Carnac.

Je jugeai à propos de ne pas entendre cette question, et
je lui demandai s'il avait quelque idée des puits arté-
siens; mais il releva simplement les sourcils, pendant que
M. Gliddon me faisait un clignement d'yeux très-pro-
noncé, et me disait à voix basse que les ingénieurs chargés
de forer le terrain pour trouver de l'eau dans la Grande
Oasis en avaient découvert un tout récemment.

Alors, je citai nos aciers; mais l'étranger leva le nez, et
me demanda si notre acier aurait jamais pu exécuter les
sculptures si vives et si nettes qui décorent les obélisques,

et qui avaient été entièrement exécutées avec des outils de cuivre.

Cela nous déconcerta si fort, que nous jugeâmes à propos de faire une diversion sur la métaphysique. Nous envoyâmes chercher un exemplaire d'un ouvrage qui s'appelle le *Dial*, et nous en lûmes un chapitre ou deux sur un sujet qui n'est pas très-clair mais que les gens de Boston définissent : le Grand Mouvement ou Progrès.

Le comte dit simplement que, de son temps, les grands mouvements étaient choses terriblement communes, et que, quant au progrès, il fut à une certaine époque une vraie calamité, mais ne progressa jamais.

Nous parlâmes alors de la grande beauté et de l'importance de la Démocratie, et nous eûmes beaucoup de peine à bien faire comprendre au comte la nature positive des avantages dont nous jouissions en vivant dans un pays où le suffrage était *ad libitum,* et où il n'y avait pas de roi.

Il nous écouta avec un intérêt marqué, et, en somme, il parut réellement s'amuser. Quand nous eûmes fini, il nous dit qu'il s'était passé là-bas, il y avait déjà bien longtemps quelque chose de tout à fait semblable. Treize provinces égyptiennes résolurent tout d'un coup d'être libres, et de donner ainsi un magnifique exemple au reste de l'humanité. Elles rassemblèrent leurs sages, et brassèrent la plus ingénieuse constitution qu'il est possible d'imaginer. Pendant quelque temps, tout alla le mieux du monde; seulement, il y avait là des habitudes de blague qui étaient quelque chose de prodigieux. La chose néanmoins finit ainsi : les treize Etats, avec quelque chose comme quinze ou vingt autres, se consolidèrent dans le plus odieux et le plus insupportable despotisme dont on ait jamais ouï parler sur la face du globe.

Je demandai quel était le nom du tyran usurpateur.

Autant que le comte pouvait se le rappeler, ce tyran se nommait : *La Canaille.*

Ne sachant que dire à cela, j'élevai la voix, et je déplorai l'ignorance des Egyptiens relativement à la vapeur.

Le comte me regarda avec beaucoup d'étonnement, mais ne répondit rien. Le gentleman silencieux me donna toutefois un violent coup de coude dans les côtes, — me dit que je m'étais suffisamment compromis pour une fois, — et me demanda si j'étais réellement assez innocent pour ignorer que la machine à vapeur moderne descendait de l'invention de Héro en passant par Salomon de Caus.

Nous étions pour lors en grand danger d'être battus; mais notre bonne étoile fit que le docteur Ponnonner, s'étant rallié, accourut à notre secours, et demanda si la nation égyptienne prétendait sérieusement rivaliser avec les modernes dans l'article de la toilette, si important et si compliqué.

A ce mot, le comte jeta un regard sur les sous-pieds de son pantalon; puis, prenant par le bout une des basques de son habit, il l'examina curieusement pendant quelques minutes. A la fin, il la laissa retomber, et sa bouche s'étendit graduellement d'une oreille à l'autre; mais je ne me rappelle pas qu'il ait dit quoi que ce soit en manière de réplique.

Là-dessus, nous recouvrâmes nos esprits, et le docteur, s'approchant de la momie d'un air plein de dignité, la pria de dire avec candeur, sur son honneur de gentleman, si les Egyptiens avaient compris, à une époque quelconque, la fabrication soit des pastilles de Ponnonner, soit des pilules de Brandreth.

Nous attendions la réponse dans une profonde anxiété, — mais bien inutilement. Cette réponse n'arrivait pas. L'Egyptien rougit et baissa la tête. Jamais triomphe ne fut plus complet; jamais défaite ne fut supportée de plus mauvaise grâce. Je ne pouvais vraiment pas endurer le spectacle de l'humiliation de la pauvre momie. Je pris mon chapeau, je la saluai avec un certain embarras, et je pris congé.

En rentrant chez moi, je m'aperçus qu'il était quatre heures passées, et je me mis immédiatement au lit. Il est maintenant dix heures du matin. Je suis levé depuis sept, et j'écris ces notes pour l'instruction de ma famille et de l'humanité. Quant à la première, je ne la verrai plus. Ma femme est une mégère. La vérité est que cette vie et généralement tout le dix-neuvième siècle me donnent des nausées. Je suis convaincu que tout va de travers. En outre, je suis anxieux de savoir qui sera élu Président en 2045. C'est pourquoi, une fois rasé et mon café avalé, je vais tomber chez Ponnonner, et je me fais embaumer pour une couple de siècles.

PUISSANCE DE LA PAROLE

OINOS. — Pardonne, Agathos, à la faiblesse d'un esprit fraîchement revêtu d'immortalité.

AGATHOS. — Tu n'as rien dit, mon cher Oinos, dont tu aies à demander pardon. La connaissance n'est pas une chose d'intuition, pas même *ici*. Quant à la sagesse, demande avec confiance aux anges qu'elle te soit accordée!

OINOS. — Mais, pendant cette dernière existence, j'avais rêvé que j'arriverais d'un seul coup à la connaissance de toutes choses, et du même coup au bonheur absolu.

AGATHOS. — Ah! ce n'est pas dans la science qu'est le bonheur, mais dans l'acquisition de la science! Savoir pour toujours, c'est l'éternelle béatitude; mais tout savoir, ce serait une damnation de démon.

OINOS. — Mais le Très-Haut ne connaît-il pas toutes choses?

AGATHOS. — Et c'est la *chose unique* (puisqu'il est le Très-Heureux) qui doit LUI rester inconnue à LUI-même.

OINOS. — Mais, puisque chaque minute augmente notre connaissance, n'est-il pas inévitable que toutes choses nous soient connues *à la fin?*

AGATHOS. — Plonge ton regard dans les lointains de l'abîme! Que ton œil s'efforce de pénétrer ces innombrables perspectives d'étoiles, pendant que nous glissons lentement à travers, — encore, — et encore, — et toujours! La vision spirituelle elle-même n'est pas absolu-

ment arrêtée par les murs d'or circulaires de l'univers, —
ces murs faits de myriades de corps brillants qui se fondent
en une incommensurable unité?

OINOS. — Je perçois clairement que l'infini de la matière
n'est pas un rêve.

AGATHOS. — Il n'y a pas de rêves dans le Ciel; — mais
il nous est révélé ici que l'*unique* destination de cet infini de matière est de fournir des sources infinies, où l'âme
puisse soulager cette soif de *connaître*, qui est en elle, —
inextinguible à jamais, puisque l'éteindre serait pour l'âme
l'anéantissement de soi-même. Questionne-moi donc, mon
Oinos, librement et sans crainte. Viens! nous laisserons à
gauche l'éclatante harmonie des Pléiades, et nous irons
nous abattre loin de la foule dans les prairies étoilées, au-
delà d'Orion, où, au lieu de pensées, de violettes et de
pensées sauvages, nous trouverons des couches de soleils
triples et de soleils tricolores.

OINOS. — Et maintenant, Agathos, tout en planant à
travers l'espace, instruis-moi! — Parle-moi dans le ton
familier de la terre! Je n'ai pas compris ce que tu me
donnais tout à l'heure à entendre, sur les modes et les
procédés de Création, — de ce que nous nommions Création, dans le temps que nous étions mortels. Veux-tu dire
que le Créateur n'est pas Dieu?

AGATHOS. — Je veux dire que la Divinité ne crée pas.

OINOS. — Explique-toi!

AGATHOS. — Au commencement *seulement*, elle a créé.
Les créatures, — ce qui apparaît comme créé, — qui maintenant, d'un bout de l'univers à l'autre, émergent infatigablement à l'existence, ne peuvent être considérées que
comme des résultats médiats ou indirects, et non comme
directs ou immédiats, de la Divine Puissance Créatrice.

OINOS. — Parmi les hommes, mon Agathos, cette idée
eût été considérée comme hérétique au suprême degré.

AGATHOS. — Parmi les anges, mon Oinos, elle est simplement admise comme une vérité.

OINOS. — Je puis te comprendre, en tant que tu veuilles
dire que certaines opérations de l'être que nous appelons

— cette faculté de rapporter dans *toutes* les époques *tous* les effets à *toutes* les causes — est évidemment la prérogative de la Divinité seule; — mais cette puissance est exercée, à tous les degrés de l'échelle au-dessous de l'absolue perfection, par la population entière des Intelligences angéliques.

OINOS. — Mais tu parles simplement des mouvements imprimés à l'air.

AGATHOS. — En parlant de l'air, ma pensée n'embrassait que le monde terrestre; mais la proposition généralisée comprend les impulsions créées dans l'éther, — qui, pénétrant, et seul pénétrant tout l'espace se trouve être ainsi le grand médium de création.

OINOS. — Donc, tout mouvement, de quelque nature qu'il soit, est créateur?

AGATHOS. — Cela ne peut pas ne pas être; mais une vraie philosophie nous a dès longtemps appris que la source de tout mouvement est la pensée, — et que la source de toute pensée est...

OINOS. — Dieu.

AGATHOS. — Je t'ai parlé, Oinos — comme je devais parler à un enfant de cette belle Terre qui a péri récemment — des mouvements produits dans l'atmosphère de la Terre...

OINOS. — Oui, cher Agathos.

AGATHOS. — Et pendant que je te parlais ainsi, n'as-tu pas senti ton esprit traversé par quelque pensée relative à la *puissance matérielle des paroles?* Chaque parole n'est-elle pas un mouvement créé dans l'air?

OINOS. — Mais pourquoi pleures-tu, Agathos? — et pourquoi, oh! pourquoi tes ailes faiblissent-elles pendant que nous planons au-dessus de cette belle étoile, — la plus verdoyante et cependant la plus terrible de toutes celles que nous avons rencontrées dans notre vol? Ses brillantes fleurs semblent un rêve féerique, — mais ses volcans farouches rappellent les passions d'un cœur tumultueux.

AGATHOS. — *Ils ne semblent pas, ils sont! ils sont* rêves

et passions! Cette étrange étoile, — il y a de cela trois siècles, — c'est moi qui, les mains crispées et les yeux ruisselants, — aux pieds de ma bien-aimée, — l'ai proférée à la vie avec quelques phrases passionnées. Ses brillantes fleurs *sont* les plus chers de tous les rêves non réalisés, et ses volcans forcenés *sont* les passions du plus tumultueux et du plus insulté des cœurs!

COLLOQUE
ENTRE MONOS ET UNA

Choses futures.

SOPHOCLE. — *Antigone.*

UNA. — *Ressuscité?*

MONOS. — Oui, très-belle et très-adorée Una, *ressuscité.* Tel était le mot sur le sens mystique duquel j'avais si longtemps médité, repoussant les explications de la prê-traille jusqu'à tant que la mort elle-même vînt résoudre l'énigme pour moi.

UNA. — La Mort!

MONOS. — Comme tu fais étrangement écho à mes paroles, douce Una! J'observe aussi une vacillation dans ta démarche, — une joyeuse inquiétude dans tes yeux. Tu es troublée, oppressée par la majestueuse nouveauté de la Vie éternelle. Oui, c'était de la Mort que je parlais. Et comme ce mot résonne singulièrement *ici*, ce mot qui jadis portait l'angoisse dans tous les cœurs, — jetait une tache sur tous les plaisirs!

UNA. — Ah! la Mort, le spectre qui s'asseyait à tous les festins! Que de fois, Monos, nous nous sommes perdus en méditations sur sa nature! Comme il se dressait, mys-térieux contrôleur, devant le bonheur humain, lui disant : « Jusque-là, et pas plus loin! » Cet ardent amour mutuel, mon Monos, qui brûlait dans nos poitrines, comme vainement nous nous étions flattés, nous sentant si heureux sitôt qu'il prit naissance, de voir notre bonheur grandir de sa force! Hélas! il grandit, cet amour, et avec lui grandissait dans nos cœurs la terreur de l'heure fatale qui accourait pour nous séparer à jamais! Ainsi, avec le temps, aimer devint une douleur. Pour lors, la haine nous eût été une miséricorde.

MONOS. — Ne parle pas ici de ces peines, chère Una, — mienne maintenant, mienne pour toujours!

UNA. — Mais n'est-ce pas le souvenir du chagrin passé qui fait la joie du présent? Je voudrais parler longtemps encore, des choses qui ne sont plus. Par-dessus tout, je brûle de connaître les incidents de ton voyage à travers l'Ombre et la noire Vallée.

MONOS. — Quand donc la radieuse Una demanda-t-elle en vain quelque chose à son Monos? Je raconterai tout minutieusement; — mais à quel point doit commencer le récit mystérieux?

UNA. — A quel point?

MONOS. — Oui, à quel point?

UNA. — Je te comprends, Monos. La Mort nous a révélé à tous deux le penchant de l'homme à définir l'indéfinissable. Je ne dirai donc pas : Commence au point où cesse la vie, — mais : Commence à ce triste, triste moment où, la fièvre t'ayant quitté, tu tombas dans une torpeur sans souffle et sans mouvement, et où je fermai tes paupières pâlies avec les doigts passionnés de l'amour.

MONOS. — Un mot d'abord, mon Una, relativement à la condition générale de l'homme à cette époque. Tu te rappelles qu'un ou deux sages parmi nos ancêtres, — sages en fait, quoique non pas dans l'estime du monde, — avaient osé douter de la propriété du mot *Progrès*, appliqué à la marche de notre civilisation. Chacun des cinq ou six siècles qui précédèrent notre mort vit, à un certain moment, s'élever quelque vigoureuse intelligence luttant bravement pour ces principes dont l'évidence illumine maintenant notre raison, insolente affranchie remise à son rang, — principes qui auraient dû apprendre à notre race à se laisser guider par les lois naturelles plutôt qu'à les vouloir contrôler. A de longs intervalles apparaissaient quelques esprits souverains, pour qui tout progrès dans les sciences pratiques n'était qu'un recul dans l'ordre de la véritable utilité. Parfois, l'esprit poétique, — cette faculté, la plus sublime de toutes, nous savons cela maintenant, — puisque des vérités de la plus haute importance ne pouvaient nous être révélées que par cette *Analogie*, dont l'éloquence, irrécusable pour l'imagination, ne dit rien à la raison infirme et solitaire, — parfois, dis-je, cet esprit poétique prit les devants sur une philosophie tâtonnière et entendit dans la parabole mystique de l'arbre de la science et de son fruit défendu, qui engendre la mort, un avertissement clair, à savoir que la science n'était pas bonne pour l'homme pendant la minorité de son âme. Et ces hommes, — les poëtes, — vivant et mourant parmi le mépris des *utilitaires*, rudes pédants qui usurpaient un titre dont les méprisés seuls étaient dignes, les poëtes reportèrent leurs rêveries et leurs sages regrets vers ces anciens jours où nos besoins étaient aussi simples que pénétrantes nos jouissances, — où le mot *gaieté* était inconnu, tant l'accent du bonheur était solennel et profond! — jours saints, augustes et bénis, où les rivières azurées coulaient à pleins bords entre les collines intactes et s'enfonçaient au loin dans les solitudes des forêts primitives, odorantes, inviolées.

Cependant ces nobles exceptions à l'absurdité générale ne servirent qu'à la fortifier par l'opposition. Hélas! nous étions descendus dans les pires jours de tous nos mauvais jours. Le *grand mouvement,* — tel était l'argot du temps, — marchait; perturbation morbide, morale et physique. L'art, — les arts, veux-je dire, furent élevés au rang suprême, et, une fois installés sur le trône, ils jetèrent des chaînes sur l'intelligence qui les avait élevés au pouvoir. L'homme qui ne pouvait pas ne pas reconnaître la majesté de la Nature, chanta niaisement victoire à l'occasion de ses conquêtes toujours croissantes sur les éléments de cette même Nature Aussi bien, pendant qu'il se pavanait et faisait le Dieu, une imbécillité enfantine s'abattait sur lui. Comme on pouvait le prévoir depuis l'origine de la maladie, il fut bientôt infecté de systèmes et d'abstractions; il s'empêtra dans des généralités. Entre autres idées bizarres, celle de l'égalité universelle avait gagné du terrain; et, à la face de l'Analogie et de Dieu, — en dépit de la voix haute et salutaire des lois de *gradation* qui pénètrent si vivement toutes choses sur la Terre et dans le Ciel, — des efforts insensés furent faits pour établir une Démocratie universelle. Ce mal surgit nécessairement du mal premier : la Science. L'homme ne pouvait pas en même temps devenir savant et se soumettre. Cependant, d'innombrables cités s'élevèrent, énormes et fumeuses. Les vertes feuilles se recroquevillèrent devant la chaude haleine des fourneaux. Le beau visage de la Nature fut déformé comme par les ravages de quelque dégoûtante maladie. Et il me semble, ma douce Una, que le sentiment, même assoupi, du forcé et du cherché trop loin aurait dû nous arrêter à ce point. Mais il paraît qu'en pervertissant notre *goût,* ou plutôt en négligeant de le cultiver dans les écoles, nous avions follement parachevé notre propre destruction. Car, en vérité, c'était dans cette crise que le goût seul, — cette faculté qui, marquant le milieu entre l'intelligence pure et le sens moral, n'a jamais pu être méprisée impunément, — c'était alors que le goût seul pouvait nous ramener doucement vers la Beauté, la Nature et la Vie. Mais, hélas! pur esprit contemplatif et majestueuse intuition de Platon! hélas! compréhensive *Mousikê,* qu'il regardait à juste titre comme une éducation suffisante pour l'âme! hélas! où étiez-vous? C'était quand vous aviez tous les deux disparu dans l'oubli et le mépris universels qu'on avait le plus désespérément besoin de vous!

Pascal, un philosophe que nous aimons tous deux, chère Una, a dit — avec quelle vérité! — que *tout raisonnement se réduit à céder au sentiment;* et il n'eût pas été impossible, si l'époque l'avait permis, que le sentiment du naturel eût repris son vieil ascendant sur la brutale

raison mathématique des écoles. Mais cela ne devait pas
être. Prématurément amenée par des orgies de science,
la décrépitude du monde approchait. C'est ce que ne
voyait pas la masse de l'humanité, ou ce que, vivant gou-
lûment, quoique sans bonheur, elle affectait de ne pas
voir. Mais, pour moi, les annales de la Terre m'avaient
appris à attendre la ruine la plus complète comme prix
de la plus haute civilisation. J'avais puisé dans la comparaison de la Chine, simple et robuste, avec l'Assyrie archi-
tecte, avec l'Egypte astrologue, avec la Nubie plus subtile
encore, mère turbulente de tous les arts, la prescience de
notre Destinée. Dans l'histoire de ces contrées, j'avais
trouvé un rayon de l'Avenir. Les spécialités industrielles
de ces trois dernières étaient des maladies locales de la
Terre, et la ruine de chacune a été l'application du remède
local; mais, pour le monde infecté en grand, je ne voyais
de régénération possible que dans la mort. Or, l'homme
ne pouvant pas, en tant que race, être anéanti, je vis qu'il
lui fallait *renaître*.

Et c'était alors, ma très-belle et ma très-chère, que nous
plongions journellement notre esprit dans les rêves. C'était
alors que nous discourions à l'heure du crépuscule, sur
les jours à venir, — quand l'épiderme de la Terre, cicatrisé
par l'Industrie, ayant subi cette purification qui seule
pouvait effacer ses abominations rectangulaires, serait habillé à neuf avec les verdures, les collines et les eaux
souriantes du Paradis. et redeviendrait une habitation
convenable pour l'homme, — pour l'homme, purgé par
la Mort, — pour l'homme dont l'intelligence ennoblie
ne trouverait plus un poison dans la science, — pour
l'homme racheté, régénéré, béatifié, désormais immortel,
et cependant encore revêtu de matière.

UNA. — Oui, je me rappelle bien ces conversations, cher
Monos; mais l'époque du feu destructeur n'était pas aussi
proche que nous nous l'imaginions, et que la corruption
dont tu parles nous permettait certainement de le croire.
Les hommes vécurent, et ils moururent individuellement.
Toi-même, vaincu par la maladie, tu as passé par la tombe,

et ta constante Una t'y a promptement suivi; et, bien que nos sens assoupis n'aient pas été torturés par l'impatience et n'aient pas souffert de la longueur du siècle qui s'est écoulé depuis et dont la révolution finale nous a rendus l'un à l'autre, cependant, cher Monos, cela a fait encore un siècle.

MONOS. — Dis plutôt un point dans le vague infini. Incontestablement, ce fut pendant la décrépitude de la Terre que je mourus. Le cœur fatigué d'angoisses qui tiraient leur origine du désordre et de la décadence générale, je succombai à la cruelle fièvre. Après un petit nombre de jours de souffrance, après maints jours pleins de délire, de rêves et d'extases dont tu prenais l'expression pour celle de la douleur, pendant que je ne souffrais que de mon impuissance à te détromper, — après quelques jours, je fus, comme tu l'as dit, pris par une léthargie sans souffle et sans mouvement, et ceux qui m'entouraient dirent que c'était *la Mort*.

Les mots sont choses vagues. Mon état ne me privait pas de sentiment; il ne me paraissait pas très-différent de l'extrême quiétude de quelqu'un qui, ayant dormi longtemps et profondément, immobile, prostré dans l'accablement de l'ardent solstice, commence à rentrer lentement dans la conscience de lui-même; il y glisse, pour ainsi dire, par le seul fait de l'insuffisance de son sommeil, et sans être éveillé par le mouvement extérieur.

Je ne respirais plus. Le pouls était immobile. Le cœur avait cessé de battre. La volition n'avait point disparu, mais elle était sans efficacité. Mes sens jouissaient d'une activité insolite, quoique l'exerçant d'une manière irrégulière et usurpant réciproquement leurs fonctions au hasard. Le goût et l'odorat se mêlaient dans une confusion inextricable et ne formaient plus qu'un seul sens anormal et intense. L'eau de rose, dont ta tendresse avait humecté mes lèvres au moment suprême, me donnait de douces idées de fleurs, — fleurs fantastiques infiniment plus belles qu'aucune de celles de la vieille Terre, et dont nous voyons aujourd'hui fleurir les modèles autour de nous.

Les paupières, transparentes et exsangues, ne faisaient pas absolument obstacle à la vision. Comme la volition était suspendue, les globes ne pouvaient pas rouler dans leurs orbites, — mais tous les objets situés dans la portée de l'hémisphère visuel étaient perçus plus ou moins distinctement, les rayons qui tombaient sur la rétine externe, ou dans le coin de l'œil, produisant un effet plus vif que ceux qui frappaient la surface interne ou l'attaquaient de face. Toutefois, dans le premier cas, cet effet était si anormal, que je l'appréciais seulement comme un *son*, — un son doux et discordant, suivant que les objets qui se présentaient à mon côté étaient lumineux ou revêtus d'ombre, — arrondis ou d'une forme anguleuse. En même temps l'ouïe, quoique surexcitée, n'avait rien d'irrégulier dans son action, et elle appréciait les sons réels avec une précision non moins hyperbolique que sa sensibilité. Le toucher avait subi une modification plus régulière. Il ne recevait ses impressions que lentement, mais les retenait opiniâtrément, et il en résultait toujours un plaisir physique des plus prononcés. Ainsi la pression de tes doigts, si doux sur mes paupières, ne fut d'abord perçue que par l'organe de la vision; mais, à la longue, et longtemps après qu'ils se furent retirés, ils remplirent mon être d'un délice sensuel inappréciable. Je dis : d'un délice sensuel. Toutes mes perceptions étaient purement sensuelles. Quant aux matériaux fournis par les sens au cerveau passif, l'intelligence morte, inhabile à les mettre en œuvre, ne leur donnait aucune forme. Il entrait dans tout cela un peu de douleur et beaucoup de volupté; mais de peine ou de plaisir moraux, pas l'ombre. Ainsi, tes sanglots impétueux flottaient dans mon oreille avec toutes leurs plaintives cadences, et ils étaient appréciés par elle dans toutes leurs variations de ton mélancolique; mais c'étaient de suaves notes musicales et rien de plus; ils n'apportaient à la raison éteinte aucune notion des douleurs qui leur donnaient naissance, pendant que la large et incessante pluie de larmes qui tombait sur ma face, et qui pour tous les assistants témoignait d'un cœur brisé, pénétrait

simplement d'extase chaque fibre de mon être. Et, en
vérité, c'était bien là la *Mort,* dont les témoins parlaient
à voix basse et révérencieusement, — et toi, ma douce
Una, d'une voix convulsive, pleine de sanglots et de
cris.

On m'habilla pour la bière : — trois ou quatre figures
sombres qui voletaient çà et là d'une manière affairée.
Quand elles traversaient la ligne directe de ma vision,
elles m'affectaient comme *formes;* mais, quand elles passaient à mon côté, leurs images se traduisaient dans mon
cerveau en cris, gémissements, et autres expressions lugubres de terreur, d'horreur ou de souffrance. Toi seule
avec ta robe blanche, ondoyante, dans quelque direction
que ce fût, tu t'agitais toujours musicalement autour de
moi.

Le jour baissait; et, comme la lumière allait s'évanouissant, je fus pris d'un vague malaise, — d'une anxiété
semblable à celle d'un homme qui dort quand des sons
réels et tristes tombent incessamment dans son oreille, —
des sons de cloche lointains, solennels, à des intervalles
longs mais égaux, et se mariant à des rêves mélancoliques.
La nuit vint, et avec ses ombres une lourde désolation.
Elle oppressait mes organes comme un poids énorme, et
elle était palpable. Il y avait aussi un son lugubre, assez
semblable à l'écho lointain du ressac de la mer, mais plus
soutenu, qui, commençant dès le crépuscule, s'était accru
avec les ténèbres. Soudainement des lumières furent ap-
portées dans la chambre, et aussitôt, cet écho prolongé
s'interrompit, se transforma en explosions fréquentes, iné-
gales, de même son, mais moins lugubre et moins distinct.
L'écrasante oppression était en grande partie allégée; et
je sentis, jaillissant de la flamme de chaque lampe, — car
il y en avait plusieurs, — un chant d'une monotonie mé-
lodieuse couler incessamment dans mes oreilles. Et quand,
approchant alors, chère Una, du lit sur lequel j'étais
étendu, tu t'assis gracieusement à mon côté, soufflant le
parfum de tes lèvres exquises, et les appuyant sur mon
front, — quelque chose s'éleva dans mon sein, quelque

chose de tremblant, de confondu avec les sensations purement physiques engendrées par les circonstances, quelque
chose d'analogue à la sensibilité elle-même, — un sentiment qui appréciait à moitié ton ardent amour et ta
douleur, et leur répondait à moitié; mais cela ne prenait
pas racine dans le cœur paralysé; cela semblait plutôt une
ombre qu'une réalité; cela s'évanouit promptement,
d'abord dans une extrême quiétude, puis dans un plaisir
purement sensuel comme auparavant.

Et alors, du naufrage et du chaos des sens naturels
parut s'élever en moi un sixième sens absolument parfait.
Je trouvais dans son action un étrange délice, — un
délice toujours physique toutefois, l'intelligence n'y prenant aucune part. Le mouvement dans l'être animal avait
absolument cessé. Aucune fibre ne tremblait, aucun nerf
ne vibrait, aucune artère ne palpitait. Mais il me semblait
que dans mon cerveau était né *ce quelque chose* dont
aucuns mots ne peuvent traduire à une intelligence purement humaine une conception même confuse. Permets-moi
de définir cela : vibration du pendule mental. C'était la
personnification morale de l'idée humaine abstraite du
Temps. C'est par l'absolue égalisation de ce mouvement,
— ou de quelque autre analogue, — que les cycles des
globes célestes ont été réglés. C'est ainsi que je mesurai
les irrégularités de la pendule de la cheminée et des
montres des personnes présentes. Leurs tic-tac rempli-
saient mes oreilles de leurs sonorités. Les plus légères
déviations de la mesure juste, — et ces déviations étaient
obsédantes, — m'affectaient exactement comme, parmi les
vivants, les violations de la vérité abstraite affectaient
mon sens moral. Quoiqu'il n'y eût pas dans la chambre
deux mouvements qui marquassent ensemble exactement
leurs secondes, je n'éprouvais aucune difficulté à retenir
imperturbablement dans mon esprit le timbre de chacun
et leurs différences relatives. Et ce sentiment de la *durée*,
vif, parfait, existant par lui-même, indépendamment d'une
série quelconque de faits (mode d'existence inintelligible
peut-être pour l'homme), — cette idée, — ce sixième

sens, surgissant de mes ruines, était le premier pas sensible, décisif, de l'âme intemporelle sur le seuil de l'Eternité.

Il était minuit; et tu étais toujours assise à mon côté. Tous les autres avaient quitté la chambre de Mort. Ils m'avaient déposé dans la bière. Les lampes brûlaient en vacillant; cela se traduisait en moi par le tremblement des chants monotones. Mais tout à coup ces chants diminuèrent de netteté et de volume. Finalement, ils cessèrent. Le parfum mourut dans mes narines. Aucunes formes n'affectèrent plus ma vision. Ma poitrine fut dégagée de l'oppression des Ténèbres. Une sourde commotion, comme celle de l'électricité, pénétra dans mon corps et fut suivie d'une disparition totale de l'idée du toucher. Tout ce qui restait de ce que l'homme appelle sens se fondit dans la seule conscience de l'entité et dans l'unique et immuable sentiment de la durée. Le corps périssable avait été enfin frappé par la main de l'irrémédiable Destruction.

Et pourtant toute sensibilité n'avait pas absolument disparu; car la conscience et le sentiment subsistants suppléaient quelques-unes de ses fonctions par une intuition léthargique. J'appréciais l'affreux changement qui commençait à s'opérer dans la chair; et, comme l'homme qui rêve a quelquefois conscience de la présence corporelle d'une personne qui se penche vers lui, ainsi, ma douce Una, je sentais toujours sourdement que tu étais assise près de moi. De même aussi, quand vint la douzième heure du second jour, je n'étais pas tout à fait inconscient des mouvements qui suivirent; tu t'éloignas de moi, on m'enferma dans la bière; on me déposa dans le corbillard; on me porta au tombeau; on m'y descendit; on amoncela pesamment la terre sur moi, et on me laissa, dans le noir et la pourriture, à mes tristes et solennels sommeils en compagnie du ver.

Et là, dans cette prison qui a peu de secrets à révéler, se déroulèrent les jours et les semaines, et les mois; et l'âme guettait scrupuleusement chaque seconde qui s'en-

volait, et sans effort enregistrait sa fuite, — sans effort et
sans objet.

Une année s'écoula. La conscience de l'*être* était devenue graduellement plus confuse, et celle de *localité*
avait en grande partie usurpé sa place. L'idée d'entité
s'était noyée dans l'idée de lieu. L'étroit espace qui
confinait ce qui avait été le corps devenait maintenant
le corps lui-même. A la longue, comme il arrive souvent
à l'homme qui dort (le sommeil et le monde du sommeil
sont les seules figurations de la *Mort*), à la longue, comme
il arrivait sur la terre à l'homme profondément endormi,
quand un éclair de lumière le faisait tressaillir dans un
demi-réveil, le laissant à moitié roulé dans ses rêves, de
même pour moi, dans l'étroit embrassement de l'*Ombre,*
vint cette lumière de l'*Amour* immortel! Des hommes
vinrent travailler au tombeau qui m'enfermait dans sa
nuit. Ils enlevèrent la terre humide. Sur mes os pou-
droyants descendit la bière d'Una.

Et puis, une fois encore, tout fut néant. Cette lueur
nébuleuse s'était éteinte. Cet imperceptible frémissement
s'était évanoui dans l'immobilité. Bien des lustres se sont
écoulés. La poussière est retournée à la poussière. Le ver
n'avait plus rien à manger. Le sentiment de l'être avait
à la longue entièrement disparu, et à sa place, — à la
place de toutes choses, — régnaient, suprêmes et éternels
autocrates, le *Lieu* et le *Temps*. Pour *ce* qui *n'était pas,*
— pour ce qui n'avait pas de forme, — pour ce qui
n'avait pas de pensée, — pour ce qui était sans âme et ne possédait
plus un atome de matière, — pour tout ce néant et
toute cette immortalité, le tombeau était encore un habitacle, — les heures corrosives, une société.

CONVERSATION
D'EIROS AVEC CHARMION

> Je t'apporterai le feu.
>
> EURIPIDE. — *Andromaque*.

EIROS. — Pourquoi m'appelles-tu Eiros?

CHARMION. — Ainsi t'appelleras-tu désormais. Tu dois aussi oublier mon nom terrestre et me nommer Charmion.

EIROS. — Ce n'est vraiment pas un rêve!

CHARMION. — De rêves, il n'y en a plus pour nous; — mais renvoyons à tantôt ces mystères. Je me réjouis de voir que tu as l'air de posséder toute ta vie et ta raison. La taie de l'ombre a déjà disparu de tes yeux. Prends courage, et ne crains rien. Les jours à donner à la stupeur sont passés pour toi; et demain je veux moi-même t'introduire dans les joies parfaites et les merveilles de ta nouvelle existence.

EIROS. — Vraiment, — je n'éprouve aucune stupeur — aucune. L'étrange vertige et la terrible nuit m'ont quittée, et je n'entends plus ce bruit insensé, précipité, horrible, pareil à *la voix des grandes eaux*. Cependant, mes sens sont effarés, Charmion, par la pénétrante perception du *nouveau*.

CHARMION. — Peu de jours suffiront à chasser tout cela; — mais je te comprends parfaitement, et je sens pour toi. Il y a maintenant dix années terrestres que j'ai éprouvé ce que tu éprouves, — et pourtant ce souvenir ne m'a pas encore quittée. Toutefois, voilà ta dernière épreuve subie, la seule que tu eusses à souffrir dans le Ciel.

EIROS. — Dans le Ciel?

CHARMION. — Dans le Ciel.

EIROS. — Oh! Dieu! — aie pitié de moi, Charmion! — Je suis écrasée sous la majesté de toutes choses, — de l'inconnu maintenant révélé, — de l'Avenir, cette conjecture, fondu dans le Présent auguste et certain.

CHARMION. — Ne t'attaque pas pour le moment à de pareilles pensées. Demain nous parlerons de cela. Ton esprit qui vacille trouvera un allégement à son agitation dans l'exercice du simple souvenir. Ne regarde ni autour de toi ni devant toi, — regarde en arrière. Je brûle d'impatience d'entendre les détails de ce prodigieux événement qui t'a jetée parmi nous. Parle-moi de cela. Causons de choses familières, dans le vieux langage familier de ce monde qui a si épouvantablement péri.

EIROS. — Epouvantablement! épouvantablement! Et cela, en vérité, n'est point un rêve.

CHARMION. — Il n'y a plus de rêves .— Fus-je bien pleurée, mon Eiros?

EIROS. — Pleurée, Charmion? — Oh! profondément. Jusqu'à la dernière de nos heures, un nuage d'intense mélancolie et de dévotieuse tristesse a pesé sur ta famille.

CHARMION. — Et cette heure dernière. — parle-m'en. Rappelle-toi qu'en dehors du simple fait de la catastrophe, je ne sais rien. Quand, sortant des rangs de l'humanité, j'entrai par la Tombe dans le domaine de la Nuit, — à cette époque, si j'ai bonne mémoire, nul ne pressentait la catastrophe qui vous a engloutis. Mais j'étais, il est vrai, peu au courant de la philosophie spéculative du temps.

EIROS. — Notre catastrophe était, comme tu le dis, absolument inattendue; mais des accidents analogues avaient été depuis longtemps un sujet de discussion parmi les astronomes. Ai-je besoin de te dire, mon amie, que, même quand tu nous quittas, les hommes s'accordaient à interpréter, comme ayant trait seulement au globe de la terre, les passages des Très-Saintes Ecritures qui parlent de la destruction finale de toutes choses par le feu? Mais, relativement à l'agent immédiat de la ruine, la pensée humaine était en défaut depuis l'époque où la science astronomique avait dépouillé les comètes de leur effrayant caractère incendiaire. La très-médiocre densité de ces corps avait été bien démontrée. On les avait observés dans leur passage à travers les satellites de Jupiter, et ils n'avaient causé aucune altération sensible dans les masses ni dans les orbites de ces planètes secondaires. Nous regardions depuis longtemps ces voyageurs comme de vaporeuses créations d'une inconcevable ténuité, incapables d'endommager notre globe massif, même dans le cas d'un contact. D'ailleurs ce contact n'était redouté en aucune façon; car les éléments de toutes les comètes étaient exactement connus. Que nous dussions chercher parmi elles l'agent igné de la destruction prophétisée, cela était depuis de longues années considéré comme une idée inadmissible. Mais le merveilleux, les imaginations bizarres avaient, dans ces derniers jours, singulièrement régné parmi l'humanité; et, quoique une crainte véritable ne pût avoir de prise que sur quelques ignorants, quand les astronomes annoncèrent une *nouvelle* comète, cette annonce fut généralement reçue avec je ne sais quelle agitation et quelle méfiance.

» Les éléments de l'astre étranger furent immédiatement calculés, et tous les observateurs reconnurent d'un même accord que sa route, à son périhélie, devait l'amener à une proximité presque immédiate de la terre. Il se trouva deux ou trois astronomes, d'une réputation secondaire, qui soutinrent résolument qu'un contact était inévitable. Il m'est difficile de te bien peindre l'effet de cette communication sur le monde. Pendant quelques jours, on se refusa à croire à une assertion que l'intelligence humaine, depuis longtemps appliquée à des considérations mon-

daines, ne pouvait saisir d'aucune manière. Mais la vérité
d'un fait d'une importance vitale fait bientôt son chemin
dans les esprits même les plus épais. Finalement, tous
les hommes virent que la science astronomique ne mentait
pas, et ils attendirent la comète. D'abord, son approche
ne fut pas sensiblement rapide; son aspect n'eut pas un
caractère bien inusité. Elle était d'un rouge sombre et
avait une queue peu appréciable. Pendant sept ou huit
jours, nous ne vîmes pas d'accroissement sensible dans
son diamètre apparent; seulement sa couleur varia légèrement. Cependant, les affaires ordinaires furent négligées, et tous les intérêts absorbés par une discussion
immense qui s'ouvrait entre les savants relativement à la
nature des comètes. Les hommes le plus grossièrement
ignorants élevèrent leurs indolentes facultés vers ces hautes
considérations. Les savants employèrent *alors* toute leur
intelligence. — toute leur âme. — non point à alléger
la crainte, non plus à soutenir quelque théorie favorite.
Oh! ils cherchèrent la vérité, rien que la vérité, — ils
s'épuisèrent à la chercher! Ils appelèrent à grands cris
la science parfaite! La *vérité* se leva dans la pureté de sa
force et de son excessive majesté, et les sages s'inclinèrent
et adorèrent.

» Qu'un dommage matériel pour notre globe ou pour
ses habitants pût résulter du contact redouté, c'était une
opinion qui perdait journellement du terrain parmi les
sages; et les sages avaient cette fois plein pouvoir pour
gouverner la raison et l'imagination de la foule. Il fut
démontré que la densité du noyau de la comète était beaucoup moindre que celle de notre gaz le plus rare; et le
passage inoffensif d'une semblable visiteuse à travers les
satellites de Jupiter fut un point sur lequel on insista fortement, et qui ne servit pas peu à diminuer la terreur.
Les théologiens, avec un zèle enflammé par la peur, in-
sistèrent sur les prophéties bibliques, et les expliquèrent
au peuple avec une droiture et une simplicité dont ils
n'avaient pas encore donné l'exemple. La destruction
finale de la terre devait s'opérer par le feu, — c'est ce

qu'ils avancèrent avec une verve qui imposait partout la conviction; mais les comètes n'étaient pas d'une nature ignée, — et c'était là une vérité que tous les hommes possédaient maintenant, et qui les délivrait, jusqu'à un certain point, de l'appréhension de la grande catastrophe prédite. Il est à remarquer que les préjugés populaires et les vulgaires erreurs relatives aux pestes et aux guerres, — erreurs qui reprenaient leur empire à chaque nouvelle comète, — furent cette fois choses inconnues. Comme par un soudain effort convulsif, la raison avait d'un seul coup culbuté la superstition de son trône. La plus faible intelligence avait puisé de l'énergie dans l'excès de l'intérêt actuel.

» Quels désastres d'une moindre gravité pouvaient résulter du contact, ce fut là le sujet d'une laborieuse discussion. Les savants parlaient de légères perturbations géologiques, d'altérations probables dans les climats et conséquemment dans la végétation, de la possibilité d'influences magnétiques et électriques. Beaucoup d'entre eux soutenaient qu'aucun effet visible ou sensible ne se produirait, — d'aucune façon. Pendant que ces discussions allaient leur train, l'objet lui-même s'avançait progressivement, élargissant visiblement son diamètre et augmentant son éclat. A son approche, l'Humanité pâlit. Toutes les opérations humaines furent suspendues.

» Il y eut une phase remarquable dans le cours du sentiment général; ce fut quand la comète eut enfin atteint une grosseur qui surpassait celle d'aucune apparition dont on eût gardé le souvenir. Le monde alors, privé de cette espérance traînante, que les astronomes pouvaient se tromper, sentit toute la certitude du malheur. La terreur avait perdu son caractère chimérique. Les cœurs les plus braves parmi notre race battaient violemment dans les poitrines. Peu de jours suffirent toutefois pour fondre ces premières épreuves dans des sensations plus intolérables encore. Nous ne pouvions désormais appliquer au météore étranger aucunes notions *ordinaires*. Ses attributs *historiques* avaient disparu. Il nous oppressait par la terrible *nouveauté* de l'émotion. Nous le voyions, non pas comme un phénomène astronomique dans les cieux, mais comme un cauchemar sur nos cœurs et une ombre sur nos cerveaux. Il avait pris, avec une inconcevable rapidité, l'aspect d'un gigantesque manteau de flamme claire toujours étendu à tous les horizons.

» Encore un jour, — et les hommes respirèrent avec une plus grande liberté. Il était évident que nous étions déjà sous l'influence de la comète; et nous vivions cependant. Nous jouissions même d'une élasticité de membres et d'une vivacité d'esprit insolites. L'excessive ténuité de l'objet de notre terreur était apparente; car tous les corps célestes se laissaient voir distinctement à travers. En même temps, notre végétation était sensiblement altérée, et cette circonstance prédite augmenta notre foi dans la prévoyance des sages. Un luxe extraordinaire de feuillage, entièrement inconnu jusqu'alors, fit explosion sur tous les végétaux.

» Un jour encore se passa, — et le fléau n'était pas absolument sur nous. Il était maintenant évident que son noyau devait nous atteindre le premier. Une étrange altération s'était emparée de tous les hommes; et la première sensation de *douleur* fut le terrible signal de la lamentation et de l'horreur générales. Cette première sensation de douleur consistait dans une constriction rigoureuse de la poitrine et des poumons et dans une insupportable sécheresse de la peau. Il était impossible de nier que notre atmosphère ne fût radicalement affectée; la composition de cette atmosphère et les modifications auxquelles elle pouvait être soumise furent dès lors les points de la discussion. Le résultat de l'examen lança un frisson électrique de terreur, de la plus intense terreur, à travers le cœur universel de l'homme.

» On savait depuis longtemps que l'air qui nous enveloppait était ainsi composé : sur cent parties, vingt et une d'oxygène et soixante-dix-neuf d'azote. L'oxygène, principe de la combustion et véhicule de la chaleur, était absolument nécessaire à l'entretien de la vie animale et représentait l'agent le plus puissant et le plus énergique de la nature. L'azote, au contraire, était impropre à entretenir la vie, ou combustion animale. D'un excès anormal d'oxygène devait résulter, cela avait été vérifié, une élévation des esprits vitaux semblable à celle que nous avions déjà subie. C'était l'idée continuée, poussée à l'extrême, qui avait créé la terreur. Quel devait être le résultat d'*une totale extraction de l'azote?* Une combustion irrésistible, dévorante, toute-puissante, immédiate; — l'entier accomplissement, dans tous leurs moindres et terribles détails, des flamboyantes et terrifiantes prophéties du Saint Livre.

» Ai-je besoin de te peindre, Charmion, la frénésie alors déchaînée de l'humanité? Cette ténuité de matière dans la comète, qui nous avait d'abord inspiré l'espérance, faisait maintenant toute l'amertume de notre désespoir. Dans sa nature impalpable et gazeuse, nous percevions clairement la consommation de la Destinée. Cependant, un jour encore s'écoula, — emportant avec lui la dernière ombre de l'Espérance. Nous haletions dans la rapide modification de l'air. Le sang rouge bondissait tumultueusement dans ses étroits canaux. Un furieux délire s'empara de tous les hommes; et, les bras roidis vers les cieux menaçants, ils tremblaient et jetaient de grands cris. Mais le noyau de l'exterminateur était maintenant sur nous; — même ici, dans le Ciel, je n'en parle qu'un frissonnant. Je serai brève, — brève comme la catastrophe. Pendant un moment, ce fut seulement une lumière étrange, lugubre, qui visitait et pénétrait toutes choses. Puis — prosternons-nous, Charmion, devant l'excessive majesté du Dieu grand! — puis se fut un son éclatant, pénétrant, comme si c'était LUI qui l'eût crié par sa bouche; et toute la masse d'éther environnante, au sein de laquelle nous vivions, éclata d'un seul coup en une espèce de flamme intense, dont la merveilleuse clarté et la chaleur dévorante n'ont pas de nom, même parmi les Anges dans le haut Ciel de la science pure. Ainsi finirent toutes choses. »

OMBRE

En vérité, quoique je marche à travers la vallée de l'*Ombre*...

Psaumes de DAVID.

Vous qui me lisez, vous êtes encore parmi les vivants; mais
moi qui écris, je serai depuis longtemps parti pour la
région des ombres. Car, en vérité, d'étranges choses arri-
veront, bien des choses secrètes seront révélées, et bien
des siècles passeront avant que ces notes soient vues par
les hommes. Et quand ils les auront vues, les uns ne
croiront pas, les autres douteront, et bien peu d'entre eux
trouveront matière à méditation dans les caractères que
je grave sur ces tablettes avec un stylus de fer.

L'année avait été une année de terreur, pleine de sentiments plus intenses que la terreur, pour lesquels il n'y
a pas de nom sur la terre. Car beaucoup de prodiges et
de signes avaient eu lieu, et de tous côtés, sur la terre et
sur la mer, les ailes noires de la Peste s'étaient largement
déployées. Ceux-là néanmoins qui étaient savants dans
les étoiles n'ignoraient pas que les cieux avaient un aspect
de malheur; et pour moi, entre autres, le Grec Oinos, il
était évident que nous touchions au retour de cette sept
cent quatre-vingt-quatorzième année, où, à l'entrée du

Bélier, la planète Jupiter fait sa conjonction avec le rouge
anneau du terrible Saturne. L'esprit particulier des cieux,
si je ne me trompe grandement, manifestait sa puissance
non-seulement sur le globe physique de la terre, mais
aussi sur les âmes, les pensées et les méditations de l'humanité.

Une nuit, nous étions sept, au fond d'un noble palais,
dans une sombre cité appelée Ptolémaïs, assis autour de
quelques flacons d'un vin pourpre de Chios. Et notre
chambre n'avait pas d'autre entrée qu'une haute porte
d'airain; et la porte avait été façonnée par l'artisan Corin-
nos, et elle était d'une rare main-d'œuvre, et fermait en
dedans. Pareillement, de noires draperies, protégeant cette
chambre mélancolique, nous épargnaient l'aspect de la
lune, des étoiles lugubres et des rues dépeuplées; — mais
le pressentiment et le souvenir du Fléau n'avaient pas
pu être exclus aussi facilement. Il y avait autour de nous,
auprès de nous, des choses dont je ne puis rendre distinctement compte, — des choses matérielles et spirituelles,
— une pesanteur dans l'atmosphère, — une sensation
d'étouffement, une angoisse, — et, par-dessus tout, ce
terrible mode de l'existence que subissent les gens nerveux,
quand les sens sont cruellement vivants et éveillés, et
les facultés de l'esprit assoupies et mornes. Un poids
mortel nous écrasait. Il s'étendait sur nos membres, —
sur l'ameublement de la salle, — sur les verres dans
lesquels nous buvions; et toutes choses semblaient oppri-
mées et prostrées dans cet accablement, — tout, excepté
les flammes des sept lampes de fer qui éclairaient notre
orgie. S'allongeant en minces filets de lumière, elles restaient toutes ainsi, et brûlaient pâles et immobiles; et,
dans la table ronde d'ébène autour de laquelle nous étions
assis, et que leur éclat transformait en miroir, chacun des
convives contemplait la pâleur de sa propre figure et
l'éclair inquiet des yeux mornes de ses camarades. Cependant, nous poussions nos rires, et nous étions gais à
notre façon, — une façon hystérique; et nous chantions
les chansons d'Anacréon, — qui ne sont que folie; et

nous buvions largement, — quoique la pourpre du vin
nous rappelât la pourpre du sang. Car il y avait dans la
chambre un huitième personnage, — le jeune Zoïlus.
Mort, étendu tout de son long et enseveli, il était le génie
et le démon de la scène. Hélas! il n'avait point sa part
de notre divertissement, sauf que sa figure, convulsée par
le mal, et ses yeux, dans lesquels la Mort n'avait éteint
qu'à moitié le feu de la peste, semblaient prendre à notre
joie autant d'intérêt que les morts sont capables d'en
prendre à la joie de ceux qui doivent mourir. Mais, bien
que moi, Oinos, je sentisse les yeux du défunt fixés sur
moi, cependant je m'efforçais de ne pas comprendre l'amertume de leur expression, et, regardant opiniâtrément dans
les profondeurs du miroir d'ébène, je chantais d'une voix
haute et sonore les chansons du poëte de Téos. Mais graduellement mon chant cessa, et les échos, roulant au
loin parmi les noires draperies de la chambre, devinrent
faibles, indistincts, et s'évanouirent. Et voilà que du fond
de ces draperies noires où allait mourir le bruit de la
chanson s'éleva une ombre, sombre, indéfinie, — une
ombre semblable à celle que la lune, quand elle est basse
dans le ciel, peut dessiner d'après le corps d'un homme;
mais ce n'était l'ombre ni d'un homme, ni d'un Dieu, ni
d'aucun être connu. Et frissonnant un instant parmi les
draperies, elle resta enfin, visible et droite, sur la surface
de la porte d'airain. Mais l'ombre était vague, sans forme,
indéfinie; ce n'était l'ombre ni d'un homme, ni d'un
Dieu, — ni d'un Dieu de Grèce, ni d'un Dieu de Chaldée,
ni d'aucun Dieu égyptien. Et l'ombre reposait sur la
grande porte de bronze et sous la corniche cintrée, et
elle ne bougeait pas, et elle ne prononçait pas une parole,
mais elle se fixait de plus en plus, et elle resta immobile.
Et la porte sur laquelle l'ombre reposait était, si je m'en
souviens bien, tout contre les pieds du jeune Zoïlus
enseveli. Mais nous, les sept compagnons, ayant vu
l'ombre, comme elle sortait de draperies, nous n'osions
pas la contempler fixement; mais nous baissions les yeux,
et nous regardions toujours dans les profondeurs du miroir

d'ébène. Et, à la longue, moi, Oinos, je me hasardai à prononcer quelques mots à voix basse, et je demandai à l'ombre sa demeure et son nom. Et l'ombre répondit :

— Je suis OMBRE, et ma demeure est à côté des Catacombes de Ptolémaïs, et tout près de ces sombres plaines infernales qui enserrent l'impur canal de Charon!

Et alors, tous les sept, nous nous dressâmes d'horreur sur nos siéges, et nous nous tenions tremblants, frissonnants, effarés; car le timbre de la voix de l'ombre n'était pas le timbre d'un seul individu, mais d'une multitude d'êtres; et cette voix, variant ses inflexions de syllabe en syllabe, tombait confusément dans nos oreilles en imitant les accents connus et familiers de mille et mille amis disparus!

SILENCE

La crête des montagnes sommeille;
la vallée, le rocher et la caverne sont
muets.

ALCMAN.

ECOUTE-moi — dit le Démon, en plaçant sa main sur
ma tête. — La contrée dont je parle est une contrée
lugubre en Libye, sur les bords de la rivière Zaïre. Et là,
il n'y a ni repos ni silence.

Les eaux de la rivière sont d'une couleur safranée et
malsaine; et elles ne coulent pas vers la mer, mais pal-
pitent éternellement, sous l'œil rouge du soleil, avec un
mouvement tumultueux et convulsif. De chaque côté de
cette rivière au lit vaseux s'étend, à une distance de
plusieurs milles, un pâle désert de gigantesques nénuphars. Ils soupirent l'un vers l'autre dans cette solitude,
et tendent vers le ciel leurs longs cous de spectres, et
hochent de côté et d'autre leurs têtes sempiternelles. Et
il sort d'eux un murmure confus qui ressemble à celui
d'un torrent souterrain. Et il soupirent l'un vers l'autre.

Mais il y a une frontière à leur empire, et cette frontière
est une haute forêt, sombre, horrible. Là, comme les
vagues autour des Hébrides, les petits arbres sont dans
une perpétuelle agitation. Et cependant il n'y a pas de

vent dans le ciel. Et les vastes arbres primitifs vacillent
éternellement de côté et d'autre avec un fracas puissant.
Et de leurs hauts sommets filtre, goutte à goutte, une
éternelle rosée. Et à leurs pieds d'étranges fleurs véné-
neuses se tordent dans un sommeil agité. Et sur leurs
têtes, avec un frou-frou retentissant, les nuages gris se
précipitent, toujours vers l'ouest, jusqu'à ce qu'ils roulent
en cataracte derrière la muraille enflammée de l'horizon.
Cependant il n'y a pas de vent dans le ciel. Et sur les
bords de la rivière Zaïre il n'y a ni calme ni silence.

C'était la nuit, et la pluie tombait; et quand elle tombait, c'était de la pluie, mais quand elle était tombée,
c'était du sang. Et je me tenais dans le marécage parmi
les grands nénuphars, et la pluie tombait sur ma tête, —
et les nénuphars soupiraient l'un vers l'autre dans la
solennité de leur désolation.

Et tout d'un coup, la lune se leva à travers la trame
légère du brouillard funèbre, et elle était d'une couleur
cramoisie. Et mes yeux tombèrent sur un énorme rocher
grisâtre qui se dressait au bord de la rivière, et qu'éclairait
la lueur de la lune. Et le rocher était grisâtre, et sinistre,
et très-haut, — et le rocher était grisâtre. Sur son front de
pierre étaient gravés des caractères; et je m'avançai à
travers le marécage de nénuphars, jusqu'à ce que je fusse
tout près du rivage, afin de lire les caractères gravés dans
la pierre. Mais je ne pus pas les déchiffrer. Et j'allais
retourner vers le marécage, quand la lune brilla d'un
rouge plus vif; et je me retournai, et je regardai de nouveau vers le rocher et les caractères; — et ces caractères
étaient : Désolation.

Et je regardai en haut, et sur le faîte du rocher se tenait
un homme; et je me cachai parmi les nénuphars afin
d'épier les actions de l'homme. Et l'homme était d'une
forme grande et majestueuse, et, des épaules jusqu'aux
pieds, enveloppé dans la toge de l'ancienne Rome. Et le
contour de sa personne était indistinct, — mais ses traits
étaient les traits d'une divinité; car, malgré le manteau
de la nuit, et du brouillard, et de la lune, et de la rosée,

rayonnaient les traits de sa face. Et son front était haut
et pensif, et son œil était effaré par le souci; et dans les
sillons de sa joue je lus les légendes du chagrin, de la
fatigue, du dégoût de l'humanité, et une grande aspira-
tion vers la solitude.

Et l'homme s'assit sur le rocher, et appuya sa tête sur
sa main, et promena son regard sur la désolation. Il regarda les arbrisseaux toujours inquiets et les grands
arbres primitifs; il regarda, plus haut, le ciel plein de
frôlements, et la lune cramoisie. Et j'étais blotti à l'abri
des nénuphars, et j'observais les actions de l'homme. Et
l'homme tremblait dans la solitude; — cependant, la nuit
avançait, et il restait assis sur le rocher.

Et l'homme détourna son regard du ciel, et le dirigea
sur la lugubre rivière Zaïre, et sur les eaux jaunes et
lugubres, et sur les pâles légions de nénuphars. Et
l'homme écoutait les soupirs des nénuphars et le murmure qui sortait d'eux. Et j'étais blotti dans ma cachette,
et j'épiais les actions de l'homme. Et l'homme tremblait
dans la solitude; — cependant, la nuit avançait, et il
restait assis sur le rocher.

Alors je m'enfonçai dans les profondeurs lointaines du
marécage, et je marchai sur la forêt pliante de nénuphars,
et j'appelai les hippopotames qui habitaient les profondeurs du marécage. Et les hippopotames entendirent mon
appel et vinrent avec les béhémoths jusqu'au pied du
rocher, et rugirent hautement et effroyablement sous la
lune. J'étais toujours blotti dans ma cachette, et je sur-
veillais les actions de l'homme. Et l'homme tremblait
dans la solitude : — cependant, la nuit avançait, et il
restait assis sur le rocher.

Alors je maudis les éléments de la malédiction du tumulte; et une effrayante tempête s'amassa dans le ciel,
où naguère il n'y avait pas un souffle. Et le ciel devint
livide de la violence de la tempête, — et la pluie battait
la tête de l'homme, — et les flots de la rivière débordaient,
— et la rivière torturée jaillissait en écume, — et les
nénuphars criaient dans leurs lits, — et la forêt s'émiet-

tait au vent, — et le tonnerre roulait, — et l'éclair tombait, — et le roc vacillait sur ses fondements. Et j'étais toujours blotti dans ma cachette pour épier les actions de l'homme. Et l'homme tremblait dans la solitude; — cependant, la nuit avançait, et il restait assis sur le rocher.

Alors je fus irrité, et je maudis de la malédiction du *silence* la rivière et les nénuphars, et le vent, et la forêt, et le ciel, et le tonnerre, et les soupirs des nénuphars. Et ils furent frappés de la malédiction, et ils devinrent muets. Et la lune cessa de faire péniblement sa route dans le ciel, — et le tonnerre expira, — et l'éclair ne jaillit plus, — et les nuages pendirent immobiles, — et les eaux redescendirent dans leur lit et y restèrent, — et les arbres cessèrent de se balancer, — et les nénuphars ne soupirèrent plus, — et il ne s'éleva plus de leur foule le moindre murmure, ni l'ombre d'un son dans tout le vaste désert sans limites. Et je regardai les caractères du rocher, et ils étaient changés; — et maintenant ils formaient le mot : SILENCE.

Et mes yeux tombèrent sur la figure de l'homme, et sa figure était pâle de terreur. Et précipitamment il leva sa tête de sa main, il se dressa sur le rocher, et tendit l'oreille. Mais il n'y avait pas de voix dans tout le vaste désert sans limites, et les caractères gravés sur le rocher étaient : SILENCE. Et l'homme frissonna, et il fit volte-face, et il s'enfuit loin, loin, précipitamment, si bien que je ne le vis plus.

. . . .

— Or, il y a de bien beaux contes dans les livres des Mages, — dans les mélancoliques livres des Mages, qui sont reliés en fer. Il y a là, dis-je, de splendides histoires du Ciel, et de la Terre, et de la puissante Mer, — et des Génies qui ont régné sur la mer, sur la terre et sur le ciel sublime. Il y avait aussi beaucoup de science dans les paroles qui ont été dites par les Sybilles; et de saintes, saintes choses ont été entendues jadis par les sombres feuilles qui tremblaient autour de Dodone; mais, comme il est vrai qu'Allah est vivant, je tiens cette fable que m'a contée le Démon, quand il s'assit à côté de moi dans l'ombre de la tombe, pour la plus étonnante de toutes! Et quand le Démon eut fini son histoire, il se renversa dans la profondeur de la tombe, et se mit à rire. Et je ne pus pas rire avec le Démon, et il me maudit parce que je ne pouvais pas rire. Et le lynx, qui demeure dans la tombe pour l'éternité, en sortit, et il se coucha aux pieds du Démon, et il le regarda fixement dans les yeux.

L'ÎLE DE LA FÉE

Nullus enim locus sine genio est.

SERVIUS.

LA *musique*, — dit Marmontel, dans ces *Contes Moraux*
que nos traducteurs persistent à appeler *Moral Tales*
comme en dérision de leur esprit, — *la musique est le
seul des talents qui jouisse de lui-même; tous les autres
veulent des témoins.* Il confond ici le plaisir d'entendre
des sons agréables avec la puissance de les créer. Pas plus
qu'aucun autre *talent,* la musique n'est capable de donner
une complète jouissance, s'il n'y a pas une seconde personne pour en apprécier l'exécution. Et cette puissance
de produire des effets dont on jouisse pleinement dans
la solitude ne lui est pas particulière; elle est commune
à tous les autres talents. L'idée que le conteur n'a pas
pu concevoir clairement, ou qu'il a sacrifiée dans son expression à l'amour national du *trait,* est sans doute l'idée
très-soutenable que la musique du style le plus élevé est
la plus complétement sentie quand nous sommes absolument seuls. La proposition, sous cette forme, sera admise
du premier coup par ceux qui aiment la lyre pour l'amour
de la lyre et pour ses avantages spirituels. Mais il est
un plaisir toujours à la portée de l'humanité déchue, —

et c'est peut-être l'unique, — qui doit même plus que
la musique à la sensation accessoire de l'isolement. Je
veux parler du bonheur éprouvé dans la contemplation
d'une scène de la nature. En vérité l'homme qui veut
contempler en face la gloire de Dieu sur la terre doit
contempler cette gloire dans la solitude. Pour moi du
moins, la présence, non pas de la vie humaine seulement,
mais de la vie sous toute autre forme que celle des êtres
verdoyants qui croissent sur le sol et qui sont sans voix,
est un opprobre pour le paysage : elle est en guerre avec
le génie de la scène. Oui, vraiment, j'aime à contempler
les sombres vallées, et les roches grisâtres, et les eaux qui
sourient silencieusement, et les forêts qui soupirent dans
des sommeils anxieux, et les orgueilleuses et vigilantes
montagnes qui regardent tout d'en haut. — J'aime à
contempler ces choses pour ce qu'elles sont : les membres
gigantesques d'un vaste tout, animé et sensitif, — un
tout dont la forme (celle de la sphère) est la plus parfaite
et la plus compréhensive de toutes les formes; dont la
route se fait de compagnie avec d'autres planètes; dont
la très-douce servante est la lune; dont le seigneur mé-
diatisé est le soleil; dont la vie est l'éternité; dont la
pensée est celle d'un Dieu; dont la jouissance est connaissance; dont les destinées se perdent dans l'immensité; pour
qui nous sommes une notion correspondante à la notion
que nous avons des animalcules qui infestent le cerveau,
— un être que nous regardons conséquemment comme
inanimé et purement matériel, — appréciation très-sem-
blable à celle que ces animalcules doivent faire de nous.

Nos télescopes et nos recherches mathématiques nous
confirment de tout point — nonobstant la cafarderie de
la plus ignorante prêtraille, — que l'espace, et conséquemment le volume, est une importante considération
aux yeux du Tout-Puissant. Les cercles dans lesquels se
meuvent les étoiles sont le mieux appropriés à l'évolution,
sans conflit, du plus grand nombre de corps possible.
Les formes de ces corps sont exactement choisies pour
contenir sous une surface donnée la plus grande quantité

possible de matière; — et les surfaces elles-mêmes sont
disposées de façon à recevoir une population plus nombreuse que ne l'auraient pu les mêmes surfaces disposées
autrement. Et, de ce que l'espace est infini, on ne peut
tirer aucun argument contre cette idée : que le volume
a une valeur aux yeux de Dieu; car, pour remplir cet
espace, il peut y avoir un infini de matière. Et puisque
nous voyons clairement que douer la matière de vitalité
est un principe, — et même, autant que nous pouvons
en juger, le principe capital dans les opérations de la
Divinité, — est-il logique de le supposer confiné dans
l'ordre de la petitesse, où il se révèle journellement à
nous, et de l'exclure des régions du grandiose? Comme
nous découvrons des cercles dans des cercles et toujours
sans fin, — évoluant tous cependant autour d'un centre
unique infiniment distant, qui est la Divinité, — ne pou-
vons-nous pas supposer, analogiquement et de la même
manière, la vie dans la vie, la moindre dans la plus
grande, et toutes dans l'Esprit divin? Bref, nous errons
follement par fatuité, en nous figurant que l'homme,
dans ses destinées temporelles ou futures, est d'une plus
grande importance dans l'univers que ce vaste *limon de
la vallée* qu'il cultive et qu'il méprise, et à laquelle il
refuse une âme par la raison peu profonde qu'il ne la voit
pas fonctionner.

Ces idées, et d'autres analogues, ont toujours donné
à mes méditations parmi les montagnes et les forêts,
près des rivières et de l'océan, une teinte de ce que les
gens vulgaires ne manqueront pas d'appeler fantastique.
Mes promenades vagabondes au milieu de tableaux de
ce genre ont été nombreuses, singulièrement curieuses,
souvent solitaires; et l'intérêt avec lequel j'ai erré à travers
plus d'une vallée profonde et sombre, ou contemplé le
ciel de maint lac limpide, a été un intérêt grandement
accru par la pensée que j'errais seul, que je contemplais
seul. Quel est le Français bavard qui, faisant allusion à
l'ouvrage bien connu de Zimmermann, a dit : *La solitude
est une belle chose, mais il faut quelqu'un pour vous dire*

que la solitude est une belle chose? Comme épigramme, c'est parfait; mais, *il faut!* Cette nécessité est une chose qui n'existe pas.

Ce fut dans un de mes voyages solitaires, dans une région fort lointaine, — montagnes compliquées par des montagnes, méandres de rivières mélancoliques, lacs sombres et dormants, — que je tombai sur certain petit ruisseau avec une île. J'y arrivai soudainement dans un mois de juin, le mois du feuillage, et je me jetai sur le sol, sous les branches d'un arbuste odorant qui m'était inconnu, de manière à m'assoupir en contemplant le tableau. Je sentis que je ne pourrais le bien voir que de cette façon, — tant il portait le caractère d'une vision.

De tous côtés, — excepté à l'ouest, où le soleil allait bientôt plonger, — s'élevaient les murailles verdoyantes de la forêt. La petite rivière, qui faisait un brusque coude, et ainsi se dérobait soudainement à la vue, semblait ne pouvoir pas s'échapper de sa prison; mais on eût dit qu'elle était absorbée vers l'est par la verdure profonde des arbres; — et du côté opposé (cela m'apparaissait ainsi, couché comme je l'étais, et les yeux au ciel), tombait dans la vallée, sans intermédiaire et sans bruit, une splendide cascade, or et pourpre, vomie par les fontaines occidentales du ciel.

A peu près au centre de l'étroite perspective qu'embrassait mon regard visionnaire, une petite île circulaire, magnifiquement verdoyante, reposait sur le sein du ruisseau.

> La rive et son image étaient si bien fondues
> Que le tout semblait suspendu dans l'air.

L'eau transparente jouait si bien le miroir qu'il était presque impossible de deviner à quel endroit du talus d'émeraude commençait son domaine de cristal.

Ma position me permettait d'embrasser d'un seul coup d'œil les deux extrémités, est et ouest, de l'îlot; et j'observai dans leurs aspects une différence singulièrement marquée. L'ouest était tout un radieux harem de beautés de jardin. Il s'embrasait et rougissait sous l'œil oblique du soleil, et souriait extatiquement par toutes ses fleurs. Le gazon était court, élastique, odorant, et parsemé d'asphodèles. Les arbres étaient souples, gais, droits — brillants, sveltes et gracieux, — orientaux par la forme et le feuillage, avec une écorce polie, luisante et versicolore. On eût dit qu'un sentiment profond de vie et de joie circulait partout; et, quoique les Cieux ne soufflassent aucune brise, tout cependant semblait agité par d'innombrables papillons qu'on aurait pu prendre, dans leurs fuites gracieuses et leurs zigzags, pour des tulipes ailées.

L'autre côté, le côté est de l'île, était submergé dans l'ombre la plus noire. Là, une mélancolie sombre, mais pleine de calme et de beauté, enveloppait toutes choses. Les arbres étaient d'une couleur noirâtre, lugubres de forme et d'attitude, — se tordant en spectres moroses et solennels, traduisant des idées de chagrin mortel et de mort prématurée. Le gazon y revêtait la teinte profonde du cyprès, et ses brins baissaient languissamment leurs pointes. Là s'élevaient éparpillés plusieurs petits monticules maussades, bas, étroits, pas très-longs, qui avaient des airs de tombeaux, mais qui n'en étaient pas, quoique au-dessus et tout autour grimpassent la rue et le romarin. L'ombre des arbres tombait pesamment sur l'eau et semblait s'y ensevelir imprégnant de ténèbres les profondeurs de l'élément. Je m'imaginais que chaque ombre, à mesure que le soleil descendait plus bas, toujours plus bas, se séparait à regret du tronc qui lui avait donné naissance et était absorbée par le ruisseau, pendant que d'autres ombres naissaient à chaque instant des arbres, prenant la place de leurs aînées défuntes.

Cette idée, une fois qu'elle se fut emparée de mon imagination, l'excita fortement, et je me perdis immédiatement en rêveries. « Si jamais île fut enchantée, — me disais-je, — celle-ci l'est, bien sûr. C'est le rendez-vous des quelques gracieuses Fées qui ont survécu à la destruction de leur race. Ces vertes tombes sont-elles les leurs?

Rendent-elles leurs douces vies de la même façon que l'humanité? Ou plutôt leur mort n'est-elle pas une espèce de dépérissement mélancolique? Rendent-elles à Dieu leur existence petit à petit, épuisant lentement leur substance jusqu'à la mort, comme ces arbres rendent leurs ombres l'une après l'autre? Ce que l'arbre qui s'épuise est à l'eau qui en boit l'ombre et devient plus noire de la proie qu'elle avale, la vie de la Fée ne pourrait-elle pas bien être la même chose à la Mort qui l'engloutit? »

Comme je rêvais ainsi, les yeux à moitié clos, tandis que le soleil descendait rapidement vers son lit et que des tourbillons couraient tout autour de l'île, portant sur leur sein de grandes, lumineuses et blanches écailles, détachées des troncs des sycomores, — écailles qu'une imagination vive aurait pu, grâce à leurs positions variées sur l'eau, convertir en tels objets qu'il lui aurait plu, — pendant que je rêvais ainsi, il me sembla que la figure d'une de ces mêmes Fées dont j'avais rêvé, se détachant de la partie lumineuse et occidentale de l'île, s'avançait lentement vers les ténèbres. — Elle se tenait droite sur un canot singulièrement fragile, et le mouvait avec un fantôme d'aviron. Tant qu'elle fut sous l'influence des beaux rayons attardés, son attitude parut traduire la joie, — mais le chagrin altéra sa physionomie quand elle passa dans la région de l'ombre. Lentement, elle glissa tout le long, fit peu à peu le tour de l'île, et rentra dans la région de la lumière.

« La révolution qui vient d'être accomplie par la Fée, — continuai-je, toujours rêvant, — est le cycle d'une brève année de sa vie. Elle a traversé son hiver et son été. Elle s'est rapprochée de la mort d'une année; car j'ai bien vu que, quand elle entrait dans l'obscurité, son ombre se détachait d'elle et était engloutie par l'eau sombre, rendant sa noirceur encore plus noire. »

Et de nouveau le petit bateau apparut, avec la Fée; mais dans son attitude il y avait plus de souci et d'indécision, et moins d'élastique allégresse. Elle navigua de nouveau de la lumière vers l'obscurité, — qui s'approfondissait à chaque minute, — et de nouveau son ombre, se détachant, tomba dans l'ébène liquide et fut absorbée par les ténèbres. — Et plusieurs fois encore elle fit le circuit de l'île, — pendant que le soleil se précipitait vers son lit, — et, à chaque fois qu'elle émergeait dans la lumière, il y avait plus de chagrin dans sa personne, et elle devenait plus faible, et plus abattue, et plus indistincte; et, à chaque fois qu'elle passait dans l'obscurité, il se détachait d'elle un spectre plus obscur qui était submergé par une ombre plus noire. Mais à la fin, quand le soleil eut totalement disparu, la Fée, maintenant pur fantôme d'elle-même, entra avec son bateau, pauvre inconsolable! dans la région du fleuve d'ébène, — et si elle en sortit jamais, je ne puis le dire, — car les ténèbres tombèrent sur toutes choses, et je ne vis plus son enchanteresse figure.

LE PORTRAIT OVALE

Le château dans lequel mon domestique s'était avisé de pénétrer de force, plutôt que de me permettre déplorablement blessé comme je l'étais, de passer une nuit en plein air, était un de ces bâtiments, mélange de grandeur et de mélancolie, qui ont si longtemps dressé leurs fronts sourcilleux au milieu des Apennins, aussi bien dans la réalité que dans l'imagination de mistress Radcliffe. Selon toute apparence, il avait été temporairement et tout récemment abandonné. Nous nous installâmes dans une des chambres les plus petites et les moins somptueusement meublées. Elle était située dans une tour écartée du bâtiment. Sa décoration était riche, mais antique et délabrée. Les murs étaient tendus de tapisseries et décorés de nombreux trophées héraldiques de toute forme, ainsi que d'une quantité vraiment prodigieuse de peintures modernes, pleines de style, dans de riches cadres d'or d'un goût arabesque. Je pris un profond intérêt, — ce fut peut-être mon délire qui commençait qui en fut cause, — je pris un profond intérêt à ces peintures qui étaient suspendues non-seulement sur les faces principales des murs, mais aussi dans une foule de recoins que la bizarre architecture du château rendait inévitables; si bien que j'ordonnai à Pedro de fermer les lourds volets de la chambre, — puisqu'il faisait déjà nuit, — d'allumer un grand candélabre à plusieurs branches placé près de

mon chevet, et d'ouvrir tout grands les rideaux de velours
noir garnis de crépines qui entouraient le lit. Je désirais
que cela fût ainsi, pour que je pusse au moins, si je ne
pouvais pas dormir, me consoler alternativement par la
contemplation de ces peintures et par la lecture d'un petit
volume que j'avais trouvé sur l'oreiller et qui en contenait
l'appréciation et l'analyse.

Je lus longtemps, — longtemps; — je contemplai religieusement, dévotement; les heures s'envolèrent, rapides
et glorieuses, et le profond minuit arriva. La position du
candélabre me déplaisait, et, étendant la main avec difficulté pour ne pas déranger mon valet assoupi, je plaçai
l'objet de manière à jeter les rayons en plein sur le
livre.

Mais l'action produisit un effet absolument inattendu.
Les rayons des nombreuses bougies (car il y en avait
beaucoup) tombèrent alors sur une niche de la chambre
que l'une des colonnes du lit avait jusque-là couverte
d'une ombre profonde. J'aperçus dans une vive lumière
une peinture qui m'avait d'abord échappé. C'était le portrait d'une jeune fille déjà mûrissante et presque femme.
Je jetai sur la peinture un coup d'œil rapide, et je fermai
les yeux. Pourquoi, — je ne le compris pas bien moi-
même tout d'abord. Mais pendant que mes paupières
restaient closes j'analysai rapidement la raison qui me
les faisait fermer ainsi. C'était un mouvement involontaire
pour gagner du temps et pour penser, — pour m'assurer
que ma vue ne m'avait pas trompé, — pour calmer et
préparer mon esprit à une contemplation plus froide et
plus sûre. Au bout de quelques instants, je regardai de
nouveau la peinture fixement.

Je ne pouvais pas douter, quand même je l'aurais voulu,
que je n'y visse alors très-nettement; car le premier éclair
du flambeau sur cette toile avait dissipé la stupeur rê-
veuse dont mes sens étaient possédés, et m'avait rappelé
tout d'un coup à la vie réelle.

Le portrait, je l'ai déjà dit, était celui d'une jeune fille.
C'était une simple tête, avec des épaules, le tout dans

ce style qu'on appelle, en langage technique, style *de
vignette*, beaucoup de la manière de Sully dans ses têtes
de prédilection. Les bras, le sein, et même les bouts des
cheveux rayonnants, se fondaient insaisissablement dans
l'ombre vague mais profonde qui servait de fond à l'ensemble. Le cadre était ovale, magnifiquement doré et
guilloché dans le goût moresque. Comme œuvre d'art,
on ne pouvait rien trouver de plus admirable que la
peinture elle-même. Mais il se peut bien que ce ne fût ni
l'exécution de l'œuvre, ni l'immortelle beauté de la physionomie, qui m'impressionna si soudainement et si fortement. Encore moins devais-je croire que mon imagination,
sortant d'un demi-sommeil, eût pris la tête pour celle
d'une personne vivante. — Je vis tout d'abord que les
détails du dessin, le style de vignette, et l'aspect du cadre
auraient immédiatement dissipé un pareil charme, et
m'auraient préservé de toute illusion même momentanée.
Tout en faisant ces réflexions, et très-vivement, je restai,
à demi étendu, à demi assis, une heure entière peut-être,
les yeux rivés à ce portrait. A la longue, ayant découvert
le vrai secret de son effet, je me laissai retomber sur le
lit. J'avais deviné que le *charme* de la peinture était une
expression vitale absolument adéquate à la vie elle-même,
qui d'abord m'avait fait tressaillir, et finalement m'avait
confondu, subjugué, épouvanté. Avec une terreur profonde et respectueuse, je replaçai le candélabre dans sa
position première. Ayant ainsi dérobé à ma vue la cause
de ma profonde agitation, je cherchai vivement le volume
qui contenait l'analyse des tableaux et leur histoire.
Allant droit au numéro qui désignait le portrait ovale,
j'y lus le vague et singulier récit qui suit :

« C'était une jeune fille d'une très-rare beauté, et qui
n'était pas moins aimable que pleine de gaieté. Et maudite fut l'heure où elle vit, et aima, et épousa le peintre.
Lui, passionné, studieux, austère, et ayant déjà trouvé une
épouse dans son Art; elle, une jeune fille d'une très-rare
beauté, et non moins aimable que pleine de gaieté : rien
que lumière et sourires, et la folâtrerie d'un jeune faon;

aimant et chérissant toutes choses; ne haïssant que l'Art
qui était son rival; ne redoutant que la palette et les
brosses, et les autres instruments fâcheux qui la privaient
de la figure de son adoré. Ce fut une terrible chose pour
cette dame que d'entendre le peintre parler du désir de
peindre même sa jeune épouse. Mais elle était humble et
obéissante, et elle s'assit avec douceur pendant de longues semaines dans la sombre et haute chambre de la
tour, où la lumière filtrait sur la pâle toile seulement par
le plafond. Mais lui, le peintre, mettait sa gloire dans son
œuvre, qui avançait d'heure en heure et de jour en jour.
— Et c'était un homme passionné, et étrange, et pensif,
qui se perdait en rêveries; si bien qu'il ne *voulait* pas
voir que la lumière qui tombait si lugubrement dans cette
tour isolée desséchait la santé et les esprits de sa femme,
qui languissait visiblement pour tout le monde, excepté
pour lui. Cependant, elle souriait toujours, et toujours
sans se plaindre, parce qu'elle voyait que le peintre (qui
avait un grand renom) prenait un plaisir vif et brûlant
dans sa tâche, et travaillait nuit et jour pour peindre celle
qui l'aimait si fort, mais qui devenait de jour en jour plus
languissante et plus faible. Et en vérité, ceux qui con-
templaient le portrait parlaient à voix basse de sa ressemblance, comme d'une puissante merveille et comme
d'une preuve non moins grande de la puissance du
peintre que de son profond amour pour celle qu'il pei-
gnait si miraculeusement bien. — Mais, à la longue,
comme la besogne approchait de sa fin, personne ne fut
plus admis dans la tour; car le peintre était devenu fou
par l'ardeur de son travail, et il détournait rarement ses
yeux de la toile, même pour regarder la figure de sa
femme. Et il ne *voulait* pas voir que les couleurs qu'il
étalait sur la toile étaient *tirées* des joues de celle qui
était assise près de lui. Et quand bien des semaines furent
passées et qu'il ne restait plus que peu de chose à faire,
rien qu'une touche sur la bouche et un glacis sur l'œil,
l'esprit de la dame palpita encore comme la flamme dans
le bec d'une lampe. Et alors la touche fut donnée, et

alors le glacis fut placé; et pendant un moment le peintre
se tint en extase devant le travail qu'il avait travaillé;
mais une minute après, comme il contemplait encore,
il trembla et il devint très-pâle, et il fut frappé d'effroi;
et criant d'une voix éclatante : « En vérité, c'est la *Vie*
elle-même! » — il se retourna brusquement pour regarder
sa bien-aimée : — elle était morte! »

NOTES

Beaucoup de lecteurs français de Poe ne situent pas avec précision l'époque où furent composées ses nouvelles. Les *Nouvelles Histoires extraordinaires*, par exemple, ne sont pas postérieures aux *Histoires extraordinaires*, comme pourraient le faire croire les titres que Baudelaire a donnés à ces deux recueils de traductions.

Presque toutes les *Nouvelles Histoires extraordinaires* ont été écrites entre 1839 et 1845. Deux seulement sont plus anciennes, et une seule plus tardive. C'est dire que, dans l'ensemble, Poe les rédigea entre trente et trente-six ans.

Pour chacune d'elles, on trouvera dans nos notes l'indication du journal ou de la revue où elles trouvèrent place avant que l'auteur ne les réunît dans un livre. On trouvera également quelques renseignements sur des personnages ou des ouvrages peu connus en France, et auxquels Poe fait allusion çà et là.

LE DÉMON DE LA PERVERSITÉ

The Imp of the Perverse, publié pour la première fois dans *The Graham's Magazine*, juillet 1845.

Dans une lettre adressée en janvier 1854 à l'acteur Tisserant, Baudelaire exposait le plan d'un drame qu'il projetait d'écrire et auquel il a longtemps pensé, sans jamais se mettre vraiment à la tâche. Cependant le schéma développé dans la lettre à Tisserant montre que ce drame eût dérivé du *Démon de la Perversité* et aussi de la seconde des *Nouvelles Histoires extra-ordinaires : Le Chat noir*.

LE CHAT NOIR

The Black Cat, publié pour la première fois dans *The United States Saturday Post,* Philadelphie, 19 août 1843.

Les biographes de Poe, se fondant sur le fait qu'on avait découvert dans la cave d'une des maisons où le poète avait habité, à Philadelphie, la trace de briques retirées d'un mur puis remises en place, ont conclu que ce détail avait peut-être fourni un des éléments du *Chat noir* ou d'une autre « histoire extraordinaire » : *La Barrique d'Amontillado.*

WILLIAM WILSON

Publié pour la première fois dans *The Gentleman's Magazine and Monthly American Review,* Philadelphie, octobre 1839.

L'épigraphe de cette nouvelle est tirée d'un ouvrage paru à Londres en 1659 : *Pharronida.* L'auteur, William Chamber-layne, était à la fois médecin, poète et auteur dramatique.

Ce que William Wilson dit des premières impressions de sa vie d'écolier présente un caractère nettement autobiographique et provient du séjour que Poe avait fait, de 1817 à 1820, à la « Manor House School » de Stoke Newington, où ses parents adoptifs l'avaient mis en pension. Poe n'a même pas changé le nom du principal de cette école, le docteur Bransby.

L'HOMME DES FOULES

The Man of the Crowd, publié pour la première fois dans *The Burton's Gentleman's Magazine*, Philadelphie, décembre 1840.

Poe s'est peut-être inspiré ici de souvenirs de ses vingt ans. Avec ses parents adoptifs, il avait résidé à Londres de 1827 à 1830.

LE CŒUR RÉVÉLATEUR

The Tell-Tale Heart, publié pour la première fois dans *The United States Saturday Post*, Philadelphie, juillet 1842.

Baudelaire, en traduisant cette nouvelle, y avait d'abord ajouté un sous-titre : *Plaidoyer d'un fou*. Il le supprima en réunissant en volume les *Nouvelles Histoires extraordinaires*.

BÉRÉNICE

Publié pour la première fois dans *The Southern Literary Messenger*, mars 1839.

L'Illustration du 17 avril 1852, en offrant à ses lecteurs la traduction de cette nouvelle par Baudelaire, la coiffait du « chapeau » suivant, rédigé sinon par Baudelaire lui-même, du moins selon des indications fournies par lui :

« Le morceau que nous donnons à nos lecteurs est tiré des œuvres d'Edgar Allan Poe. Il date des premiers temps de sa vie littéraire. Edgar Poe qu'on pourrait appeler la tête forte

des Etats-Unis est mort en 1849, à l'âge de trente-sept ans.
Il est mort pour ainsi dire dans le ruisseau; un matin, les
agents de police, l'ont ramassé, et l'ont porté à l'hôpital de
Baltimore; il a quitté la vie, comme Hoffmann et Balzac et
tant d'autres, au moment où il commençait à avoir raison
de sa terrible destinée. Pour être tout à fait juste, il faut
rejeter la responsabilité d'une partie de ses vices, et notamment
de son ivrognerie, sur la sévère société dans laquelle la Provi-
dence l'avait enfermé.

« Toutes les fois que M. Poe fut heureux, ou à peu près
tranquille, il fut le plus aimable et le plus séduisant des
hommes. Cet excentrique et orageux écrivain n'eut d'autre
réelle consolation dans sa vie que le dévouement angélique
de la mère de sa femme, Mistress Clemm, à qui tous les cœurs
solitaires rendront un hommage légitime.

« Edgar Poe n'est pas spécialement un poëte et un romancier;
il est poëte, romancier et philosophe. Il porte le double caractère de l'illuminé et du savant. Qu'il ait fait quelques œuvres
mauvaises et hâtives, cela n'a rien d'étonnant, et sa terrible
vie l'explique; mais ce qui fera son éternel éloge, c'est sa
préoccupation de tous les sujets réellement importants, et
seuls dignes de l'attention d'un homme *spirituel* : probabilités,
maladies de l'esprit, sciences conjecturales, espérances et calculs
sur la vie ultérieure, analyse des excentriques et des parias
de la vie sublunaire, bouffonneries directement symboliques.
Ajoutez à cette ambition éternelle et active de sa pensée, une
rare érudition, une impartialité *étonnante et antithétique* relativement à sa nature *subjective*, une puissance extraordinaire
de déduction et d'analyse; et à la *roideur* habituelle de sa
littérature, il ne paraîtra pas surprenant que nous l'ayons
appelé la *tête forte* de son pays. C'est l'idée opiniâtre d'utilité,
ou plutôt une curiosité enragée qui distingue M. Poe de tous
les romantiques du continent, ou, si vous l'aimez mieux, de
tous les sectaires de l'école dite romantique.

« Jusqu'ici, M. Poe n'était connu que par *Le Scarabée d'or*,
Le Chat noir et *L'Assassinat de la rue Morgue,* traduits dans
un excellent système de traduction positive par Mme Isabelle
Meunier, et la *Révélation mesmérienne,* traduite dans *La Li-*

berté de penser par M. Charles Baudelaire qui vient de publier dans les deux derniers volumes de la *Revue de Paris* une appréciation très-nette de la vie et du caractère de l'infortuné Poe, et à qui nous devons la communication de ce morceau.

« Les principaux ouvrages de M. Poe sont : *The Tales of the grotesque and arabesque,* qu'on pourrait traduire par *Grotesques et Arabesques,* un volume de contes chez Wiley et Putnam, à New York, un volume de poésies, *The Literati, Eureka, Arthur Gordon Pym,* et une quantité considérable de critiques très-aiguës sur les écrivains anglais et américains. »

L'épigraphe de *Bérénice* pose un petit problème qui n'a jamais été résolu. On ne sait qui était Ebn Zaiat, ni d'où Poe a tiré la transcription latine des paroles de cet Arabe : « Mes amis me disent : « Si tu voulais seulement visiter sa « tombe! » Mais je leur ai répondu : « En a-t-elle aucune autre « que mon cœur? »

LA CHUTE DE LA MAISON USHER

The Fall of the House of Usher, publié pour la première fois dans *The American Museum of Literature and the Arts,* Baltimore, avril 1839.

Il a existé une famille Usher, à laquelle Poe était apparenté par sa mère. Les Roderick et Madeline de l'histoire extraordinaire auraient eu pour modèles un James Usher, né à Boston en 1807, et une Agnes Usher, née à Québec en 1809.

Les vers de Béranger placés en exergue sont extraits d'une pièce intitulée *Le Refus,* par laquelle le chansonnier repoussait une offre de pension que lui avait faite le général Sébastiani. Mais Poe a rectifié légèrement le premier vers de son épigraphe. Béranger avait écrit : « Mon cœur est un luth suspendu. »

L'allusion que Poe fait aux « rêveries de Fuseli » se rapporte aux peintures de cet artiste de l'école anglaise. Il s'appelait en réalité Jean-Henri Fuessli, et il était Suisse, mais en Angleterre, où il a passé la plus grande partie de sa vie et où il est mort à quatre-vingt-quatre ans en 1825, c'est sous le nom de Fuseli qu'on l'a connu.

Le poème *Le Palais hanté* est, comme on s'en doute, de Poe lui-même, qui l'avait d'ailleurs publié auparavant.

Les personnages nommés dans la note de la page 96 sont des hommes de science du XVIIIe siècle; les médecins anglais William Watson et Thomas Percival, et le biologiste italien Spallanzani. William Watson a été d'autre part évêque de Landaff dans le pays de Galles. Ses *Chemical Essays* parurent en 1757.

LE PUITS ET LA PENDULE

The Pit and the Pendulum, publié pour la première fois dans *The Gift,* 1843.

HOP-FROG

Publié pour la première fois dans *The Flag of our Union,* 17 mars 1839.

Poe a peut-être trouvé le sujet de cette nouvelle dans les chroniques de Froissart, qui racontent l'histoire d'une mascarade sous le règne de Charles VI.

LA BARRIQUE D'AMONTILLADO

The Cask of Amontillado, publié pour la première fois dans *The Godey's Magazine and Lady's Book,* mai 1842.

LE MASQUE DE LA MORT ROUGE

The Masque of the Red Death, a fantasy, publié pour la première fois dans *The Graham's Magazine,* mai 1842.

LE ROI PESTE

King Pest, a tale containing an allegory, publié pour la première fois dans le tome I du recueil d'Edgar Poe intitulé : *Tales of the Grotesque and Arabesque, in two volumes.* Philadelphie, Lea and Blanchard, 1840.

L'ouvrage d'où est tirée l'épigraphe de cette histoire est une tragédie représentée en 1561 et qui passe pour avoir été écrite en collaboration par lord Buckhurst et Thomas Nortone.

LE DIABLE DANS LE BEFFROI

The Devil in the Belfry, publié pour la première fois dans *The Saturday Evening Chronicle,* Baltimore, 8 mai 1839.

Certains commentateurs de Poe ont émis l'opinion que cette nouvelle, dont l'action est censée se dérouler dans un village de Hollande, avait pour lieu d'origine le bourg écossais d'Irvine, où était né John Allan, père adoptif du poète et où celui-ci avait passé une partie de son enfance. « Il est probable, écrivait Yves-Gérard Le Dantec, que la description de la tour de l'horloge de Vondervotteimittiss se réfère à un souvenir d'enfance; de même, la culture des choux est, paraît-il, très répandue dans ce village ». Mais Léon Lemonnier, grand connaisseur de l'histoire et de la littérature américaines, tiendrait plutôt *le Diable dans le Beffroi* pour une satire de la colonie néerlandaise établie jadis sur les bords de l'Hudson.

Le nom de Vondervotteimittis n'a évidemment pas l'étymologie que Poe lui prête en se moquant. Il s'agit tout simplement d'un nom fabriqué d'après la prononciation, avec l'accent germanique, des mots : *wonder what time it is* (« se demande quelle heure il est »). L'épigraphe même de la nouvelle confirme cette explication.

LIONNERIE

Lionizing, publié pour la première fois dans *The Southern Literary Messenger,* 9 mai 1835.

Le distique choisi pour épigraphe est une citation, un peu arrangée, des *Biting Satires,* — c'est-à-dire des *Satires mordantes,* — de Joseph Hall (1574-1656), qui fut évêque d'Exeter, puis de Norwich.

L'auteur du *Junius,* ou plutôt des *Lettres de Junius,* n'a jamais livré son nom. Ces lettres, dirigées contre lord North et son gouvernement, furent insérées dans le *Public Advertiser,* de 1769 à 1772.

L'*Ambitious Student* que cite « un professeur de perfectibilité humaine » est un recueil de contes de Bulwer Lytton : *Conversations with an Ambitious Student.*

QUATRE BÊTES EN UNE

Epimanes, publié pour la première fois dans *The Southern Literary Messenger,* mars 1839.

La citation placée en exergue est le premier hémistiche d'un alexandrin de Crébillon :

Chacun a ses vertus ainsi qu'il a ses dieux.

PETITE DISCUSSION AVEC UNE MOMIE

Some Words with a Mummy, publié pour la première fois dans *The American Review,* New York, avril 1845.

Le nom d'*Allamistakeo* a probablement été forgé par Poe en ajoutant un suffixe fantaisiste à l'expression *all a mistake :* erreur complète. Cela sous-entend que le progrès, dont il va être question, est une mystification, et qu'au surplus les savants disent des bêtises lorsqu'ils prétendent retracer l'histoire des civilisations disparues.

Poe a mêlé à cette nouvelle deux personnages de son temps : l'égyptologue G. R. Gliddon, qui ne devait mourir qu'en 1857 et le voyageur J. S. Buckingham qui vécut jusqu'en 1855. Yves-Gérard Le Dantec fait observer que l'allusion à ce dernier n'était certainement pas dépourvue d'ironie, car deux autres textes de Poe tournent ce Buckingham en ridicule.

PUISSANCE DE LA PAROLE

The Power of Words, publié pour la première fois dans *The Democratic Review,* juin 1845.

COLLOQUE ENTRE MONOS ET UNA

The Colloquy of Monos and Una, publié pour la première fois dans *The Graham's Magazine,* août 1841.

CONVERSATION D'EIROS AVEC CHARMION

The Conversation of Eiros and Charmion, publié pour la
première fois dans *The Graham's Magazine,* décembre 1839.

Cette nouvelle retint l'attention de Sainte-Beuve. Baudelaire,
en juillet 1854, en avait donné une traduction dans le journal
Le Pays. Aussi le critique s'étonna-t-il de ne pas la trouver dans
le volume d'*Histoires extraordinaires* de Poe, que Baudelaire
fit paraître en 1856. « Je voudrais bien, écrivit-il alors à
Baudelaire, lire de Poe la nouvelle où l'homme de la dernière
heure raconte ses sensations aux approches de la fin du monde,
est-ce bien cela? on m'en a parlé. Il me semble que ce n'est
pas dans votre volume. Indiquez-moi par un mot où je pourrais
la lire. »

Baudelaire s'empressa de répondre à Sainte-Beuve que la
nouvelle qui l'intéressait ferait partie des *Nouvelles Histoires
extraordinaires,* qui furent effectivement recueillies en volume
l'année suivante.

OMBRE

Shadow, a parable, publié dans le tome I du recueil d'Edgar
Poe intitulé : *Tales of the Grotesque and Arabesque, in two
volumes.* Philadelphie, Lea and Blanchard, 1840.

C'est un des premiers textes de Poe, qui l'écrivit en 1833.

SILENCE

Siope (Σιωπή), *a fable,* publié pour la première fois dans
The Baltimore Book, a Christmas' and New Year's present,
edited by W. H. Carpenter and T. S. Arthur, 1838.

Poe s'est inspiré dans cette nouvelle des paysages et des légendes des îles Hébrides. L'épigraphe qu'il y a mise est tirée d'un poète grec du vie siècle avant Jésus-Christ, dont on ne possède que des fragments.

L'ILE DE LA FÉE

The Island of the Fay, publié pour la première fois dans *The Graham's Magazine,* juin 1841.

Nouvelle conçue à partir de souvenirs d'Ecosse où Poe avait vécu, enfant près de ses parents adoptifs.

LE PORTRAIT OVALE

Life and Death, publié pour la première fois dans *The Graham's Magazine,* avril 1842.

Nouvelle inspirée par un portrait que Poe avait vu exposé à New York, dans une galerie de la Quatrième Avenue.

TABLE

BRODARD ET TAUPIN — IMPRIMEUR - RELIEUR
Paris-La Flèche-Coulommiers. — Imprimé en France.
1815-5-12 - Dépôt légal n° 6941, 4ᵉ trimestre 1967.
LE LIVRE DE POCHE - 6, avenue Pierre Iᵉʳ de Serbie — Paris.
B - 30 - 13 - 1055 - 05
R - 30 - 41 - 1885 - 04